373 - 1B - 150 ①

∂80 Rouge

LA COMPAGNIE DU NORD-OUEST

UNE ÉPOPÉE MONTRÉALAISE

DU MÊME AUTEUR
CHEZ LE MÊME ÉDITEUR

Histoire de Montréal, 5 vol.
Honoré Mercier et son temps, 2 vol.
Maurice Duplessis et son temps, 2 vol.
Histoire de la Province de Québec (réédition, vol. 1 à 10)

CE

LA COMPAGNIE DU NORD-OUEST
UNE ÉPOPÉE MONTRÉALAISE

Tome II

Universitas
BIBLIOTHECA
Ottaviensis

par

ROBERT RUMILLY

FIDES

545570

FC
3212.3
.R85
1980
v.2

Couverture : Tente recouverte de peau de bison lors d'une escale le long de la rivière Rouge.
(*Armour Landry*).

Conception graphique de Gérard Dansereau

ISBN : 2-7621-0787-3

dépôt légal : 1er trimestre 1980, Bibliothèque nationale du Québec

Achevé d'imprimer le 16 janvier 1980, au Presses Élite Inc., pour le compte des Éditions Fides.

© La Corporation des Éditions Fides — 1980
Tous droits de reproduction, d'édition, d'impression, de traduction, d'adaptation et de représentation, en totalité
ou en partie, réservés en exclusivité pour tous les pays. La reproduction d'un extrait quelconque de cet ouvrage,
par quelque procédé que ce soit, tant électronique que mécanique, en particulier par photocopie ou par microfilm,
est interdite sans l'autorisation écrite de la Corporation des Éditions Fides, 235 est, boulevard Dorchester,
Montréal, H2X 1N9.   Imprimé au Canada

Démarches d'Alexander Mackenzie à Londres

Un mémoire de William McGillivray – Lord Selkirk demande une immense concession au Nord-Ouest.

La vie publique est agitée. Sir James Craig, gouverneur général, voit partout dans la province des admirateurs, que dis-je, des partisans de Napoléon. Craig est raide, incontestablement. Le peuple, dans son langage imagé, l'appelle « le collet dret ». Les parlementaires le tiennent pour un intraitable, un satrape. Pierre Bédard, Louis Bourdages et leurs amis demandent l'application du principe britannique de la responsabilité ministérielle devant la Chambre. Cette réclamation de la part d'une colonie est, aux yeux de Craig, simplement révolutionnaire. *Le Canadien* dénonce le cumul des fonctions par des favoris, qui émargent au budget sous plusieurs titres ou prétextes. Les incidents s'enchaînent. Le 15 mai 1809, le gouverneur Craig, entouré de grenadiers, vient annoncer à la Chambre sa dissolution brusquée. Il espère se procurer, par de nouvelles élections, une Chambre plus docile. Craig se rend à Montréal avec sa suite à la fin de juin. Les magistrats, venus en voiture au-devant de lui, présentent à ce gouverneur énergique une adresse flatteuse. Ces magistrats sont, pour plusieurs, des barons de la fourrure tels que James McGill, Joseph Frobisher, Alexander Henry, John Richardson.

Dans ces conditions, le projet de banque cher à Richardson languit. Mais Montréal ne ralentit pas l'intérêt qu'elle porte aux questions économiques. Le brasseur John Molson décide d'entreprendre la navigation à vapeur sur le fleuve, entre Montréal et Québec. Il fait mettre en chantier *L'Accomodation*, qui sera le premier vapeur du Canada.

Pareille entreprise répond au goût de William McGillivray, allergique aux débats parlementaires comme Alexander Mackenzie l'a été. Cependant McGillivray, suivant l'exemple de son oncle McTavish, se consacre corps et âme au seul négoce de la Compagnie du Nord-Ouest devenue sa raison de vivre.

* * *

Alexander Mackenzie poursuit ses démarches à Londres pour obtenir une charte protégeant la Compagnie du Nord-Ouest contre les prétentions de la Compagnie de la Baie d'Hudson. Il soutient que la Compagnie du Nord-Ouest a repoussé une offre intéressante de l'American Fur Company pour ne pas reconnaître la souveraineté américaine sur des territoires découverts par des sujets britanniques — employés de la Compagnie du Nord-Ouest.

William McGillivray met au point, pour appuyer les démarches d'Alexander Mackenzie, un mémoire que son frère Duncan avait préparé[1]. Il insiste sur les conséquences politiques du commerce de sa Compagnie avec l'Angleterre et sur la nécessité de maintenir ce commerce entre les mains d'une seule compagnie. Il évalue la population indienne entre le détroit de Belle-Isle et le Grand lac des Esclaves à 60 000 personnes, dont 12 000 hommes en état de porter les armes. Il doit y avoir 10 000 Indiens dans le département d'Athabasca et 1500, répartis entre les diverses branches de la nation des Sioux, dans les prairies à l'ouest du Mississipi et de la rivière Rouge. Ces derniers, audacieux et intrépides, peuvent toutefois devenir doux et hospitaliers lorsqu'ils vivent en contact avec des amis. La Compagnie du Nord-Ouest maintient cette population dans l'obéissance.

La Compagnie entretient, le long des fleuves et des rivières, quatre-vingt-quatre postes, dont une dizaine aux « postes du Roi » et dans la seigneurie de Mingan sur la rive nord du Saint-Laurent, trois sur le Saint-Maurice, trois sur l'Ottawa, cinq en Abitibi-Témiscamingue, un sur la rivière Sainte-Marie à l'extrémité nord du lac Supérieur, le Fort William qui sert d'entrepôt général, quatre postes sur les Mille Lacs et le lac La Pluie, le Fort Dauphin, trois forts sur les rivières tributaires du lac Winnipeg, six sur l'Assiniboine et la rivière Rouge, cinq sur la Saskatchewan, huit sur la rivière Churchill, un sur le Petit lac des Esclaves, trois à l'ouest des montagnes Rocheuses et douze dans le district d'Athabasca.

Elle répartit les tribus entre deux catégories : celles qui ont des fourrures, qui restent les plus fidèles au gouvernement britannique ; et celles qui, vivant plus au sud, ne possèdent pas de fourrures aussi

---

1. William McGillivray : *An account of the Fur trade carried by the North West Company* (1809). Contenu dans le rapport des Archives publique du Canada, 1928.

précieuses et peuvent subir l'influence des Américains. Ces dernières rendent cependant service en chassant le bison.

La traite — toujours suivant le mémoire de McGillivray — a rapporté à la Compagnie du Nord-Ouest :

jusqu'en 1787 une moyenne de 30 000 livres sterling

en 1788	40 000 livres sterling
en 1789	53 000 livres sterling
de 1790 à 1795	72 000 livres sterling
de 1796 à 1799	98 000 livres sterling
de 1800 à 1804	107 000 livres sterling
de 1804 à 1807	140 000 livres sterling

La Compagnie a dépensé pour achat de marchandises une moyenne de 35 000 livres et payé 15 000 livres de droits.

Les traités avec les États-Unis ont placé la traite au Sud de Michillimakinac et une partie de la traite du Nord sous le contrôle de la bannière étoilée. Les postes établis près de la frontière, y compris le vieux poste de Sainte-Marie, sont tombés sous la juridiction des États-Unis. Les douaniers américains sont exigeants, parfois abusifs. Pour y pallier, la Compagnie du Nord-Ouest a construit un canal et des écluses unissant les eaux du lac Huron à celles du lac Supérieur, et construit une route à l'intérieur du territoire britannique.

Le Grand Portage, principal rendez-vous des marchands, est lui-même devenu américain ! La Compagnie du Nord-Ouest a dû l'abandonner pour construire, à grands frais, de nouveaux entrepôts à cinquante milles plus à l'est, à l'embouchure de la rivière Kaministiquia. Elle appelle ce lieu Fort William. La Compagnie, non satisfaite de contrôler l'immense espace à l'est des Rocheuses, médite d'étendre son champ d'action jusqu'à l'océan Pacifique. Elle a déjà introduit des articles de fabrication anglaise sur le versant occidental des Rocheuses, avec l'idée d'y avoir plus tard un établissement général. Le commerce qui se fait actuellement à l'ouest des Rocheuses, loin de rapporter des bénéfices, occasionne de lourdes pertes : le transport des fourrures à Montréal, d'où elles sont expédiées en Europe, coûte plus que le prix de vente. Il serait actuellement difficile d'établir un poste sur le littoral du Pacifique : les indigènes, maltraités par certains aventuriers américains, trafiquant sur la côte il y a une dizaine d'années, sont très hostiles aux Blancs. Mais ces préjugés tomberont si le succès couronne les entreprises de la Compagnie du Nord-Ouest. Un nouveau débouché sera dès lors assuré aux articles de fabrication anglaise, un nouveau et vaste pays annexé à l'Empire britannique.

Ce grand projet ne peut toutefois se réaliser sans le concours du gouvernement, qui ne saurait refuser de venir en aide à une entreprise d'une telle portée commerciale et politique...

Le mémoire des frères McGillivray, destiné au gouvernement de Londres, insiste donc sur les services que la Compagnie du Nord-Ouest rend au commerce et à l'influence britanniques. Il frappe un point sensible, car les manufactures, qui se sont multipliées en Angleterre plus tôt que dans le reste du monde, ont besoin d'écouler leurs produits.

Edward Ellice épouse à ce moment la sœur du comte Grey, membre d'une grande famille politique et destiné lui-même à une brillante carrière. Mais la Compagnie de la Baie d'Hudson doit bien agir de son côté. Malgré les arguments de McGillivray, l'éclat de son propre nom, l'entregent et les relations d'Edward Ellice, sir Alexander Mackenzie n'arrive pas à secouer, devant le Board of Trade qui est l'autorité compétente, la routine administrative.

La tentative d'achat d'un fort paquet d'actions n'est guère plus fructueuse. Lord Selkirk a raflé les titres disponibles. Alexander Mackenzie, Edward Ellice et Simon McGillivray ne s'emparent que d'un petit nombre, suffisant toutefois pour participer aux assemblées d'actionnaires.

Lord Selkirk demande à la Compagnie de la Baie d'Hudson une vaste concession pour installer des colons écossais dans la région de la rivière Rouge. Selkirk a pour lui sa fortune, ses actions, sa femme et son beau-frère. Il fait valoir cet argument qu'une colonie à la rivière Rouge constituera une source commode et relativement bon marché d'approvisionnement. Selkirk a consulté des juristes, qui l'ont pleinement satisfait quant à la validité de la concession. Il pourra légalement, assurent ces experts, « empêcher toute autre personne d'occuper une partie quelconque de ces terres ».

Le territoire sur lequel lord Selkirk a jeté son dévolu n'est pas boisé, ce qui évitera aux colons la pénible corvée du défrichement. Mais c'est la région qui fournit le pemmican, la région où la Compagnie du Nord-Ouest entretient des postes stratégiques tels que Fort Dauphin sur la rivière Qu'appelle, Gibraltar au confluent de la rivière Rouge et de l'Assiniboine, et le Bas de la rivière Winnipeg. C'est aussi le territoire que les Métis considèrent comme leur domaine. Le trio Mackenzie-Ellice-Simon McGillivray combattra de son mieux les prétentions du jeune lord.

* * *

Charles-Jean-Baptiste Chaboillez meurt à Terrebonne en 1809. Son fils Charles se retire à son tour à Terrebonne, lieu d'élection des traiteurs retraités. Charles Chaboillez ramène de l'Ouest, selon la coutume, non pas sa femme mais ses quatre enfants, qu'il fera baptiser — peut-être sur le conseil du curé de Longueuil, son cousin.

Alexander Henry, vice-président du Beaver Club, qui prend figure de grand ancêtre, a terminé la rédaction de ses souvenirs. Il les publie à New York sous le titre *Travels and Adventures in Canada and the Indian Territories* (1809). Roderick McKenzie se retire, avec l'intention d'écrire l'histoire de la Compagnie du Nord-Ouest. Il reçoit d'autres réponses à sa demande de documentation. John Johnston lui décrit la région du lac Supérieur et sa richesse en fourrures avec son lyrisme habituel. Le point noir est la guerre endémique entre nations indiennes. « Si l'on pouvait y chasser en paix, le pays produirait plus que la plus riche mine du Pérou. » George Keith donne à McKenzie cet exemple de la justice parmi les Indiens : un homme en a tué un autre au cours d'une partie de chasse ; les deux familles s'assemblent pour en débattre ; le meurtre ayant été accidentel, l'accusé est acquitté, mais doit abandonner tous ses biens (qui ne représentent pas grand-chose selon les normes occidentales). Une indemnité convenable console, en règle générale, les familles affligées.

La fermentation de quelques tribus indiennes dans certaines régions n'est pas chose nouvelle. Alexander Henry (junior), commandant au Fort Vermillion, envoie des hommes démolir ce qui restait des palissades de l'ancien Fort George, pour les utiliser à la consolidation de son poste. La Compagnie du Nord-Ouest peut surtout craindre de se trouver coincée entre la Compagnie de la Baie d'Hudson au nord et l'American Fur au sud. Mais elle est de taille — et d'humeur — à se défendre.

William McGillivray et Thomas Thain se rendent à titre d'agents à l'assemblée de Fort William. John George McTavish arrive du Fort Dunvegan avec onze canots chargés de fourrures. Il a laissé le fort aux soins de Daniel Harmon, assisté de l'interprète Baptiste Lafleur. David Thompson, après avoir hiverné et traité sur la Columbia, a porté quarante ballots de fourrures au Fort Augustus. Simon Fraser est moins heureux à New Caledonia, quant à la récolte des fourrures. Son compagnon Jules Quesnel écrit à J.-M. Lamothe (le 1er mai 1809) : « Nous vivons uniquement de saumon séché au soleil par les Indiens... Il y a peu de castor... Les hommes les plus robustes, quand ils ont passé trois ans dans ce pays, sont à peine capables de remplir leur tâche. » Simon Fraser descend lui-même à Fort William, où il rend compte de son voyage.

Agents et hivernants parlent de la nouvelle route projetée, de Montréal à Fort William, pour éviter « les forts et les canons », mais surtout les douaniers américains. Les agents demandent au lieutenant-gouverneur du Haut-Canada des octrois de terre sur le lac Simcoe et la baie Georgienne, pour compenser la perte entraînée par l'abandon de l'ancienne route et des installations qui y sont déjà faites. La nouvelle route permettra l'établissement de colons, qui fourniront la Compagnie.

Le procès-verbal porte que « si les agents nuisent à la Compagnie par une mauvaise administration, les autres associés auront droit de recours contre eux comme toute autre personne ». Il ne reste pas d'autre trace de mésentente ou de simple méfiance des hivernants envers les agents. La Compagnie du Nord-Ouest poursuivra, sous l'autorité de William McGillivray, la politique d'expansion qui l'a portée à sa richesse actuelle.

David Thompson, reparti à cheval vers l'ouest avec un compagnon blanc et un Indien, rencontre Joseph Howse, de la Compagnie de la Baie d'Hudson, en voyage d'exploration. Joseph Howse doit se renseigner sur l'activité de David Thompson, encore considéré par ses anciens chefs comme un transfuge, pénétrer dans la région à l'ouest des Rocheuses et chercher une route vers le Pacifique. À la tête de quinze hommes dont quatre Indiens, il franchit un col qui portera son nom bien que David Thompson, suivant la piste tracée par Jaco Finlay, l'ait traversé dans son voyage de 1807 et continue de l'utiliser pour la traite avec les Indiens. Howse est le premier employé de la Compagnie de la Baie d'Hudson qui ait traversé les Rocheuses. Mais la région est en guerre. Les Têtes-Plates, armés et conseillés par Finan McDonald, de la Compagnie du Nord-Ouest, ont battu les Piégeans, qui vouent rancune aux Blancs. Howse ne surmonte pas l'hostilité des Piégeans et doit retraiter. C'est dans son voyage de retour que Thompson le rencontre. Howse rapporte une quantité de fourrures insuffisante pour justifier de nouvelles tentatives. La Compagnie de la Baie d'Hudson renonce au rêve du Pacifique.

Et la Compagnie du Nord-Ouest reste maîtresse de la traite en Nouvelle-Calédonie.

38

Une défection qui entraînera des suites

Agitation politique — Questions économiques — Défection de Colin Robertson.

Aux élections de novembre 1809, provoquées par le gouverneur Craig, les deux partis couchent à peu près sur leurs positions. Craig se retrouve aux prises avec les mêmes députés, aussi têtus qu'il peut l'être et qui, à l'exemple de Louis-Joseph Papineau, répugnent aux compromis. Pour bien comprendre l'exaspération du gouverneur Craig il faut se reporter à l'époque. Napoléon, au point culminant de sa gloire, a épousé une archiduchesse d'Autriche. Il contrôle les royaumes d'Espagne, d'Italie et d'Allemagne. Il compte, par le Blocus continental, sinon par une invasion armée, mettre l'Angleterre à genoux. Il ne manque pas aux États-Unis d'Américains désireux d'en profiter pour conquérir le Canada. Craig voit des agents de l'ennemi parmi ces arrogants députés, dont les plus instruits sont imprégnés de doctrines révolutionnaires. Il jette en prison l'imprimeur du *Canadien* et trois députés, dont Pierre Bédard, et provoque de nouvelles élections générales, qui seront les troisièmes en dix-huit mois. Il se précipite dans la campagne, en lançant une proclamation. Louis-Joseph Papineau, qui n'a que vingt-quatre ans, mais la prestance de son père, son abondance de parole et plus de fougue, tonne contre l'arbitraire du gouverneur. L'opposition reviendra plus compacte, au mois d'avril.

Les Bourgeois qui donnent le ton à Montréal sont loyalistes. Mais les questions économiques revêtent, dans cette ville entreprenante, une importance de premier plan. L'*Accommodation* vient d'effectuer son premier voyage entre Montréal et Québec, en trente-six heures. La praticabilité de la navigation à vapeur sur le fleuve est démontrée. John Molson, responsable de cette éclatante démonstration, n'est pas un Bourgeois de la Compagnie du Nord-Ouest, mais il serait digne de l'être. C'est merveille de voir l'esprit d'initiative de Montréal, qui aspire au rôle de métropole d'un pays d'avenir. Et cet esprit, ce sont les Bourgeois qui l'incarnent le mieux. Après Saint-Sulpice, il n'y a pas plus montréalais que la Compagnie du Nord-Ouest. William McGillivray, comme son oncle McTavish quelques années plus tôt, est au zénith. Le général Isaac Brock, commandant des forces britanniques à Montréal, est parrain d'une de ses filles, et le général Gordon Drummond, attaché à l'état-major des forces armées au Canada, parrain d'un de ses fils mort en bas âge. Si les autorités lui ont refusé la nomination de John Henry sur le banc judiciaire, c'est qu'elles avaient de fortes raisons. Le gouverneur Craig utilise le capitaine Henry, plus aventurier que capitaine, d'une manière plus conforme à ses aptitudes : il le charge de le renseigner, secrètement, sur les mouvements d'opinion aux États-Unis. John Henry enverra ses rapports, non pas directement au gouverneur; mais à John Richardson, sous couleur de correspondance d'affaires.

Le Beaver Club invite cette année le major général Drummond, le juge en chef Monk, le juge Isaac Ogden, de la Cour du banc du Roi, sir John Johnson, presque un habitué du Club et des officiers parmi les plus huppés de la garnison.

* * *

David Thompson, en 1809, établit des avant-postes de traite mais, retardés par l'effervescence des tribus indiennes, ses progrès sont lents. Il reconnaît une rivière qui n'est pas navigable, et fait demi-tour. James MacMillan lui apporte des marchandises. Les deux traiteurs établissent Saleesh House[1], où ils hivernent.

Les postes de la Compagnie du Nord-Ouest et ceux de la Compagnie de la Baie d'Hudson, dans le Nord-Ouest, se disputent la clientèle des Indiens à grand renfort de rhum. Des moralisateurs demandent au gouvernement britannique, comme ont fait leurs prédécesseurs auprès du gouvernement français, d'interdire la vente ou la distribution d'alcool aux Indiens. Lord Selkirk, dans l'intérêt de ses futurs colons, s'en mêle. Les frères McGillivray, dans leur mémoire, en tirent un habile argument. Ils décrivent la vente du rhum comme une nécessité, consécutive à la concurrence. La consommation a diminué depuis la fusion avec la Compagnie X.Y. ; elle diminuerait encore, sensiblement, si la Compagnie du Nord-Ouest jouissait du monopole qu'elle mérite.

---

1. Dans le Montana actuel.

Alexander Henry (junior), au Fort Vermillion, conclut un accord avec Henry Allett, son « voisin » et concurrent, de la Compagnie de la Baie d'Hudson : chaque poste ne traitera qu'avec les Indiens de sa clientèle habituelle. Un bal scelle le pacte. Il est vrai, reconnaît Alexander Henry, que « nous étions beaucoup trop réunis ; il y avait 72 hommes, 37 femmes et 65 enfants dans une pièce de vingt-deux pieds par vingt-cinq ; il y faisait désagréablement chaud ».

Pareil accord n'est pas la règle. Au lac des Aigles, à l'est du lac des Bois, une bousculade met Aeneas Macdonell, commis de la Compagnie du Nord-Ouest, aux prises avec des employés de la Compagnie de la Baie d'Hudson. Ceux-ci se disent attaqués, et l'un d'eux, John Mowat, tire sur Macdonell et le tue (automne de 1809).

Un commis de la Compagnie du Nord-Ouest, Colin Robertson, Écossais comme la plupart de nos personnages, quitte la Compagnie et se rend à Londres. Colin Robertson a dirigé le poste du lac Vert, sous les ordres de John McDonald of Garth, chef de district. Il déclare que, n'obtenant pas l'avancement souhaité et les méthodes de la Compagnie du Nord-Ouest répugnant à ses principes, il a démissionné. John McDonald écrira plus tard : « Par la suite, il se conduisit de travers, et je le congédiai. » La Compagnie du Nord-Ouest a cependant délivré à Colin Robertson le traditionnel certificat de bons et loyaux services. Quoi qu'il en soit, Colin Robertson a pris contact, avant de quitter le Canada, avec William Auld, de la Compagnie de la Baie d'Hudson, qui déteste ses rivaux de la Nord-Ouest et l'a vivement encouragé. Colin Robertson offre ses services à la Compagnie de la Baie d'Hudson. C'est un gaillard résolu, pour qui la vengeance est un plat qui se mange froid. Il compare les chefs de la Compagnie du Nord-Ouest à des loups et adopte la devise « hurler avec les loups ». Mais il nous force à sourire en invoquant ses principes, choqués par les rudes méthodes de la Compagnie du Nord-Ouest.

Les chassés-croisés de déserteurs d'une compagnie à l'autre ne sont pas nouveaux. Rappelons-nous John Cole quittant le service de Thomas Corry pour passer à la baie d'Hudson au moment où Louis Primeau, prenant le sens inverse, passait de la Compagnie de la Baie d'Hudson au service des frères Frobisher. Et soulignons la valeur des employés mécontents qui — les David Thompson dans un sens et les Colin Robertson dans l'autre — passent d'une compagnie à sa rivale. La Compagnie de la Baie d'Hudson n'a-t-elle pas été fondée par deux mécontents, deux transfuges, Radisson et Des Groseilliers, d'une peu ordinaire carrure ?

Le « Comité » qui est le conseil d'administration de la Compagnie de la Baie d'Hudson reçoit Colin Robertson, recommandé par William Auld, qui lui a prêté l'argent de son voyage. L'ancien subordonné de John McDonald expose ses idées, son plan, que le Comité lui demande de mettre par écrit. Ce qui est fait, en date du 10 janvier 1810.

Colin Robertson accentue l'importance essentielle du district d'Athabasca. La Compagnie du Nord-Ouest, débarrassée de la concurrence, peut, avec une bonne administration, en tirer un bénéfice annuel de 20 000 livres, auxquelles les districts de la rivière aux Anglais et du Petit lac des Esclaves ajouteraient, « sans exagération », 10 000 livres. La Compagnie de la Baie d'Hudson a grand tort d'abandonner le district d'Athabasca, où la proximité de ses « factoreries » — de ses comptoirs — doit lui assurer un fort avantage sur la Compagnie du Nord-Ouest. C'est là, au contraire, qu'elle devrait porter son principal effort. Colin Robertson « ne comprend pas » que la Compagnie de la Baie d'Hudson semble méconnaître l'atout formidable que l'accès de la baie lui procure. (La Compagnie de la Baie d'Hudson, quoi que Robertson en pense, ne le méconnaît pas tellement, puisqu'elle refuse obstinément d'en concéder une fraction à la Compagnie du Nord-Ouest.) Mais pour bien exploiter le district d'Athabasca et les autres, il faut retenir, non pas des employés recrutés aux îles Orcades, qui s'assoupissent à York Factory et n'attendent que la retraite, mais des Canadiens recrutés à Montréal. Les Canadiens sont exigeants quant aux gages, mais on peut, en bonne partie, les payer en marchandises. Robertson s'offre à organiser et diriger une agence de recrutement à Montréal. Il a des collaborateurs en vue. Il débaucherait même du personnel de la Compagnie du Nord-Ouest.

William Auld, qui patronne en quelque sorte Colin Robertson, irait jusqu'à l'engagement de mercenaires armés pour se battre contre le personnel de la Compagnie du Nord-Ouest.

La Compagnie de la Baie d'Hudson, qui n'est pas obligée de le dire à Colin Robertson, n'est pas en mesure d'engager des frais considérables, ces années-ci. Elle a épuisé sa marge de crédit auprès de la Banque d'Angleterre, suspendu ses dividendes et sollicité un délai pour le paiement d'un arriéré de droits de douane. Le Comité s'effraie à l'idée d'une sorte de guerre ouverte. La Compagnie se borne pour l'instant à modifier, sur des conseils donnés ou approuvés par Robertson, son régime de rémunération : elle réduit les salaires et remplace les réductions par une part sur les bénéfices, selon le modèle de la Compagnie du Nord-Ouest, pour stimuler le zèle de ses employés.

Colin Robertson avait jeté les bases de son organisation à Montréal, avec le concours de George Moffat, jeune commis de Parker, Gerrard and Ogilvy devenu commis de McTavish, McGillivray and Company après la fusion de 1804. Moffat a fait plusieurs voyages au Grand Portage, où un fils métis lui est né. C'est, avec trente ans de moins, un type dans le genre de John Richardson : il est actif, ultra-loyaliste, et il a les dents longues. Approché par Colin Robertson, il était prêt à entrer dans la combinaison rivale de McTavish, McGillivray and Company, et l'essentiel de son travail eût été le débauchage du personnel de la Compagnie du Nord-Ouest. Colin Robertson avait aussi pris contact avec un des associés de la Compagnie du Nord-Ouest, Donald McKenzie — l'un des frères de Roderick —, qui pourrait diriger, seul ou avec lui-même, une invasion du district d'Athabasca.

39

Rivalité de John Jacob Astor

John Jacob Astor débauche du personnel et même cinq associés de la Compagnie du Nord-Ouest – La lutte s'engage contre John Jacob Astor.

Ce n'est pas, pour l'heure, la Compagnie de la Baie d'Hudson mais John Jacob Astor, si bien reçu au Beaver Club puis éconduit dans ses projets d'amalgame, qui opère une vraie razzia au détriment de la Compagnie du Nord-Ouest.

John Jacob Astor prépare la fondation d'une Pacific Fur Company, filiale de l'American Fur Company, pour le commerce sur la côte du Pacifique. Il s'apprête à envoyer une expédition par voie de mer, qui contournera le cap Horn, et une expédition par voie de terre qui suivra les traces de Lewis et Clark, par la route du Missouri. Ces deux troupes devront se rejoindre à l'embouchure de la Columbia et y fonder, sous le nom d'Astoria, un établissement permanent. Astor compte s'emparer du marché dans la région visitée par Lewis et Clark, mais qui n'est pas encore annexée aux États-Unis.

La Compagnie du Nord-Ouest flaire aussitôt le danger. Le Committee of Trade de Montréal, où les Bourgeois exercent la prépondérance, alerte l'ambassadeur de Grande-Bretagne à Washington (30 décembre 1809)[1]. Il se plaint des « vexations » infligées par les Américains aux Canadiens au sud de la frontière, et de l'exclusion des Canadiens du commerce en Louisiane. Puis :

> Les Américains semblent vouloir établir des bases de commerce au-delà des montagnes Rocheuses et sur la rivière Columbia, terri-

---

1. Série de documents aux Archives publiques du Canada, sous le titre « The Appeal of the North West Company to the British Government to forestall John Jacob Astor's Columbian Enterprise ».

toires auxquels ils n'ont aucun droit découlant de découverte par terre ou par mer. Ces territoires appartiennent clairement à la Grande-Bretagne, en vertu des découvertes de Cook, Vancouver et Mackenzie. Aucun établissement des Américains sur cette rivière ou sur la côte du Pacifique ne saurait être toléré.

Le Committee of Trade confie ce message au gouverneur Craig, pour transmission.

La Compagnie du Nord-Ouest ne s'alarme pas sans raison. Astor a besoin, pour réaliser ses projets, d'un personnel d'élite. Il ne saurait mieux le trouver qu'au sein de la Compagnie du Nord-Ouest. Il attire, en les associant pour une petite part à ses affaires, non plus seulement des Voyageurs ou de petits commis, ou des traiteurs plus ou moins « libres », mais d'assez gros poissons : Alexander McKay, puis Duncan McDougall, Donald McKenzie, David Stuart et son neveu Robert. Ce sont cinq défections sensationnelles. Alexander McKay, qui fut l'un des compagnons d'Alexander Mackenzie dans ses voyages, est aussi le Nor' Wester plein d'aplomb qui a obstrué le chemin de Delorme, le commis de Dominique Rousseau, sept ans plus tôt. Donald McKenzie est le troisième et dernier de ses frères qui aient rejoint Roderick McKenzie au service de la Compagnie du Nord-Ouest, au moment où leur cousin Alexander Mackenzie, ayant quitté la Compagnie, s'apprêtait à la concurrencer. Il branle depuis quelque temps, puisqu'il a envisagé de s'associer à Colin Robertson projetant l'invasion du district d'Athabasca pour la Compagnie de la Baie d'Hudson.

Astor gardera pour lui-même cinquante, soit la moitié des actions de la Pacific Fur Company. Il donnera quatre actions à chacun de ses associés canadiens, cinq actions à un employé de confiance, Wilson Price Hunt, originaire du New Jersey mais qui trafique à Saint-Louis, et le reste sera partagé entre des commis méritants. Astor fournira tout le matériel, bateaux compris, et assumera toutes les pertes, pendant cinq ans, jusqu'à concurrence de 400 000 dollars. La Pacific Fur Company a demandé une charte, qui lui sera octroyée en juin 1810.

C'est assez inquiétant pour que William McGillivray et John Richardson, personnages de poids et amis personnels, fassent ensemble un voyage à New York, pendant l'hiver de 1809-1810. La diplomatie des affaires, comme celle de la politique, est sujette à des retournements imprévus : ce sont les Nor'Westers, cette fois, qui approchent Astor. En vain.

Le commerce et la politique sont entremêlés dans cette querelle, puisque la question de souveraineté sur la côte du Pacifique est en jeu. McGillivray, rentré à Montréal, écrit aux correspondants de sa firme à Londres, pour demander des démarches auprès du gouvernement britannique (22 janvier 1810). Sa lettre invoque les arguments déjà employés par le Committee of Trade de Montréal (qu'il a dû inspirer) : depuis l'expédition des capitaines Lewis et Clark, le gouvernement et les citoyens des États-Unis considèrent la rivière Columbia et la côte du Pacifique comme appartenant à leur pays ; or, Vancouver et Mackenzie ont précédé Lewis et Clark, et la Compagnie du Nord-Ouest possède des postes sur des affluents de la Columbia ; nous sommes informés qu'une expédition américaine doit partir de New York, au début du printemps prochain, pour fonder des établissements sur la Columbia ; le gouvernement britannique doit, par une intervention énergique, empêcher ces empiétements. « Dans une occasion précédente, on nous a laissé espérer de l'aide, pourvu que nous fassions un établissement sur la Columbia... » Qu'on nous accorde l'exclusivité, et nous le ferons. McGillivray et ses associés invoquent l'urgence.

Les correspondants londoniens de William McGillivray se mettent tout de suite en branle. Le « Comité des Marchands britanniques intéressés au commerce et aux pêcheries dans les colonies nord-américaines de Sa Majesté » fait rapport au marquis Wellesley (2 avril 1810), prévenant que la Compagnie du Nord-Ouest et les autres sujets britanniques traitant des pelleteries en Amérique du Nord devront renoncer à ce commerce s'ils ne sont pas convenablement protégés. Le Comité demande une entrevue au ministre avant qu'il entame des négociations avec les États-Unis à ce sujet. Il joint une lettre de l'honorable John Richardson, membre du Conseil exécutif du Bas-Canada, datée de New York 17 février 1810 et avertissant que l'inaction gouvernementale entraînerait la ruine du commerce britannique des pelleteries.

Astor pousse les préparatifs de ses deux expéditions. Ses nouveaux associés canadiens, transfuges de la Compagnie du Nord-Ouest, sont aux premières loges pour engager à Montréal des commis et surtout des Voyageurs d'expérience. Ils engagent John Clarke, commis au service de la Compagnie depuis dix ans, et Gabriel Franchère, encore novice dans le métier mais qui a la plume déliée et tient son journal dès les premières heures. Donald McKenzie, qui doit accompagner l'expédition par voie de terre, reste en ville. Les quatre autres associés, la belle saison venue, partent en canot pour New York, par le lac Champlain et la rivière Hudson, avec des Voyageurs chantant :

> Nous faut mettre les voiles
> Pour aller dans mon pays,

Pour aller voir ma mie,
Qui est la plus jolie.

Les quatre associés, par prudence ou par goût du pittoresque, se sont déguisés en Indiens, avec des plumes s'il vous plaît. Ils poussent des cris de guerre au passage devant les habitations hollandaises et arrivent à New York dans cet équipage. Ils doivent s'y embarquer sur le *Tonquin,* 290 tonnes, vingt hommes d'équipage et une batterie de six canons, commandé par Jonathan Thorn, officier en congé de la marine de guerre, d'assez brutale réputation.

* * *

Les guerres napoléoniennes font monter le prix des marchandises achetées en Angleterre pour le troc avec les Indiens. La Compagnie du Nord-Ouest reste cependant prospère, tandis que sèchent les actionnaires de la Compagnie de la Baie d'Hudson. Un convoi commandé par John McDonald avec Alexander Macdonell pour lieutenant, attaqué par des Indiens, a perdu des hommes. Mais aucun risque n'intimide un personnel auquel la Compagnie du Nord-Ouest a insufflé, du haut au bas de l'échelle, l'esprit de corps que nous connaissons. Des guides-interprètes comme Toussaint Charbonneau et de simples timoniers particulièrement habiles, comme Joseph Paul, de Sorel, jouissent d'une considération flatteuse. La Compagnie de la Baie d'Hudson n'a rien obtenu de tel parmi son personnel, toujours recruté, en majorité, dans l'archipel des Orcades. Ses hommes manquent de pugnacité, d'initiative, de goût même pour leur travail. William Auld, l'introducteur de Colin Robertson auprès de la Compagnie de la Baie d'Hudson, décrit son poste au lac Reindeer comme « le plus misérable taudis imaginable », d'une malpropreté à faire reculer les Indiens eux-mêmes : « un orang-outan n'en voudrait pas pour abri ». Il n'est pas étonnant que Robert Henry, son adversaire de la Compagnie du Nord-Ouest, mène à William Auld la vie dure.

François Decoigne mène ausi la vie dure aux « Anglais » de Carlton House, sur la Saskatchewan-Sud.

À l'île à la Crosse, où Peter Fidler commande le poste de la Compagnie de la Baie d'Hudson, la femme indienne d'un employé, nommé Andrew Kirkness, sur une brouille avec son mari, se réfugie au poste de la Compagnie du Nord-Ouest. Les gens de la Compagnie de la Baie d'Hudson, croyant ou affectant de croire qu'elle est retenue prisonnière, la réclament en vain. Kirkness lui-même va relancer sa femme. Il ne revient pas. Les Nor'Westers, d'après le journal de Peter Fidler, menacent de violer sa femme sous ses yeux s'il cherche à repartir. À la fin de l'hiver, Kirkness rentre seul au poste « anglais ». Sa femme — sous l'intimidation, d'après le journal de la

Compagnie de la Baie d'Hudson — , refuse de le suivre. Elle « épousera » un engagé de la Nord-Ouest. L'incident peut contribuer à démolir le moral déjà bas du personnel de la Compagnie de la Baie d'Hudson. Peter Fidler abandonne l'île à la Crosse.

La Compagnie du Nord-Ouest a fait arrêter John Mowat, pour le meurtre d'Aeneas Macdonell au lac des Aigles, et l'envoie à Montréal par Fort William où Angus Shaw remplit les fonctions de juge de paix. Deux employés de la Compagnie de la Baie d'Hudson descendent en même temps que Mowat, pour témoigner en sa faveur.

La Compagnie montréalaise peut conserver la maîtrise du commerce dans le Nord-Ouest. Alexander Macdonell dirigera le district de la rivière Rouge. Pierre de Rocheblave quitte le Grand Nord pour hiverner au Pic, sur le lac Supérieur. David Thompson a construit un nouveau fort, Spokane House, sur la rivière Spokane. Il apporte, au printemps, ses fourrures au lac La Pluie, et compte prendre un congé avec sa famille. Jean-Baptiste Perrault, ayant affaire, sur la Lièvre, aux Algonquins auxquels il n'est pas habitué, a moins bien réussi que d'habitude. La Compagnie du Nord-Ouest, contrainte malgré tout aux économies, n'a pas voulu renouveler son contrat aux conditions qu'il exigeait. Perrault s'est retiré à Saint-François, où il ouvre une petite école, sans grand succès.

Le lieutenant-gouverneur du Haut-Canada, tout en encourageant la Compagnie du Nord-Ouest à construire une nouvelle route de Montréal à Fort William regrette de ne pouvoir permettre « aucun monopole », les terrains en cours d'acquisition auprès des Sauvages étant entièrement réservés à la colonisation. C'est l'époque de l'assemblée annuelle. William McGillivray ne renonce pas à son plan, mais le modifie : la nouvelle route, tracée à l'ouest du lac Supérieur, pourra s'ouvrir l'année suivante.

Colin Robertson n'a pas réussi dans le plan auquel George Moffat devait s'associer. Moffat tente de s'établir à son compte, en société avec Alexander Howie, neveu d'Alexander Mackenzie. Mais lord Selkirk engage Miles Macdonell, dont un frère et un cousin jouent un rôle assez important à la Compagnie du Nord-Ouest. Miles Madonell, qui a servi dans l'armée et détient un grade dans la milice, sera l'agent de lord Selkirk pour l'établissement qu'il projette â la rivière Rouge. Miles Macdonell a quarante-quatre ans, ce qui est un âge relativement avancé dans un milieu de colons et plus encore dans le milieu des traiteurs. Qui va-t-il encore essayer de débaucher, celui-là ? Il représentera, à la rivière Rouge, des intérêts très divergents de ceux de la Compagnie du Nord-Ouest, qui vient de confier ce district à son cousin.

Ce n'est pourtant rien — rien d'immédiat en tous cas — auprès de la menace astorienne. Il paraît que le *Tonquin,* nolisé par l'American Fur, ou par sa filiale la Pacific Fur ce qui revient au même, est sur le point d'appareiller à New York, avec quatre ex-associés de la Compagnie à bord ! Le gouvernement britannique, apparemment, n'a pas bougé. La Compagnie du Nord-Ouest, les dents serrées, agira seule s'il le faut. Le recul continuel du castor devant les chasseurs rend plus indispensable l'expansion au-delà des Rocheuses. Et les hivernants sont d'humeur combative. La Compagnie du Nord-Ouest, qui a, seule, ouvert le district de la Nouvelle-Calédonie à l'ouest des montagnes Rocheuses, doit posséder un établissement sur la côte du Pacifique, car les frais de transport de la Colombie à Montréal par l'intérieur seront toujours trop élevés. William McGillivray le fait décider, non pas à l'unanimité il est vrai, mais sans trop de peine. Il fait accepter aussi le principe de nouvelles démarches pour arracher une dérogation au monopole de la East India Company, pour le commerce du futur poste du Pacifique avec l'Extrême-Orient. Un courrier part d'urgence de Fort William, avec mission de rejoindre David Thompson au lac La Pluie, pour lui porter des instructions.

* * *

David Thompson s'apprêtait à descendre en congé avec sa famille. Les instructions qu'on lui apporte sont de repartir tout de suite, de compléter ses explorations au-delà des Rocheuses, d'atteindre l'embouchure de la Columbia, de s'y établir avant l'arrivée des bateaux que John Jacob Astor est sur le point d'y envoyer — qui sont peut-être en route à cette heure-ci — ou de concurrencer le poste d'Astor s'il est impossible de le devancer. Marchandises et provisions, déjà parties de Montréal, lui seront réexpédiées de Fort William.

Un employé supérieur de la Compagnie du Nord-Ouest n'hésite pas. Thompson amène et laisse sa famille au Fort Augustus, sur la Saskatchewan. L'instabilité des Piégeans, qui a fait reculer Joseph Howse, oblige Thompson à ouvrir une nouvelle route jusqu'à la rivière Athabasca, qu'il remonte en passant par le futur parc Jasper.

Un autre courrier confié à John Stuart apporte à Daniel Harmon, au Fort Chippewean, une lettre des agents qui le chargent de prendre la direction du district de la Nouvelle-Calédonie, ou, s'il préfère, de s'y rendre avec John Stuart qui connaît la région et dont il serait le second pendant l'hiver, pour prendre la pleine direction au printemps. Harmon choisit cette dernière solution. John Stuart et Daniel William Harmon quittent Dunvegan le 7 octobre et gagnent le Fort McLeod, où se trouve Jules Quesnel. John Stuart reste au Fort McLeod, où il passera l'hiver. Harmon, Quesnel et treize engagés arrivent au fort du lac Stuart, modeste quartier général de la Nouvelle-Calédonie, le 8 novembre. Un peu plus loin se trouve le Fort Fraser, établi par Simon Fraser en 1806, à l'extrémité orientale du lac qui portera son nom. Harmon et Quesnel se partagent, le premier au lac Fraser et le second au lac Stuart, avec Baptiste Lafleur comme interprète, pour l'hiver. Le pays est magnifique, et la majesté des pins, hauts, larges et droits comme des colonnes de temple, est stupéfiante. Mais le séjour n'est pas de tout repos. La Compagnie demande du castor, toujours du castor. Elle n'achète ni les peaux de loup ni les peaux de renard rouge, dont le prix de vente ne couvrirait pas les frais de transport. Les indigènes, en conséquence, ne dépensent pas leurs munitions contre ces animaux, qui se multiplient, et menacent, encerclent, parfois attaquent les chevaux. Le saumon, qui abonde dans la région, est la nourriture des engagés comme des indigènes. Les engagés de Daniel Harmon mangent chacun quatre saumons par jour.

Il sera difficile à Thompson de devancer le *Tonquin,* qui lève l'ancre à New York le 28 septembre 1810, en direction du cap Horn, éternel cauchemar des navigateurs. Le capitaine Thorn justifie, et au-delà, sa réputation de bourru. Son équipage est américain, mais le personnel choisi par Astor pour la fondation et l'occupation d'Astoria est essentiellement canadien. Il comprend les quatre associés : Duncan McDougall, Alexander McKay, David Stuart et son neveu Robert Stuart ; trois commis : François-Benjamin Pillet, Ovide Montigny et Gabriel Franchère ; treize Voyageurs, un tonnelier, un forgeron, et le tout jeune Guillaume Perrault, qui servira comme mousse pendant la traversée. McDougall tient serré dans sa poche un document signé d'Astor le désignant pour le commandement d'Astoria, le poste à construire à l'embouchure de la Columbia. Avant le départ, Alexander McKay, saisi de scrupule ou de crainte, est allé consulter le ministre plénipotentiaire de Sa Majesté britannique, sur le sort réservé, à lui-même et à ses compagnons, en cas de guerre entre les deux pays.

— Vous serez respectés comme commerçants anglais.

William Price Hunt et le cinquième associé canadien d'Astor, qui est Donald McKenzie, engagent du personnel à Montréal pour l'expédition qui doit, par voie de terre, rejoindre les passagers du *Tonquin.* La côte du Pacifique passe pour un pays de cocagne. Le recrutement n'est pas très difficile, bien que la durée de l'engagement, qui doit être de cinq ans, fasse hésiter quelques candidats. Jean-Baptiste Perrault, qui végète dans sa tentative d'enseignement à Saint-François et se trouve endetté, signe le contrat de cinq ans.

La Compagnie du Nord-Ouest doit aviser. Alexander Mackenzie a fait cette année un court séjour au Canada, où la compagnie qui porte son nom subsiste comme une composante de la Compagnie du Nord-Ouest. Le gouverneur Craig, toujours en dispute avec la majorité de la Chambre, place à la racine du mal l'imprudence de la mère-patrie octroyant une constitution parlementaire à sa colonie. Une « bande d'avocats et de notaires sans principes », enhardis par les succès de Napoléon, peut ainsi enrayer le gouvernement. Sir James Craig approuve et réitère, dans les grandes lignes, les suggestions du juge en chef Jonathan Sewell, qui souhaite une immigration massive, l'introduction d'un cens électoral pour écarter une forte proportion de Canadiens français, l'union du Haut et du Bas-Canada en une seule province sous une seule législature avec augmentation de la députation haut-canadienne ou réduction de la députation bas-canadienne, enfin la nomination des évêques et des curés par le roi pour assurer la docilité du clergé.

Mais la tension anglo-américaine s'aggrave de mois en mois, ce qui engage à la prudence. Un soulèvement au Canada entraînerait des conséquences incalculables. Lord Liverpool signifie au gouverneur Craig, par dépêche du 12 septembre 1810, le rejet de ses propositions. Il conseille d'obtenir « par le recours à la conciliation, l'appui de la Chambre telle qu'elle est actuellement constituée ».

Alexander Mackenzie et William McGillivray ont fait ensemble le tour des problèmes : celui que pose la Compagnie de la Baie d'Hudson ; celui que pose le monopole de la Compagnie des Indes orientales ; et celui que posent les ambitions d'Astor. Le marquis Wellesley n'a peut-être pas transmis à lord Liverpool le mémoire du « Comité des Marchands britanniques intéressés au commerce et aux pêcheries dans les colonies nord-américaines de Sa Majesté ». Simon McGillivray, de la firme McTavish, Fraser and Company, lui en envoie, du Canada, copie au nom de la Compagnie du Nord-Ouest (10 novembre 1810). Simon McGillivray ajoute : « Je dois maintenant informer Votre Seigneurie que l'expédition américaine à la rivière Columbia est partie de New York. » Il craint qu'il ne soit trop tard pour que la Compagnie du Nord-Ouest puisse devancer les astoriens, comme elle était disposée à le faire. Il suggère l'envoi d'une expédition britannique – d'un navire de guerre – pour prendre possession immédiate et définitive du pays. Le bateau américain n'est pas très rapide ; il doit accomplir en route une mission commerciale en Amérique du Sud, ce qui le retardera. Un navire de guerre partant tout de suite et ne perdant pas de temps le devancerait. Simon McGillivray, comme ont fait ses frères et le Comité des Marchands, insiste sur la grandeur de l'enjeu, qui est la possession de toute la côte nord-occidentale de l'Amérique.

William McGillivray ira lui-même à Londres appuyer ce faisceau de démarches et rejoindre sa femme qui, gravement malade, est allée y chercher une impossible guérison. Il doit s'embarquer à New York. Avant de partir, il réunit les associés de McTavish, McGillivrays et ceux de Forsyth, Richardson, le jour de Noël 1810, pour leur exposer la situation et discuter ses projets avec eux. Pour éviter de se battre sur deux fronts, celui de la Compagnie de la Baie d'Hudson au nord et celui de l'American Fur au sud, McGillivray propose de s'entendre avec Astor. L'échec des conversations de l'hiver précédent n'est pas forcément définitif. Astor a déjà proposé un partage du commerce dans le sud-ouest, laissant un tiers à la Compagnie du Nord-Ouest. McGillivray lui proposera la formation d'une compagnie où les Américains et les Canadiens détiendraient chacun la moitié des actions.

Le *Tonquin*, en quête d'eau douce, fait escale aux îles Falkland au début de décembre. Deux des associés, Duncan McDougall et David Stuart, descendus à terre avec quelques compagnons, s'attardent à la chasse. Le capitaine Thorn ordonne le départ sans les attendre. C'est Robert Stuart qui l'oblige à revenir sur sa décision, en lui braquant un pistolet sur la tempe. Le *Tonquin* double le cap Horn le jour de Noël 1810, tandis que William McGillivray discute avec ses associés des propositions à faire à John Jacob Astor.

David Thompson a remonté l'Athabasca, traversé les montagnes et atteint la Columbia, au confluent de la rivière Canoe. La Compagnie du Nord-Ouest y possède un poste, où il hiverne.

40

Astoria

Accord McGillivray-Astor — Le voyage du *Tonquin* — Expédition de Price Hunt et Donald McKenzie — La Compagnie de la Baie d'Hudson accorde à Selkirk l'énorme concession sollicitée.

William McGillivray passe un mois à New York, en négociations avec John Jacob Astor. Les deux hommes, qui sont les plus grands traitants de fourrure de leur époque, se connaissent bien. Il y a déjà longtemps que la collaboration et la concurrence alternent ou coïncident entre eux. Astor a quelque peu diversifié ses intérêts, mais l'American Fur reste et restera son entreprise essentielle et favorite. McGillivray, à l'exemple de son oncle McTavish, a tout misé sur la Compagnie du Nord-Ouest, devenue sa raison de vivre. L'Écossais veut avant tout les mains libres dans ce Nord-Ouest qui est le territoire d'élection de sa Compagnie, toujours menacée par la présence de la Compagnie de la Baie d'Hudson. L'Allemand est rusé, trop intelligent pour se montrer intraitable.

Les Américains veulent contenir l'expansion britannique, et surtout l'influence qu'elle peut exercer sur les Indiens. John Jacob Astor s'est procuré des actions de la Michillimakinac Company. Astor et McGillivray finissent par se partager les zones de commerce. La Michillimakinac Company disparaît, remplacée par la South West Company, dont la Compagnie du Nord-Ouest et l'American Fur se partagent également les intérêts. La Compagnie du Nord-Ouest renonce à la traite sur le territoire des États-Unis. L'American Fur Company renonce à toute ambition au nord des Grands Lacs. Astor voudrait faire étendre la zone américaine au-delà des Rocheuses et jusqu'à la côte du Pacifique, vers laquelle le *Tonquin* cingle, espère-t-il, à toutes voiles. McGillivray s'y refuse : la possession de ce territoire peut être contestée entre l'Angleterre et les États-Unis.

William McGillivray et John Jacob Astor signent leur accord à New York le 28 janvier 1811. McGillivray signe au nom de McTavish, McGillivrays and Company, de Forsyth, Richardson and Company, et, sous réserve de ratification par la prochaine assemblée générale au nom de la Compagnie du Nord-Ouest[1].

La signature apposée, William McGillivray s'embarque pour Londres. Isaac Todd, les Forsyth, A.N. McLeod, Alexander Mackenzie, Edward Ellice, Angus Shaw, Simon McGillivray et quelques autres ont fondé dans la capitale anglaise, au mois d'octobre précédent, un Canada Club modelé sur le Beaver Club.

Quand McGillivray arrive à Londres, sa femme est morte.

* * *

McGillivray a emporté à Londres le mémoire préparé par son frère Duncan, annoté et complété par lui-même. Il le fait publier sans nom d'auteur, sous le titre *Origin and Progress of the North West Company, of Canada*. Mais le Board of Trade fait la sourde oreille.

Le Board of Trade peut être influencé par la East India Company. L'autre adversaire de la Compagnie du Nord-Ouest à Londres, la Compagnie de la Baie d'Hudson, n'a pas donné suite à la suggestion de Colin Robertson, d'envahir en force le district d'Athabasca. La Compagnie du Nord-Ouest continue de surclasser sa rivale sur tous les points de concurrence. George Keith, dans le district de la rivière aux Anglais, écrit à Roderick McKenzie (28 janvier 1811) : « La Compagnie de la Baie d'Hudson qui a deux postes dans le département n'a fait que six castors. Ils veulent toujours persévérer. » John Mowat, l'employé de la Compagnie de la Baie d'Hudson jugé à Montréal pour le meurtre d'un employé de la Compagnie du Nord-Ouest commis au lac des Aigles, plaide légitime défense. Deux de ses collègues sont venus témoigner en sa faveur. John Mowat, condamné à six mois de prison, aura en outre la main marquée au fer rouge.

Andrew Wedderburn Colvile, plus souvent appelé Colvile que Wedderburn, récemment élu au Comité qui dirige la Compagnie de la Baie d'Hudson, y prend une influence dominante et provoque une réorganisation.

---

1. *North West Company, Minute Book 1801-1811*. « Agreement with the American Fur Company, 1811 ».

Il n'apporte, à vrai dire, pas grand changement aux opérations canadiennes de la Compagnie. Il y aura deux surintendants, l'un chargé de la zone nord, l'autre de la zone sud. Ces zones se divisent en départements, dont chacun est commandé par un facteur en chef. Les départements d'Albany et de York Factory sont subdivisés pour créer les nouveaux départements de Winnipeg et de la Saskatchewan. Colvile fait adopter le principe, imité de la Compagnie du Nord-Ouest, d'accorder une part des bénéfices aux employés supérieurs. Il veut surtout insuffler plus de vigueur au personnel de sa Compagnie, devant l'agressivité des Canadiens de la Compagnie du Nord-Ouest. Le Comité envoie à son personnel une circulaire, affirmant que la Compagnie souhaite éviter toute violence, mais s'empressant d'ajouter que la tolérance a des limites. La modération n'est pas soumission. Des employés, dans le passé, ont cédé à l'intimidation :

> L'esprit d'agression et de violence illégale qui semble mouvoir les traiteurs canadiens ne peut être repoussé que par une fermeté résolue de la part des employés de la Compagnie. Nous considérerons comme indigne de nos faveurs tout employé qui montrerait de la faiblesse ou de la timidité dans la défense des justes droits de la Compagnie. Nous comptons que vous défendrez comme des hommes les biens qui vous sont confiés ; et si quelqu'un vous attaque, vous aurez en main, pour vous défendre, des armes dont la loi sanctionne l'usage défensif. . .

Encore faut-il trouver un personnel acceptant d'affronter celui de la Compagnie du Nord-Ouest — et de risquer d'avoir un jour, au Canada, la main marquée au fer rouge. La Compagnie renonce au recrutement quasi exclusif dans les îles Orcades, pour engager des hommes « dans les îles de l'Ouest et sur la côte de l'Écosse, où les gens sont plus résolus ». Elle charge aussi William Hillier de recruter des Irlandais, présumés querelleurs, qui relèveraient à poings nus les défis des bravaches de la Compagnie du Nord-Ouest.

William McGillivray apportait un projet analogue à celui qu'il vient de conclure avec Astor. Dans ce projet de partage des zones, la Compagnie du Nord-Ouest se réserverait le district d'Athabasca, « qu'elle a découvert et organisé à grands frais » et la Nouvelle-Calédonie, à l'ouest des montagnes Rocheuses. Elle garderait tout le pays au nord-ouest de la Saskatchewan, les départements de Fort Dauphin et de la rivière Winnipeg, bref, les territoires de traite les plus juteux. Elle abandonnerait à la Compagnie de la Baie d'Hudson le Nipigon, à quelques réserves près, le district de la rivière Rouge (source de pemmican plus que de fourrures) en conservant toutefois son dépôt de Cumberland House, et le sud-ouest de la Saskatchewan.

William McGillivray, avec son projet, tombe mal. La Compagnie de la Baie d'Hudson repousse la proposition. Et le Comité charge Andrew Colvile d'étudier de près la requête de son beau-frère Selkirk (février 1811).

*   *   *

Le *Tonquin* arrive en février aux îles Sandwich, où James Cook a trouvé la mort. Mieux accueillis que leurs prédécesseurs, les Canadiens engagent dix auxiliaires indigènes pour leur prochain établissement. La confiance ne règne pas entre le capitaine Thorn et ses compagnons. Thorn n'oublie pas le geste de Robert Stuart l'obligeant, le pistolet sur la tempe, à retourner chercher les associés retardataires, aux îles Falkland. Les Écossais dédaignent ce capitaine, qui n'est pas de la classe de gens qu'on inviterait au Beaver Club. Thorn se moque des Voyageurs qui, habitués à la navigation en eau douce, souffrent du mal de mer. Il humilie et rudoie ses matelots au point de provoquer des désertions. Malgré tout, le *Tonquin* jette l'ancre au point de destination, qui est l'embouchure de la rivière Columbia — on devrait dire le fleuve Columbia — le 23 mars 1811. Le fleuve Columbia est, à l'exception du Yukon, le cours d'eau le plus considérable sur le versant du Pacifique, en Amérique du Nord. De gros navires peuvent le remonter, entre des rives pittoresques, sur une distance de trois cents kilomètres. Thorn envoie des matelots opérer des sondages en chaloupe, malgré l'état orageux de la mer. La chaloupe chavire, et plusieurs hommes se noient, dont deux des trois frères Lapensée qui se sont engagés au service de la Pacific Fur Company.

On débarque du matériel à la pointe George, pour l'établissement dont Duncan McDougall doit prendre le commandement. On choisit l'emplacement, après un long examen des lieux. McKay, les Stuart, Clarke, Franchère et d'autres commencent des excursions de découverte dans la région. Ils achètent des fourrures. Les premiers rapports avec les indigènes sont cordiaux. La Colombie est le pays de cocagne dont les jeunes commis — Franchère, Pillet et Montigny, en s'engageant, ont rêvé. La nature, en avance d'un bon mois sur celle du Canada, est déjà en pleine végétation. Le froid ne dépasse presque jamais le point de congélation, et la chaleur tempérée par un vent d'ouest, est rarement excessive. Les cèdres, les aulnes et surtout les épinettes y atteignent des dimensions — des diamètres et des hauteurs — incroyables. Les Indiens, avec de méchants instruments, abattent des cèdres de quatre à cinq brasses de tour, et les creusent pour faire leurs canots, qui sont des pirogues d'une seule pièce. Les fruits sauvages : fraises blanches, framboises rouges, groseilles, pommes et poires foisonnent. Des racines comestibles ressemblent à de jeunes oignons. Le saumon, pris à la seine ou au dard, est d'un goût exquis. Et l'esturgeon, pris au filet ou à l'hameçon, et qui peut atteindre deux pieds de long, rivalise avec lui. Le chevreuil, l'ours — noir, brun, gris ou blanc, le loup, le chat sauvage, le vison, la loutre de terre et la loutre de mer fournissent « les plus belles fourrures » que les connaisseurs aient jamais appréciées. Parmi la gent ailée, l'aigle-nonne, ainsi nommé pour sa tête blanche comme une coiffe, l'aigle noir, l'épervier, le pélican, le cormoran, le héron, l'outarde et plusieurs espèces d'oies et de canards hantent les forêts ou les cours d'eau. Les indigènes, de petite stature, aplatissent la tête de leurs nouveaux-nés, car telle est la mode interdite aux esclaves. Les commis ou les Voyageurs épousant une Sauvagesse devront la dissuader, non sans mal parfois, d'infliger cet honorable supplice à ses nourrissons. Les Indiens sont filous, bien entendu, et les babioles de fabrication européenne ont trop de prix à leurs yeux pour qu'ils puissent résister à la tentation. Ils sont aussi passionnés d'alcool que leurs congénères de l'Est. Les femmes sont naturellement chargées des travaux les plus pénibles. La propreté, chez elles, note Franchère qui ne laisse rien inaperçu, n'est pas une vertu, « et en cela elles ressemblent aux autres Sauvagesses de l'Amérique septentrionale ». La polygamie règne sans jalousie entre elles. Les batailles sont le plus souvent maritimes. Les combattants sont à demi couchés dans leur pirogue, pour éviter les flèches ennemies. Les morts sont déposés dans des canots, sur des rochers assez élevés pour que les crues du printemps ne les atteignent pas. « Malgré les vices que l'on peut imputer aux naturels de la Colombie, je les crois plus proches de l'état de civilisation qu'aucune des tribus qui habitent à l'est des montagnes. Ils ne m'ont pas paru tellement attachés à leurs habitudes qu'ils ne puissent adopter facilement celles des peuples civilisés. »

Plus au nord, Daniel Harmon a pris le commandement du district de la Nouvelle-Calédonie au lac Stuart, au printemps de 1811, au nom de la Compagnie du Nord-Ouest. Il y fait pousser des pommes de terre et des navets, premiers légumes récoltés à l'ouest des Rocheuses. Il n'arrive pas à persuader les indigènes de l'imiter sur ce point, mais leur enseigne la bonne préparation des peaux de castor.

* * *

Jean-Baptiste Perrault, engagé par Donald McKenzie pour l'expédition par voie de terre à la côte du Pacifique, a craint de laisser sa famille sans ressources et s'est fait, en dernière heure, relever de ses engagements. Perrault entre au service d'un traiteur indépendant, qui l'envoie au lac Supérieur.

William Price Hunt et Donald McKenzie sont partis de Saint-Louis avec un commis et dix engagés. Ils ont passé l'hiver sur les bords du Missouri, où trois traiteurs américains, Crooks, McLellan et Miller, en relations d'affaires avec Astor, les ont rejoints avec une équipe d'auxiliaires. Ramsay Crooks est un ancien employé de la Compagnie du Nord-Ouest devenu traiteur indépendant. Pierre Dorion, interprète de l'expédition, est un fils métis de l'interprète qui a servi Lewis et Clarke dans leur fameux voyage. Au printemps de 1811, Hunt et ses compagnons remontent le Missouri dans deux barges, jusqu'à leur rencontre avec un traitant espagnol auquel ils vendent les barges. Ils achètent ensuite aux indigènes une centaine de chevaux pour la traversée des Rocheuses, qu'ils effectuent au nord du 40e degré de latitude, afin d'éviter les Pieds-Noirs, de féroce réputation. Des éclaireurs précèdent et des flancs-gardes protègent le gros de la colonne. Les montagnes franchies, on abandonne les chevaux pour fabriquer des canots et se lancer sur les rivières torrentielles. Mais Miller et ses hommes, découragés, renoncent et retournent aux États-Unis. Il reste une soixantaine d'hommes.

Simon Fraser, sédentaire cette année-là, est au département de la rivière aux Anglais.

David Thompson, le printemps venu, s'apprête à descendre la Columbia jusqu'à son embouchure. Il ne cesse d'effectuer les relevés géographiques où il excelle. Mais l'hostilité des Piégeans, retardant son voyage — lui faisant un moment rebrousser chemin, lui a coûté un temps précieux, lui a peut-être fait perdre la chance de devancer les agents d'Astor, embarqués sur le *Tonquin*.

* * *

William McGillivray est rentré au Canada, les mains vides.

À Londres, Andrew Colvile recommande aux administrateurs de la Compagnie de la Baie d'Hudson l'acceptation des propositions Selkirk. Certes la Compagnie, est une entreprise de commerce, non de colonisation. Cependant une colonie à la rivière Rouge contribuera en peu d'années au ravitaillement des postes de la baie. Elle constituera peut-être, avec les fils des premiers colons, un réservoir de Voyageurs et d'engagés comparable à celui qui, dans le Bas-Canada, offre tant d'avantages à la Compagnie du Nord-Ouest.

Aux yeux des Bourgeois de la Compagnie du Nord-Ouest, la colonisation projetée par Selkirk masque ou tout au moins accompagne un plan d'invasion du district d'Athabasca par la Compagnie de la Baie d'Hudson. Elle en est partie auxiliaire, pour ne pas dire partie intégrante. Alexander Mackenzie se rend, sans droit, à la réunion du Comité qui doit en discuter. Il affirme aux administrateurs que la colonisation détruira le commerce des fourrures, au détriment de leur compagnie comme de la sienne. Il n'obtient qu'un ajournement d'une semaine. Simon McGillivray l'écrit aussitôt à son frère William (25 mai 1811) en ajoutant : « Je ne doute pas que l'affaire sera confirmée. »

Il n'y a pas de doute, en effet. Colvile exerce une influence prépondérante sur un Comité d'hommes nouveaux, élus depuis un an ou deux. Reste, il est vrai, à faire approuver par l'assemblée des actionnaires. Edward Ellice, détenteur d'actions pour 1300 livres, et John Inglis, détenteur pour 1000 livres, sont actionnaires trop récents pour avoir le droit de vote. Lord Selkirk et son beau-frère Colvile représentent à eux deux un capital-actions de 10 000 livres en chiffres ronds. Les administrateurs exposent aux actionnaires les considérations qui les ont décidés. Ils ajoutent que l'établissement d'une colonie affermira les droits de la Compagnie. La concession à lord Selkirk est approuvée par une majorité des deux tiers : des actionnaires représentant un capital de 30 000 livres contre des actionnaires représentant un capital de 15 000 livres. Six actionnaires risquent une vaine protestation, en réclamant la vente aux enchères plutôt que cette adjudication à l'amiable.

Simon McGillivray récrit à McTavish, McGillivrays and Company. Il conseille de tout faire pour dégoûter la Compagnie de la Baie d'Hudson et l'obliger, « soit à nous abandonner entièrement le champ, soit à conclure un arrangement par lequel nous leur concéderions une petite part et garderions avantageusement le reste ». Il suggère l'envoi d'un petit vaisseau d'Angleterre à York Factory « avec une cargaison de marchandises pour Athabasca ».

La Compagnie du Nord-Ouest renouvelle auprès de la Compagnie de la Baie d'Hudson la proposition soumise au début de l'année, lors du voyage de William McGillivray, mais en se déclarant prête à lui apporter « des modifications ». Elle ne serait inflexible que sur l'exclusivité des districts d'Athabasca et de la Nouvelle-Calédonie, ses découvertes propres. La Compagnie du Nord-Ouest aura soumis bien des propositions à sa rivale, au cours de leur histoire, mais toujours pour la sauvegarde de ses intérêts.

La Compagnie de la Baie d'Hudson, sans donner de suite immédiate à la suggestion de Colin Robertson, a cependant retenu sa leçon sur la richesse de l'Athabasca, à lui seul équivalant presque à tout le reste du Nord-Ouest. Elle veut garder le droit d'y pénétrer. Et elle pense à charger Joseph Howse d'une nouvelle mission de découverte — et d'exploitation — à l'ouest des Rocheuses. Le Gouverneur et la Compagnie des Aventuriers d'Angleterre trafiquant dans la baie d'Hudson, puisque tel est le nom conféré par la charte qui est leur titre de noblesse, ne se contenteront pas « d'une petite part » pour laisser « avantageusement le reste » à leurs concurrents abhorrés. La discussion n'est donc pas possible.

La Compagnie de la Baie d'Hudson, au mois de juin 1811, concède à lord Selkirk, en considération de la somme symbolique de dix shillings « et pour d'autres motifs valables », 116 000 milles carrés — plus qu'une province, un pays grand comme l'Angleterre ! — de ce qui fera partie de l'Ouest canadien et de l'Ouest américain : le bassin de la rivière Rouge, la région qui fournit le pemmican, la région où la Compagnie du Nord-Ouest entretient des postes stratégiques tels que Fort Dauphin sur la rivière Qu'appelle, Gibraltar au confluent de la rivière Rouge et de l'Assiniboine et le Bas de la rivière Winnipeg[2]. La région aussi que les Métis se sont accoutumés à considérer comme leur domaine. Selkirk appelle sa gigantesque principauté Assiniboia. Il y établira mille colons en dix ans, sous peine d'annulation de la concession, et cédera deux cents acres de terre à tout employé de la Compagnie de la Baie d'Hudson que celle-ci lui recommandera. Les colons, payant leur terre à des conditions faciles, n'auront pas le droit de s'engager dans le commerce des fourrures.

La décision de la Compagnie de la Baie d'Hudson entraîne une rupture entre lord Selkirk et sir Alexander Mackenzie. « Sa Seigneurie », écrit Simon McGillivray, « est un être artificieux et dangereux, dont sir Alexander ne s'est pas assez méfié ».

Lord Selkirk et Miles Macdonell commencent immédiatement le recrutement des futurs colons. Leurs agents parcourent les Highlands, faisant circuler des prospectus où l'on exalte les immenses plaines, la belle terre grasse et sèche, propre à recevoir une culture immédiate et particulièrement propice à l'élevage du mouton. Mais Simon McGillivray fait insérer des « lettres ouvertes » signées « A Highlander » dans la presse locale *(Inverness Journal)* pour dénoncer l'imprudence « criminelle » d'un envoi de colons dans un pays aussi éloigné, aussi isolé, aussi inhospitalier. Il prédit la réaction des Métis et des Indiens, dépossédés de leur territoire de chasse. Les immigrants, heureux s'ils échappent au scalp, vivront dans les transes. « Leurs habitations, leurs récoltes, leur bétail seront détruits ; l'existence leur sera impossible. »

---

2. Englobant une partie de ce que sont aujourd'hui le Manitoba, la Saskatchewan, le North Dakota et le Minnesota.

De futurs colons, à cette lecture, résilient leur engagement. D'autres, au dernier moment, refusent de s'embarquer. Miles Macdonell leur fait une obligation légale de partir.

Le premier contingent ne rassemble que cent cinq personnes, dont la moitié proviennent des îles Orcades, au lieu des deux cents prévues. Il comprend, avec des ouvriers de divers corps de métier, des cultivateurs qui donneront les premiers coups de bêche, pour assurer une récolte aux colons qui viendront, plus nombreux espère-t-on, l'année suivante. Mais nous sommes en temps de guerre, et les bateaux doivent traverser l'océan en convoi. Stornoway est le port de concentration. Les colons de Selkirk sont répartis entre trois bateaux, le *Prince of Wales*, l'*Edward and Ann* et l'*Eddystone*. Lord Selkirk est venu assister au grand départ. L'officier de douane qui monte à bord de l'un des trois bateaux est un oncle de sir Alexander Mackenzie, originaire de la région. Aux questions inquiètes des futurs colons, il répond qu'ils sont libres de débarquer, s'ils renoncent à partir. Ouvriers et colons se ruent vers l'échelle de coupée.

Le convoi lève l'ancre le 25 juillet 1811, ce qui est plus tard que d'habitude — ce qui est trop tard.

41

David Thompson descend la Columbia

L'établissement d'Astoria — La tragédie du *Tonquin* — Arrivée de David Thompson — Ratification de l'accord avec J.J. Astor — Arrivée du *Beaver* à Astoria.

Duncan McDougall, comme son patron Astor, voit grand. Il fait construire le fort d'Astoria sur une éminence commandant une vue vaste et superbe. Les bâtiments comprennent des chambres pour les associés et les commis, une salle à manger spacieuse, des entrepôts pour les marchandises et les fourrures, un magasin à provisions, une boutique, une forge, un atelier de menuiserie. Les palissades qui les entourent forment un carré d'une quinzaine de pieds de hauteur. Le long de ces palissades court une galerie, percée de meurtrières pour le tir des mousquets. Deux bastions en bois de deux étages, bien pourvus d'armes légères et, à l'étage inférieur, d'un canon de six livres, commandent les quatre côtés. Des guetteurs s'y relaient la nuit. Derrière le fort s'étend une forêt impénétrable de pins gigantesques. Devant le fort, on aménage un jardin potager sur la pente qui aboutit au quai où les bateaux pourront accoster. Autour du fort vont et viennent des Sauvages demi-nus, parfois nus.

Des commis s'éloignent d'Astoria, en tournée d'exploration et de traite. La plupart des Indiens qu'ils rencontrent voient des Blancs pour la première fois. Le *Tonquin* lève l'ancre le 5 juin (1811) pour les mêmes fins d'exploration et de traite. Arrivé à l'île de Vancouver, il stoppe devant un village. Des Indiens montent à bord. Mais un différend s'élève entre le chef indien et le capitaine Thorn, qui le frappe. Les Indiens ne bronchent pas, sur le moment. Ils reviennent le lendemain, avec de nouveaux articles à vendre. Le *Tonquin* est bientôt entouré de canots, et les Indiens grimpent à bord. Le capitaine trouve tant d'hôtes, indésirables, et les congédie. Le chef indien pousse alors le cri de guerre, et ses hommes, sortant les couteaux qu'ils dissimulaient sous leurs vêtements, se précipitent sur l'équipage et, capitaine compris, le massacrent. Cinq matelots réfugiés dans les cordages ou dans la cale échappent à la mort. Quatre d'entre eux mettent un canot de sauvetage à la mer, mais les Indiens les rattrapent et les tuent. Les vainqueurs se répandent à bord, sur les ponts, dans les coursives, dans les cabines. Le seul matelot resté vivant met le feu aux soutes, et le *Tonquin* saute avec tous ses occupants.

John Jacob Astor ne sera naturellement averti qu'assez longtemps après les événements. Il envoie un agent en Russie pour obtenir l'autorisation de traiter avec la compagnie de fourrures de l'Alaska. Il fait préparer aussi un autre bateau, le *Beaver,* qui devra rejoindre le *Tonquin* sur la côte du Pacifique.

* * *

David Thompson entreprend la descente de la Columbia, avec cinq Voyageurs canadiens : Michel Bourdeaux, Pierre Pariel, Joseph Côté, Michel Boulard et François Grégoire, deux chasseurs iroquois et deux Indiens de la région qui pourront tant bien que mal servir d'interprètes. Ils partent après une prière le 3 juillet 1811. Thompson se lance « à la merci du Tout-Puissant ». Le but de son voyage est d'ouvrir au commerce une route jusqu'à l'océan Pacifique. La consigne est de devancer, si possible, l'expédition maritime nolisée par John Jacob Astor. Les villages indiens sont accueillants. Il faut à chacun d'eux fumer le calumet. Tous les soirs, les Voyageurs demandent à Dieu de leur continuer sa protection et renouvellent la promesse de faire dire chacun une messe par le premier prêtre rencontré.

Au confluent de la rivière Shahaptin, le 9 juillet, Thompson fait ériger un mât, auquel il fixe une proclamation, annonçant la prise de possession britannique et l'intention de la Compagnie du Nord-Ouest d'ouvrir un poste en cet endroit. Mais peu après il note : « Nous entendons parler de l'arrivée du bateau américain. »

Le voyage dure douze jours. Thompson et ses compagnons atteignent leur destination le 15 juillet d'après les notes d'Alexander Ross et de Gabriel Franchère, le 16 d'après celles de Thompson lui-même.

L'Ouest canadien, au-delà des reconnaissances de La Vérendrye et de ses fils, n'a pas été découvert par des explorateurs commissionnés par le gouvernement britannique, mais par des employés de la Compagnie du Nord-Ouest, sur les-ordres et aux frais de cette compagnie. Et ni Alexander Mackenzie, ni Simon Fraser, ni David Thompson n'auraient réussi leur audacieuse, leur intrépide, leur héroïque entreprise sans l'endurance et la fidélité de leurs compagnons les Voyageurs canadiens-français, ce que les historiens de langue anglaise, à mon sens, n'ont pas assez souligné.

Au chef cependant la gloire dans le succès, comme la honte dans la défaite. David Thompson est le premier Blanc qui ait descendu la Columbia. Mais il n'est pas le premier Blanc arrivé à son embouchure. Il y trouve le fort d'Astoria, arborant la bannière étoilée.

Duncan McDougall, commandant le fort d'Astoria pour l'American Fur, reçoit cordialement David Thompson, son ancien collègue de la Compagnie du Nord-Ouest. L'affaire du *Tonquin* fait perdre la face aux Blancs. McDougall maintient les Indiens en respect en leur faisant croire qu'il détient le germe de la variole dans un flacon, qu'il lui suffirait de déboucher. La traite cependant est bonne. Les Blancs obtiennent de raisonnables quantités de castor pour un peu de tabac. McDougall attend avec confiance l'arrivée d'un autre bateau, qu'Astor a promis de lui envoyer, avec du renfort.

David Thompson ne goûte l'hospitalité d'Astoria que pendant une dizaine de jours. Il repart le 24 juillet et remonte la Columbia, pour en relever le cours, jusqu'au confluent de la rivière Willamette[1]. David Stuart, partant en expédition de traite avec dix compagnons, fait un bout de route avec Thompson et son équipe. Trois hommes de Stuart désertent. Un groupe se met à leurs trousses et les rachète, contre des couvertures, au chef indien qui les avait faits prisonniers.

David Thompson se dirige ensuite, toujours explorant, traitant et cartographiant, par canots et par voie de terre, vers Spokane House. Il écrit le 28 août à son ami Daniel Harmon une lettre qui, de tribu en tribu, de courrier en courrier, n'atteindra sa destination qu'au printemps suivant.

L'expédition de Price Hunt et Donald McKenzie perd des canots, des hommes et des bagages dans les torrents. Elle se divise en quatre groupes, dirigés par McKenzie, Hunt, McLellan et Crooks, à la recherche de la Columbia.

* * *

La lettre de Simon McGillivray, du 25 mai 1811, faisant prévoir à son frère l'acceptation du projet Selkirk par la Compagnie de la Baie d'Hudson, arrive à temps pour l'assemblée annuelle de Fort William. Simon McGillivray ne croit pas cependant que Miles Macdonell puisse conduire ses colons à la rivière Rouge avant l'hiver.

---

1. Emplacement actuel de Portland (Oregon).

William McGillivray vient lui-même à Fort William avec, comme deuxième représentant des agents, Angus Shaw, qui réalise ainsi pleinement l'ambition à laquelle McTavish et McGillivray ont mis obstacle quelques années plus tôt.

Le courrier apporte, comme tous les ans, des nouvelles de tous les postes. Simon Fraser est cette année-là au Fort Liard, à la tête du district de la rivière Rouge. Jules Quesnel se retire, rentre définitivement « au Canada ». Daniel Harmon lui confie son fils métis, George, qui doit descendre à Montréal et de là passer aux États-Unis, dans la famille de son oncle, pour ses études. Ferdinand Wentzel, l'un des anciens collègues à qui Roderick McKenzie a demandé de la documentation pour l'histoire de la Compagnie du Nord-Ouest, lui envoie un mémoire sur le commerce des fourrures dans la région du fleuve Mackenzie, où il est en poste. Mais il lui donne en même temps des nouvelles affligeantes (30 avril 1811) :

L'hiver dernier a été le plus désastreux qu'un homme seul puisse supporter sans devenir totalement stupide. Notre détresse et nos souffrances ont été si grandes que, de quatre Chrétiens laissés à cet établissement à l'automne dernier, je suis le seul survivant, et dans un état difficile à décrire. Du 13 décembre 1810 au 12 janvier 1811, nous n'avons eu d'autre viande que des peaux d'orignal. À l'heure actuelle, nous n'avons reçu que sept plus[2] de viande fraîche pour nourrir huit hommes, ce qui n'a représenté que deux repas.

De cette période jusqu'au 11 mars, nous n'avons vécu que de peaux de castor séchées ; nous étions alors treize personnes, et nous avons été quinze pendant l'espace de vingt-deux jours. Pour rester en vie, nous avons sacrifié plus de trois cents peaux de castor, quelques lynx et autres peaux. Depuis lors, nous ne faisons un repas que de temps à autre ; nous passons parfois deux ou trois jours sans rien. Tous mes hommes : Louis LeMai dit Poudrier, un de ses enfants, François Pilon et mon chasseur, William Henry, sont morts.

Je ne puis décrire ma propre situation. Tous mes Indiens sont plus ou moins affamés ; une bande m'a informé hier soir que cinq hommes sont morts de faim...

Je suis seul au fort, sans même un animal pour me tenir compagnie...

Des hommes comme Wentzel pourraient gagner leur vie en pays civilisé, sans endurer pareil supplice. L'espoir d'une promotion, l'appât du gain, ne suffisent pas à expliquer leur persévérance. Le Nord-

---

2. Valeur de sept peaux de castor.

Ouest, malgré leurs griefs et leurs lamentations, a bien dû les ensorceler.

Jean-Baptiste Perrault est au Pic, sur le lac Supérieur, où il s'est déjà trouvé à l'emploi de la Compagnie du Nord-Ouest. John Johnston l'appelle « a very ingenious trader ». Mais il est maintenant à l'emploi d'un traiteur indépendant, et la Compagnie du Nord-Ouest lui livre une concurrence si acharnée qu'il la prend en haine. La Compagnie du Nord-Ouest corrompt ses hommes, affirme-t-il ; « elle pourrait tuer, pendre, voler, violer... » Un traiteur indépendant n'est pas de taille ; Perrault passe au service de la Compagnie de la Baie d'Hudson.

La tâche principale de William McGillivray, à Fort William, est de faire ratifier l'accord conclu avec John Jacob Astor à New York, au mois de janvier. Cela ne va pas tout seul. La Compagnie du Nord-Ouest, suivant cette entente, livre à la Southwest Company tous ses postes en territoire américain, et s'abstiendra de tout commerce, de toute participation à une compagnie aux États-Unis. Des hivernants tiennent aux postes qu'ils ont fondés au prix de tant d'efforts et de sacrifices. L'accord McGillivray-Astor leur apparaît comme une prise de contrôle, à demi camouflée, de la Michillimakinac Company par John Jacob Astor.

L'opposition entre hivernants et agents se dessine une fois de plus. Trois anciens associés de la Compagnie X.Y., James Leith, John Wills et John Haldane, mènent le bal. Conserveraient-ils un certain esprit d'indépendance ? L'opposition côtoie la rupture. William McGillivray gagne sa cause en faisant observer que le projet à ratifier exclut du domaine de la Southwest Company tout le territoire au-delà des Rocheuses et du Mississipi, jusqu'à la côte du Pacifique. La Compagnie du Nord-Ouest attend beaucoup de ce nouveau champ, que David Thompson continue d'explorer. Ces observations calment les esprits. McGillivray gagne un des protestataires, Pierre de Rocheblave — autre ancien de la X.Y. — en le proposant comme gérant de la nouvelle entreprise. La majorité décide que l'accord conclu à New York « est ratifié, approuvé et confirmé » (juillet 1811).

Il semble que William McGillivray se soit esquissé une sorte de plan de réserve, d'après lequel la Compagnie du Nord-Ouest concentrerait ses efforts sur le district éprouvé d'Athabasca et le district prometteur de la Nouvelle-Calédonie, base d'un commerce avec la Chine. La Compagnie, moyennant l'exclusivité dans ces domaines — dans ces immenses et richissimes domaines, renoncerait au reste, à l'exception d'un dépôt de pemmican dans le district de la rivière Rouge. L'accès à l'océan Pacifique compenserait l'impossibilité d'acquérir l'accès à la baie d'Hudson. David Thompson est laissé sans charge « pour poursuivre ses plans de découverte sur le flanc occidental des montagnes Rocheuses ».

La Compagnie du Nord-Ouest fait savoir à la Compagnie de la Baie d'Hudson qu'elle ne tolérera pas d'intrusion dans son domaine d'Athabasca. Elle augmente l'effectif du personnel et le nombre de canots envoyés dans ce district.

L'assemblée terminée, William McGillivray rentre à Montréal en faisant un détour par York ; la capitale du Haut-Canada compte à peine un millier d'âmes. John Askin écrit à son père :

> MM. McGillivray, Gregory et McKay partiront d'ici demain pour Montréal via York, pour faire des arrangements au sujet du portage qu'ils comptent établir de la rue Yonge jusqu'à la baie Matchedash. Je leur confie ma lettre... Si les Messieurs du Nord-Ouest établissent la route comme il est proposé, de York à Matchedash, cette mesure assurera l'avenir du pays...

Madeleine Askin, femme de John, confirme dans une lettre à sa belle-mère :

> Ils (McGillivray, Gregory et McKay) sont passés par York. Je crois que, comme le gouvernement achète de la terre aux Indiens, on prépare la confection d'une route. Il nous ont dit qu'ils y étaient décidés...

Alexander McDonnell, qui fut l'un des compagnons du lieutenant-gouverneur Simcoe, explorant le projet de route de York à Matchedash en 1793, écrit de Londres : « La Compagnie du Nord-Ouest a décidé de faire passer son commerce par la rue Yonge. » Le lieutenant-gouverneur Gore consulte Angus Shaw, agent de la Compagnie du Nord-Ouest, et fait mettre au point les plans par un ingénieur qui écrit : « L'eau étant leur élément, ils considèrent la distance comme une bagatelle. »

William McGillivray, à Montréal, prend passage sur l'*Accomodation,* qui le conduit à Québec, où il s'embarquera pour Londres.

* * *

La Compagnie de la Baie d'Hudson a nommé Miles Macdonell gouverneur de l'Assiniboia, et lord Selkirk lui donne instructions d'entretenir des rapports assidus avec les postes de la Compagnie à Pembina et à Brandon House. Ce qui prouverait, s'il en était besoin, l'étroite relation de cette Compagnie avec l'entreprise de lord Selkirk. Celui-ci augmente sa participation au capital-actions de la Compagnie.

Le convoi, parti en retard, est encore retardé par la lenteur de la manœuvre et par un fort vent debout. Miles Macdonell est maladroit avec son personnel dont il prétend, à bord même, réduire les gages. Le premier contingent de colons-travailleurs arrive à York Factory, après une traversée abominable, le 24 septembre 1811. Rien n'était préparé pour le recevoir. Il est trop tard pour envoyer ces gens sur la rivière Rouge. On manque de place pour les héberger à York Factory. On leur fait passer l'hiver dans un hameau de huttes, improvisé sur une île. Les Irlandais se disputent, non pas, comme la Compagnie de la Baie d'Hudson l'avait escompté, avec les Canadiens, qu'ils n'ont pas encore rencontrés, mais avec les Orkneymen. Les antagonistes ne tombent d'accord que pour se plaindre de la nourriture et du logement. Des immigrants meurent du scorbut. Miles Macdonell, qui est catholique, a engagé un aumônier, l'abbé Charles Bourke, mais qui semble parti sans le consentement de son évêque et que l'on soupçonne d'être venu en Amérique en quête de pierres précieuses. Miles Macdonell, dans ses comptes rendus à Selkirk, décrit l'aumônier comme un excentrique, plus embarrassant qu'utile. L'abbé Bourke, à la première occasion, se rembarquera. Les immigrants se rappellent les prédictions signées « A Highlander » dans l'*Inverness Journal,* et les trouvent justifiées.

Il ne faut pas s'y tromper. Ce sont, en règle générale et sauf obligation absolue, les meilleurs éléments qui émigrent. Quand les choses vont de travers dans un pays, les cœurs faibles geignent : « Ça va mal ; nous sommes misérables. » Ceux qui, abandonnant parents et habitudes, prennent la grande résolution de couper les amarres et de tenter l'aventure en pays inconnu, sont les audacieux, les forts. De cette espèce qui bâtira l'extraordinaire réussite moderne appelée les États-Unis d'Amérique. Les rigueurs mêmes de la traversée, encore en ce début du dix-neuvième siècle, éliminent les physiquement inaptes. Donc, les émigrants de Selkirk, qui ont passé outre aux avertissements de Simon McGillivray, ne sont pas des pleurnicheurs. Ce ne sont pas non plus, tant s'en faut, des agneaux. Une mutinerie éclate.

*   *   *

David Thompson, plus géographe que commerçant, est essentiellement préoccupé de ses cartes. Il établit cependant sur la rivière Spokane deux postes, dont l'un est confié à Nicolas Montour II. Duncan McDougall s'empresse d'envoyer un de ses commis, François-Benjamin Pillet, établir un poste en concurrence avec celui de Montour. On échange surtout, dans ces postes, du tabac contre du castor.

David Stuart et d'autres Astoriens excursionnent à cheval vers le nord. Ils sont les premiers Blancs à pénétrer la région qui s'étend entre la Fraser et la Columbia. L'accueil des Indiens, à l'intérieur, varie du cordial à l'hostile en passant par le rébarbatif. Au poste d'Astoria, l'automne, gâché par des pluies incessantes, est décevant. Les engagés des îles Sandwich ont la nostalgie de leur pays. Les torrents sont plus effroyables, s'il est possible, que ceux des rivières de l'Est. Un timonier de l'expédition Astor à la Colombie, Antoine Clappine, qui est un des plus vieux et des plus habiles Voyageurs, dirige son canot au milieu d'un rapide de la rivière aux Serpents. La violence du courant le jette contre une roche, où le canot se brise et coule. Les occupants réussissent à se sauver, mais Clappine, cramponné au canot, est arraché par un autre remous et se noie.

Les quatre groupes entre lesquels l'expédition de Price Hunt et Donald McKenzie s'est divisée suivent, deux sur une rive et deux sur l'autre, une rivière qu'ils prennent pour la Columbia et qu'ils nomment, quand ils se rendent compte de leur méprise, la rivière Enragée. Ils endurent d'indicibles misères. Des hommes se sont noyés. D'autres s'égarent et disparaissent. Les survivants font bouillir le cuir de leurs chaussures pour le manger. Crooks, malade, est abandonné à son sort. Des Sauvages presque aussi affamés qu'eux-mêmes sauvent enfin ces débris d'expédition. Mais ils volent les dépêches à destination d'Astoria, contenues dans une boîte en fer blanc dont le luisant les tente. Les guetteurs d'Astoria voient arriver, le 12 janvier 1812, deux canots portant des hommes blancs, ou plutôt des squelettes d'hommes blancs, revêtus de lambeaux d'étoffe. Ce sont Donald McKenzie, R. McLellan et onze hommes. Price Hunt et un autre groupe arrivent un mois plus tard, le 15 février.

Pas plus que les missions précédentes, la mission Hunt n'a établi de route praticable. Mais Astor a envoyé un autre navire, le *Beaver*, de 480 tonnes, parti de New York le 17 octobre sous le commandement du capitaine Cornelius Sowles, à destination d'Astoria. Le *Beaver* transporte, outre l'équipage, un associé, six commis et des Voyageurs. Le recrutement n'a pas été très difficile puisque, pour les jeunes gens, la Colombie est l'Eldorado où l'on ramasse des fortunes — où l'on peut devenir millionnaire comme Astor — en traversant des aventures. L'un des commis embarqués sur le *Beaver*, Ross Cox, tient immédiatement son journal, comme a fait Franchère avant même de fouler le pont du *Tonquin*[3]. Le *Beaver* franchit le cap Horn et pénètre dans l'océan Pacifique le 1er janvier 1812.

Le *Beaver* fait à son tour escale aux îles Sandwich, à la fin de mars. Le roi et ses trois femmes acceptent l'invitation de dîner à bord. Quelques Blancs, confortablement installés, vivent aux îles Sandwich. Ils ont pour la plupart échappé à la justice américaine. Le *Beaver* arrive à l'embouchure de la Columbia le 12 avril. Le capitaine est assez inquiet, car des indigènes, lui décrivant en termes imprécis l'infortune du *Tonquin,* lui ont laissé croire à la destruction du fort même. Mais le fort est là, superbe, dominateur, et salue du canon les nouveaux arrivés. Un canot se détache au-devant du *Beaver* : il transporte Duncan McDougall, un commis et huit Voyageurs canadiens.

---

3. Ross Cox : *Adventures on the Columbia River.*

Vers la guerre avec les États-Unis

L'incident John Henry — David Thompson rentre dans l'Est pour se consacrer à la cartographie — La concurrence en « Colombie » — Les premiers colons de Selkirk arrivent à la rivière Rouge — Déclaration de guerre ; prise de Michillimakinac.

Sir James Craig, malade, est rentré en Angleterre pour mourir au cœur de l'Empire qu'il a servi toute sa vie. Sir George Prevost, son successeur, compte plusieurs campagnes où il s'est distingué. Mais c'est un homme de sens rassis, qui opte décidément pour une politique de conciliation.

La guerre avec les États-Unis est imminente. Le général Isaac Brock, administrateur du Haut-Canada (et parrain d'une fille de McGillivray), recommande, dès la fin de 1811, l'offensive et s'il le faut l'agression : il s'emparerait de Michillimakinac et de Detroit et renforcerait la défense sur les Grands Lacs.

Un incident contribue à précipiter les choses. On se rappelle que Craig a chargé un agent secret, John Henry — autre ami de McGillivray —, d'enquêter sur l'état de l'opinion aux États-Unis et de signaler les hommes influents susceptibles d'être subornés. Henry envoie ses rapports chiffrés à la firme Forsyth, Richardson and Company, pour leur donner l'apparence d'une correspondance commerciale. Et Richardson, lui-même membre du Conseil exécutif, les transmet à Herman W. Ryland, secrétaire des gouverneurs successifs. Mais l'espion, mal rétribué à son gré, vend au président Madison, pour dix mille dollars, sa correspondance avec le gouverneur du Canada. William McGillivray, averti trop tard, court à New York pour dissuader Henry, qui lui répond :

— « Le Rubicon est franchi. »

Le Congrès fait imprimer ces documents. Le Canada Club, à Londres, raie Henry de sa liste de membres. Aux États-Unis, cette divulgation sensationnelle surexcite les esprits. Les partisans de la guerre imaginent la conquête du Canada comme une promenade militaire. La disproportion des forces est énorme, et les ministres américains, qui ont aussi des informateurs, comptent sur le mécontentement soulevé par le régime de Craig parmi la population canadienne. Mais sir George Prevost témoigne de ses bonnes dispositions.

La Compagnie du Nord-Ouest veut profiter des circonstances. La guerre, si elle éclate comme tout le fait craindre, gênera et peutêtre coupera les communications habituelles. Et si notre commerce, faute de communications, est interrompu, nos importations de marchandises, si précieuses aux manufactures d'Angleterre, devront cesser. La Compagnie du Nord-Ouest prie le gouvernement britannique d'exercer une pression sur la Compagnie de la Baie d'Hudson, pour l'obliger à céder un droit de transit.

La Compagnie de la Baie d'Hudson céderait à l'extrême rigueur un droit de passage pour l'importation des marchandises anglaises au Canada, mais le refuse obstinément pour l'exportation des fourrures du Canada. La Compagnie du Nord-Ouest gagnerait une année en expédiant ses fourrures par le nord. La Compagnie de la Baie d'Hudson ne renoncerait à son avantage sur ce point qu'au prix d'une très forte compensation pécuniaire.

Sir Alexander Mackenzie et lord Selkirk avaient poussé leur brouille jusqu'à des contestations judiciaires. Ils les règlent hors Cour (entre avocats). Il a été convenu par arrangement verbal entre Mackenzie et McGillivray que les actions de la Compagnie de la Baie d'Hudson achetées par Mackenzie l'ont été pour le compte de la Compagnie du Nord-Ouest, et lui appartiennent. Cet achat, insuffisant, est resté inefficace. Alexander Mackenzie croit qu'un plus grand effort aurait pu réussir, et l'écrit à Roderick (3 avril 1812) : « Si la Compagnie (du Nord-Ouest) avait sacrifié 20 000 livres qui lui auraient assuré la prépondérance à la Compagnie de la Baie d'Hudson, cela aurait été de l'argent bien dépensé. »

*　*　*

Simon Fraser est à la tête du département de la Grande Rivière ou fleuve Mackenzie. On y a beaucoup souffert. George Keith confirme, dans une lettre à Roderick McKenzie, les tragiques renseignements fournis par Wentzel :

Une navrante catastrophe s'est produite à l'établissement des Fourches l'hiver dernier. Trois hommes et un enfant ont succombé aux longues souffrances de la famine. Les malheureux étaient Poudrier, Pilon et William Henry, et l'enfant appartenait au premier d'entre eux. M. Wentzel, sa famille et quelques autres femmes et enfants ont été, après d'incroyables privations, les seuls survivants. Les scènes désolantes qu'il a vues et éprouvées l'ont dégoûté de la Grande Rivière, et il passe l'hiver, cette année, au lac La Pluie.

Je suis allé au Fort Chippewean l'été dernier, dans l'espoir d'être envoyé au lac La Pluie au printemps suivant. Cette agréable perspective s'est évanouie à l'arrivée de M. John McGillivray, de Fort William, qui succède à M.M.D. McTavish dans Athabasca... (5 janvier 1812).

John McGillivray, commis de la Compagnie du Nord-Ouest, est un des fils métis du grand chef.

David Thompson rentre dans l'Est, avec la moisson d'observations géographiques accumulées depuis vingt-huit ans et qui nourriront l'entreprise dont il a fait le but de sa vie : dresser la première carte complète du Nord-Ouest, des Grands Lacs à l'océan Pacifique. Thompson n'a pas pleinement réussi la mission d'ouvrir une route praticable. Il a cependant acquis, pour la Compagnie du Nord-Ouest, le bassin septentrional de la rivière — ou du fleuve — Columbia. John McDonald of Garth hiverne sur la rivière Coutenay. Les postes que Simon Fraser et David Thompson ont fondés en Nouvelle-Calédonie et en Colombie, particulièrement celui du Fort McLeod, celui du lac Stuart et ceux de la rivière Spokane, constituent un double district organisé, qui a commencé ses « retours » réguliers de fourrures. Le Métis Jean-Baptiste Boucher, qui fut l'un des plus vaillants compagnons de Simon Fraser, a fait de la Nouvelle-Calédonie, où il a épousé une Sauvagesse, son pays d'adoption.

Mais Duncan McDougall, avec Astoria pour base et des lieutenants comme David Stuart, établit aussi des postes et organise des voyages de traite dans la Colombie. Alexander Ross, venu avec l'expédition Hunt, chargé d'un poste près de l'embouchure de la rivière Okanagan, prend une épouse indienne « à la façon du pays ». Alexander Ross, comme David Stuart son chef direct, fait des excursions de traite à cheval. Quand il ne lui reste plus qu'un mètre de tissu de coton, un chef le lui achète pour vingt peaux de castor « de première qualité ».

Puis un renfort débarqué du *Beaver* comprend John Clarke — promu associé de la Pacific Fur Company par John Jacob Astor, plusieurs commis dont Ross — gratte-papier intrépide dont le journal corroborant celui de Gabriel Franchère sera précieux, des Voyageurs et quelques indigènes des îles Sandwich. Duncan McDougall dispose d'un bon réservoir de commis, pour concurrencer les postes de la Compagnie du Nord-Ouest sur la rivière Spokane. Donald McKenzie, David Stuart et John Clarke partent, par canot, ensemble pour impressionner les Indiens par leur force, en voyage de traite et d'exploration dans l'intérieur. Il faut emporter fusils, munitions, haches, couteaux, pièges à castor, chaudières, couvertures, calicots, colliers, bagues, provisions de bœuf, de farine, de riz, de biscuits, de thé, plus une quantité «modérée» de vin et de rhum. L'expédition rencontre des tribus hostiles. John Clarke, qui tranche volontiers du seigneur, a impressionné Astor, qui l'a pris pour une future étoile « de la constellation astorienne » et l'a promu associé. Il veut briller et dominer. Il aime être traité en grand chef par les Indiens. Cependant c'est Donald McKenzie qui, dans une situation critique, prend l'offensive en réclamant à un chef un fusil volé. Il y met tant d'autorité que l'Indien cède.

Donald McKenzie passe pour pénétrer l'âme indienne, et les ressorts qui peuvent la faire mouvoir, mieux qu'homme au monde. Il établit un poste sur la rivière Lewis, au pays des Nez-Percés. François-Benjamin Pillet s'est déjà installé, avec six hommes, à proximité du poste commandé par Nicolas Montour. Farnham et Ross Cox s'installent au pays des Têtes-Plates, à proximité de Saleesh House, le poste établi par David Thompson et commandé par Finan McDonald. Ils échangent un bon fusil, qui vaut une livre et sept shillings dans le commerce de gros, contre vingt peaux de castor, qui valent vingt-cinq livres. Mais, reconnaît Cox, ces prix ne tiennent pas compte des énormes frais de transport. David Stuart, apportant des marchandises à Fort Okanagan, pousse plus au nord et construit un fort à Kamloops, au confluent des rivières Thompson-Nord et Thompson-Sud. Kamloops est un point de liaison entre la Nouvelle-Calédonie au nord, et la Colombie au sud, qu'aucune frontière ne sépare.

De ces postes, les traiteurs rayonnent à cheval. Il faut éviter la chute dans un précipice, la malveillance de certaines tribus, les larcins 'des Indiens les mieux disposés, le grouillement des serpents et, au camp, le supplice des mouches et des moustiques dont la piqûre gonfle les yeux au point de parfois les clore. Ross Cox, séparé de ses compagnons, est perdu, seul, pendant quatorze jours — et quatorze nuits — jusqu'à ce que des Indiens le rencontrent et le sauvent.

Les deux compagnies rivales s'accordent mieux, dans l'ensemble, qu'elles ne feraient dans l'Est. Cependant, entre François-Benjamin

Pillet, chef de poste pour la Pacific Fur Company, et Nicolas Montour, chef de poste pour la Compagnie du Nord-Ouest, la contestation prend un tour assez acrimonieux pour aboutir à un duel au pistolet : chacun d'eux loge une balle dans les vêtements de son adversaire.

Au fort d'Astoria, les bonnes et les mauvaises nouvelles alternent. Les Indiens de la région, étrillés par les Pieds-Noirs, sont remuants. Des Indiens ont tué Alexander McKay ; d'autres Indiens ont sauvé Ramsay Crooks. Gabriel Franchère, soumis à l'autorité de John Clarke dans des excursions de traite, le trouve aussi antipathique que Thorn, car il prétend imposer, en pleine forêt, une discipline impitoyable, et menace ses subordonnés du fouet. John Clarke croit à la manière forte. Il fait pendre un Indien pris en flagrant délit de vol, en présence de sa tribu. Cet Indien, d'après le journal de Cox, « est très loin de manifester le stoïcisme pour lequel sa race est si souvent célèbre ». Un groupe visitant les villages de la région s'arrête à Fort Clatsop, où Lewis et Clark ont passé l'hiver de 1805 à 1806 : les noms de plusieurs compagnons de Lewis et de Clark sont encore gravés sur les rondins des débris de leur camp.

Le *Beaver* part pour Canton, d'où il rentrera directement à New York. Il ne pourra donc, avant très longtemps, apporter de nouvelles à John Jacob Astor, qui doit ignorer le sort du *Tonquin,* la fondation et le commencement de réussite d'Astoria. Robert Stuart, avec huit hommes, emporte des dépêches à destination de Saint-Louis, d'où elles seront transmises à New York. McLellan et Crooks, à jamais dégoûtés, partent avec lui. François Leclerc, venu avec l'expédition Hunt et qui a été bien près, lui aussi, de mourir de faim, accepte de servir de guide.

* * *

L'autre front, pour la Compagnie du Nord-Ouest, est évidemment celui de la Compagnie de la Baie d'Hudson.

En nommant William Auld surintendant des factoreries du Nord, la Compagnie de la Baie d'Hudson lui a donné des consignes d'économie, qu'il continue de suivre. Mais un vent d'offensive souffle de nouveau à la Compagnie, qui envoie les Irlandais de York Factory à l'île à la Crosse, avec consigne de faire « une forte concurrence » à la Compagnie du Nord-Ouest.

Les autres immigrants, sortis d'un hiver éprouvant, s'apprêtent clopin-clopant à partir pour la rivière Rouge. William McGillivray, frappé par les décès si rapprochés de son frère Duncan et de sa femme, a fait venir Simon et l'a fait entrer dans la firme McTavish,

McGillivrays, où il deviendra, comme l'a été Duncan, son bras droit. Simon McGillivray écrit aux associés hivernants qu'il faut, si longue et si coûteuse que soit la tâche, obliger lord Selkirk à l'abandon de son projet « qui menacerait l'existence même de notre commerce » (8 avril 1812).

Miles Macdonell conduit cependant, sur de lourdes et lentes péniches bien différentes des canots d'écorce avec lesquels les Voyageurs volent sur les lacs, un premier groupe de vingt-deux ouvriers-colons qui arrive au confluent de la rivière Rouge et de l'Assiniboine le 30 juillet. Il y a là le Fort Gibraltar, qui est le plus grand entrepôt de pemmican pour les postes de la Compagnie du Nord-Ouest. On y conserve aussi des provisions de riz sauvage, de sucre et de sirop d'érable. Le Bourgeois qui commande au Fort Gibraltar, et qui est actuellement Alexander Macdonell cousin de Miles, n'a pas seulement autour de lui des commis et des Voyageurs. Il engage des Métis qui chassent le bison et des Indiens qui confectionnent le pemmican et l'emballent en ballots de quatre-vingts à quatre-vingt-dix livres, maximum prévu pour les ballots de fourrures dans les portages.

Les premières relations ne sont pas mauvaises. Les colons, mal nourris et mal vêtus, arrivent dans un état pitoyable. La Compagnie de la Baie d'Hudson a bien un poste tout voisin, à Pembina, mais qui n'a pas trop de vivres pour son propre personnel. Les Nor'Westers fournissent aux nouveaux arrivés du pemmican, ainsi qu'une bonne provision de pommes de terre. Alexander Macdonell invite son cousin à dîner, en compagnie de Benjamin Frobisher, en route pour le lac Athabasca, et d'un autre Bourgeois de passage, John Wills, cet ancien associé de la Compagnie X.Y. qui a ébauché une opposition, à l'assemblée de Fort William où l'accord McGillivray-Astor s'est discuté. L'accueil d'Alexander Macdonell est plus chaleureux — ou moins froid — que celui de Hugh Heney, gérant du poste de la Compagnie de la Baie d'Hudson à Pembina, mal enchanté de partager l'autorité avec le « gouverneur de l'Assiniboia ». Hugh Heney, dans une lettre à William Hillier, qui commande un autre poste de la Compagnie de la Baie d'Hudson, William Fort, plus loin sur la rivière Rouge, reproche à Miles Macdonell « de trop fréquenter la Compagnie du Nord-Ouest ».

Miles Macdonell fait dresser un camp sur la rive droite de la rivière Rouge, en face de l'établissement de la Compagnie du Nord-Ouest. Alexander accompagne son cousin dans une randonnée à cheval pour choisir l'emplacement d'un fort. Miles Macdonell rend à ses hôtes leur politesse en les invitant à la cérémonie de prise de possession, le lendemain. Alexander Macdonell s'y rend avec Benjamin

Frobisher et John Wills, mais en observateur bardé de préventions, et n'autorise pas ses commis à l'accompagner. L'attitude des représentants de la Compagnie du Nord-Ouest doit être assez réservée pour ne pouvoir s'interpréter comme un acquiescement.

Miles Macdonell fait tirer du canon et lire en grande pompe, en anglais et en français, les lettres patentes en vertu desquelles il établit la colonie et la proclamation le nommant gouverneur de l'Assiniboia. Un tonnelet de rhum est mis en perce. Miles Macdonell termine la soirée au Fort Gibraltar, où les représentants de la Compagnie du Nord-Ouest l'ont de nouveau invité.

Miles Macdonell a choisi l'emplacement du Fort Douglas, ainsi nommé en l'honneur de lord Selkirk, en face et à un mille environ du Fort Gibraltar, qui se trouvera ainsi encadré entre le fort des colons de Selkirk et le fort de la Compagnie de la Baie d'Hudson à Pembina. Alexander Macdonell met deux hommes à sa disposition (s'il savait !) pour la construction. Et Miles Macdonell retient Jean-Baptiste Lagimodière comme chasseur de bison pour le service de sa colonie.

Le *Robert Taylor,* naviguant en compagnie de l'*Eddystone* et du *King George,* met à la voile le 24 juin, avec le premier contingent de colons proprement dits, comprenant des Écossais et des Irlandais, qui se disputent aussitôt. Owen Keveny, chef du détachement, partisan d'une discipline de fer, impose une paix instable.

C'est aussi le moment où la Compagnie du Nord-Ouest tient à Fort William son assemblée annuelle.

* * *

David Thompson arrive à Fort William à temps pour l'assemblée de juillet 1812. Il a certes accompli un très bel exploit, mais des hésitations, des lenteurs, lui ont fait manquer de peu l'objectif, qui était de devancer les Américains. Il a fait, avec les moyens de son temps, des relevés qui s'étendent du lac Supérieur et de la baie d'Hudson, à l'est, jusqu'à l'océan Pacifique ; de la rivière La Paix et du lac Athabasca, au nord, jusqu'aux sources du Mississipi et au pays des Mandanes sur le Missouri. Il a étudié comme personne, en naturaliste autant qu'en géographe, les pays traversés, leurs habitants, leur faune et leur flore. L'assemblée de Fort William lui vote des félicitations et une gratification. David Thompson, restant associé à plein titre pendant trois ans et associé retiré ensuite pendant sept ans, va s'installer avec sa nombreuse famille à Terrebonne, auprès de son grand ami Roderick McKenzie, pour y préparer, à l'intention de la Compagnie du Nord-Ouest, la première carte complète et sûre du « Nord-Ouest ».

William McGillivray, retenu à Montréal, n'assiste pas à l'assemblée de Fort William. David Thompson lui rendra compte personnellement, à son passage à Montréal. Il décrit aux associés, agents et hivernants, l'installation d'Astoria — l'établissement américain, dirigé par des Canadiens, anciens associés ou commis de la Compagnie du Nord-Ouest et qui ose concurrencer nos postes de la Nouvelle-Calédonie, ou Colombie.

Or, s'il y a deux domaines sacrés, où la Compagnie du Nord-Ouest entend régner en maîtresse, ce sont bien, nous le savons de reste, le district d'Athabasca et celui de la Nouvelle-Calédonie. Simon McGillivray a fait passer une circulaire recommandant d'écœurer Selkirk et ses colons. La Compagnie du Nord-Ouest envoie des associés et des commis énergiques, tels que John George McTavish et Joseph Larocque dans le district découvert par Simon Fraser et David Thompson, à l'ouest des Rocheuses. Il faudrait frapper un grand coup pour se débarrasser d'Astoria, sans lui laisser le temps de se renforcer et de s'enraciner.

Un traiteur de Michillimakinac, William Mackay, arrive en coup de vent à Fort William, porteur d'une nouvelle sensationnelle, bien qu'on ne puisse la dire surprenante : les États-Unis ont déclaré la guerre à l'Angleterre.

La déclaration de guerre est du 18 juin. La firme montréalaise Forsyth, Richardson and Company, à qui ses correspondances avec les États-Unis ont permis de servir de boîte aux lettres à John Henry, a été la première informée au Canada, et c'est John Richardson qui a transmis la nouvelle au gouverneur. Dans le Haut-Canada, c'est un message de John Jacob Astor qui, le premier, communique au général Brock la grande nouvelle.

Les associés s'inquiètent. Un émissaire est dépêché au dépôt du lac La Pluie, pour faire descendre d'urgence les fourrures qui peuvent encore s'y trouver. Quarante-sept « canots du maître » chargés de fourrures partent en hâte pour Montréal, avec cent trente-cinq hommes armés à bord. Les Voyageurs, pagayant comme des perdus sous promesse de primes évitent les patrouilles américaines sur le lac Huron.

Le projet de nouvelle route est évidemment ajourné. Les autorités britanniques demandent le concours de la compagnie du Nord-

Ouest, et particulièrement de ses membres qui peuvent influencer les Indiens. Les associés n'hésitent pas. Mais donnant, donnant.

Le castor reculant toujours, la Compagnie du Nord-Ouest compte davantage sur l'immense réservoir, à peine effleuré, qui s'étend à l'ouest des montagnes Rocheuses. C'est également là que peut s'établir le tremplin d'un commerce régulier avec la Chine. Daniel Harmon commande, au lac Stuart, un poste qui fait figure de chef-lieu. David Stuart, de la compagnie astorienne, a construit sur la rivière Thompson le poste de Kamloops, qui peut faire office de liaison entre les districts jumeaux de la Nouvelle-Calédonie au nord, et de la Colombie au sud. Joseph Larocque construit près de lui. La Compagnie du Nord-Ouest a des postes en Colombie, sur la rivière Spokane en particulier.

C'est un pays privilégié. Les rives du Pacifique, vers le nord, sont riches en phoque et en poisson : flétan, morue, hareng et surtout saumon. Dans la forêt, par endroits impénétrable, le cèdre fournit tout le bois nécessaire à la construction, des maisons aux cercueils en passant par les canots. Les Indiens sont plus groupés en villages qu'à l'est des Rocheuses, et ces villages, au bord de lacs ou de rivières riches en saumon, sont relativement riches. Les indigènes, comme ceux des Plaines à l'est des Rocheuses, ne dépendent pas tellement des Blancs, dont ils n'attendent que du superflu. Une saute d'humeur est toujours à craindre, mais Daniel Harmon, faute de pouvoir les convertir, gagne les Indiens « par des mesures de douceur dont j'ai constaté qu'elles sont généralement le meilleur procédé pour traiter avec eux ». Après un heurt et des mesures d'apaisement, les deux parties se séparent « comme si rien de désagréable ne s'était passé ». Au bord des lacs et des rivières, les peupliers, les trembles et les saules favorisent l'industrie et l'alimentation des castors. La loutre, la martre, le vison — et l'ours — abondent. La variété des baies comestibles est étonnante. Le saumon, roi des poissons, puissant et courageux, passant de l'eau salée à l'eau douce en bataillons pressés, remonte les rivières en franchissant d'un bond les cascades, au printemps qui est la saison du frai. Il ne les redescend pas. Quand la rivière n'est plus assez profonde pour lui permettre de nager, observe Daniel Harmon, il reste et périt sur place. Les cimetières de saumons ainsi formés sont parfois assez garnis pour infecter l'atmosphère ; cela ne gêne pas les indigènes, qui mangent le saumon putréfié comme du poisson frais. On prend le saumon à la fin de l'été, on le sèche et on l'entrepose. Un saumon moyen pèse une dizaine de livres, mais Harmon, s'il n'exagère pas, en a vu et pris pesant soixante et jusqu'à soixante-dix livres. Harmon en entrepose vingt-cinq mille à son poste du lac Stuart.

Un beau pays, et prometteur. Mais les astoriens, qui s'introduisent par le sud, possèdent pour leur approvisionnement en marchandises, comme la Compagnie de la Baie d'Hudson dans le nord, l'avantage d'une base rapprochée, sur la côte. Il faut la leur enlever, avec l'appui du gouvernement britannique, à la faveur de la guerre. Les agents de la Compagnie du Nord-Ouest à Montréal font agir leurs correspondants en Angleterre : sir Alexander Mackenzie ; McTavish, Fraser and Company ; Inglis, Ellice and Company :

> Les progrès déjà réalisés par les Américains rendent cette décision absolument nécessaire pour la défense de ce qui nous reste de territoire de castor. Et l'expérience nous a appris l'impossibilité de concurrencer de ce côté des montagnes des gens recevant leurs marchandises d'une si courte distance que l'embouchure de la Columbia.

L'*Isaac Todd,* successeur de l'*Everetta* comme bateau de la Compagnie, doit porter la cargaison de fourrures de Québec à Londres. L'*Isaac Todd* repartira de Londres avec une lettre de marque et armé en guerre — la Compagnie du Nord-Ouest met en quelque sorte l'*Isaac Todd* à la disposition de l'Amirauté — pour aller s'emparer d'Astoria, qui n'est plus seulement une place concurrente, mais ennemie. Jusqu'ici, ce ne sont pas les troupes ni même les émissaires du gouvernement de Londres et du gouvernement de Washington, ce sont la Compagnie du Nord-Ouest et une filiale de l'American Fur qui se sont disputé ce qui finira bien par aboutir à la souveraineté anglaise ou américaine sur le littoral du Pacifique. La guerre ouverte succédant à la guerre larvée, l'intervention des gouvernements s'impose. Une expédition terrestre, avec nos postes de la Nouvelle-Calédonie pour points d'appui, recevra la même mission.

Le général Brock demande du renfort pour la garnison de Saint-Joseph, où le capitaine Charles Roberts ne commande qu'une poignée de vétérans. Le général, dont l'offensive a toujours été la doctrine, ordonne au capitaine Roberts de rassembler assez d'hommes pour se jeter sur Michillimakinac. Lui-même tâchera d'emporter Detroit.

Son tour de congé arrivé, John McDonald s'apprêtait à partir pour l'Angleterre. Il voulait « au moins voir Londres ». Il prend passage sur une goélette, pleine de volontaires qui vont renforcer la garnison de Saint-Joseph. John Johnston accourt de Sault-Sainte-Marie avec quelques traiteurs et une bande d'Indiens. Charles de Langlade et Michel Cadotte accourent avec d'autres bandes. Et sans perdre une heure, le capitaine Roberts, avec ses vétérans, les Voyageurs de la Compagnie du Nord-Ouest et les Indiens entassés sur la goélette et sur quelques barges, surprend en effet Michillimakinac. Le « Gibraltar des Lacs » capitule à la première sommation. La garnison américaine est prisonnière. Les Indiens l'entourent en dansant et en chantant leurs chants de guerre. John McDonald reste quelques jours et descend à Montréal.

La prise de Michillimakinac favorise le passage des convois de la Compagnie du Nord-Ouest. Elle contribue à décider, en faveur du gagnant, quelques tribus hésitantes.

43

La guerre de 1812

« Voltigeurs » et « Voyageurs » canadiens — La Compagnie du Nord-Ouest dans la guerre — Reddition-vente d'Astoria.

Les États-Unis s'aperçoivent qu'ils n'étaient pas prêts et qu'ils s'étaient forgé des illusions. Dans le Haut-Canada, en Nouvelle-Écosse et au Nouveau-Brunswick, une crise constitutionnelle menaçait, comme dans le Bas-Canada. On y formulait les mêmes griefs, les mêmes revendications. À l'heure du danger, le sentiment loyaliste submerge tout. Les milices s'exercent et brûlent de se battre. Jacques Duperron Baby (II) commande les milices de l'ouest du Haut-Canada.

Or, l'ardeur n'est guère moindre dans la province en majorité française. Mgr Plessis, évêque de Québec, lance un mandement sur les devoirs des catholiques. La noblesse retrouve avec plaisir l'occasion, déjà saisie en 1775, de servir dans l'armée anglaise. Les officiers de milice, de milieu plus modeste, ne sont pas moins empressés. Parmi les simples miliciens, les récalcitrants sont assez rares. À la Chambre d'assemblée, convoquée en session extraordinaire par le gouverneur Prevost, les « avocats et notaires sans principes » dont Craig suspectait le loyalisme fournissent un concours sans réserve. Le projet de John Richardson n'ayant pas abouti, le Canada ne possède pas de banque. La Chambre autorise le gouverneur à émettre du papier-monnaie. Louis-Joseph Papineau, après une hésitation vite surmontée, s'engage dans un bataillon de milice. Charles-Michel de Salaberry, protégé du duc de Kent et qui fait carrière dans l'armée, lève parmi ses compatriotes un corps d'élite de trois cents hommes, appelé Voltigeurs canadiens, qu'il entraînera pour les coups durs.

James McGill, à soixante-huit ans, s'engage dans la milice, où il reçoit le grade de brigadier général. La Compagnie du Nord-Ouest met ses postes, son personnel et son influence au service de l'Empire. Elle avait deux bateaux en construction, le *Perseverance* de 80 tonnes et le *Mink*, de 50 tonnes. Elle met le *Mink*, presque achevé, à la disposition de l'armée, pour servir au transport de troupes. Le *Nancy* est réquisitionné. William McGillivray, bombardé lieutenant-colonel, lève, au sein de sa Compagnie, un corps de Voyageurs pour la défense des Grands Lacs. Pierre de Rocheblave et Jean-Baptiste-Toussaint Pothier y commandent des compagnies. Pierre de Rocheblave espère venger la détention de son père, interné en Virginie pendant la guerre précédente, en 1778. Jean-Baptiste-Toussaint Pothier, ayant arrondi le magot laissé par son père, Louis-Toussaint, venait d'acheter les seigneuries de Lanaudière et de Carufel et de mettre un manoir en construction sur les bords de la rivière Maskinongé. Il lâche tout pour se battre. Joseph McGillivray, fils métis de William, s'engage dans la troupe levée par son père.

Les Voyageurs, tous les Bourgeois et commis s'accordent à le reconnaître, sont dociles à leurs supérieurs. Les ébauches de rébellion collective, d'ailleurs rarissimes, ne se sont produites qu'en cas d'extrême misère, à la limite et parfois dépassée la limite de l'endurance humaine. Il suffisait, pour les calmer, de faire observer que l'union, seule, aiderait à sortir du péril. Mais ces Voyageurs obéissants sont allergiques à la discipline militaire. Ils viennent à la parade la pipe au bec, « sacrent » sur les rangs, ne peuvent rester quinze minutes au garde-à-vous, et saluent familièrement les officiers, seraient-ils colonels ou généraux, sans oublier d'ajouter : « Comment va Madame ? » Mais ils ont confiance en leur chef McGillivray, qui leur épargne les punitions et intervient s'il le faut auprès d'un officier rigide que ce laisser-aller suffoque. Et ces Voyageurs, égalant les Indiens comme éclaireurs, peuvent défier n'importe quelle troupe dans les épreuves d'endurance.

Les autorités britanniques demandent aussi et peut-être surtout le concours de tous les traiteurs pour influencer les Indiens. Elles leur offrent des commissions d'officier, que la plupart acceptent. Séraphin Lamarre, commis et interprète de la Compagnie du Nord-Ouest, d'abord engagé au régiment des Voyageurs, est nommé major des tribus sauvages. Joseph Rainville, né dans l'Ouest d'un père français et d'une mère siouse, et qui a lui-même épousé une Siouse, parle couramment plusieurs dialectes. Il a servi d'interprète au lieutenant américain Zebulon Montgomery Pike dans son exploration des sources du Mississipi. Les Anglais lui donnent le grade et les fonctions de capitaine des Sauvages.

* * *

Le général Brock réalise son plan, depuis longtemps mûri.

Les États-Unis mettent sur pied trois armées pour envahir le Canada. Le général William Hull, établissant son quartier général à Detroit, commande l'armée de l'Est, prête la première et dont les avant-gardes pénètrent dans le Haut-Canada, en lançant une proclamation aux habitants : « Je vous offre les avantages inestimables de la liberté... »

Le premier fait d'armes de la guerre est un petit combat naval, à l'avantage des Britanniques. Le héros en est le capitaine Frédéric Rolette, de Québec, marin de profession qui a participé à la bataille de Trafalgar. Rolette, avec le mini-équipage de son brigantin le *General Hunter,* aborde et capture sur le lac Érié, par un coup d'audace, la goélette américaine *Cayuga Packet,* avec cinq officiers, l'équipage, trente-trois soldats et des approvisionnements destinés à l'armée du général Hull.

Le général Hull ne livre que des actions dispersées, de faible envergure, où ses troupes n'ont pas le dessus. Isaac Brock se porte directement à l'attaque de Detroit, quartier général du chef américain. Les Voyageurs de son ami McGillivray sont un élément de son armée. Mais ils n'ont pas l'occasion de se couvrir de gloire. Brock, sommant le général américain de rendre la place, menace de faire ou laisser massacrer par les Indiens tous ceux qui seront pris les armes à la main. Or, la ville fondée par Lamothe-Cadillac est réservée à un destin plus industriel que guerrier. Rendue sans discussion par Picoté de Belestre en 1760, elle est aussi rendue sans discussion par Hull le 16 août 1812. Le général Brock fait son entrée dans la ville avec le chef indien Tecumseh à ses côtés. Le butin est considérable. Hull, prisonnier avec son armée — une armée de quelques centaines d'hommes — est acheminé sur Montréal et de là sur Québec, pour embarquement. À Montréal, John Richardson et John Ogilvy, à titre de magistrats de police, prennent livraison des prisonniers et les font défiler dans les rues illuminées jusqu'au château de Ramezay. La prise de Detroit met la petite ville d'York à l'abri.

Les Américains croient prendre leur revanche, en octobre. Sur les lacs, ils s'emparent du *Caledonia,* chargé de fourrures, à l'ancre devant Fort Érié. Le *Caledonia* change d'allégeance et sa cargaison est vendue aux enchères. Sur terre, le général Brock et son aide de camp, qui est un frère d'Alexander Macdonell, sont tués au début d'une action dans la région de Niagara. Mais des renforts anglais transforment la quasi-défaite en victoire.

Montréal n'est pas entièrement rassurée. Mais le colonel de Salaberry, qui occupe les avant-postes de l'armée anglaise avec ses Voltigeurs, des miliciens du colonel Fleury d'Eschambault et des auxiliaires sauvages, prend d'habiles dispositions. Les Américains tentent une surprise de nuit vers Lacolle, où Fleury d'Eschambault, avec ses miliciens et des Sauvages, tient bon. Les Américains, divisés en deux colonnes, se fusillent entre eux dans la demi-obscurité et se retirent en désordre.

*   *   *

George Keith écrit, toujours pessimiste, du district du Mackenzie :

> Les grands et graves changements politiques au Canada nous sont très préjudiciables. Nous entretenons toujours l'espoir que cette malheureuse guerre américaine cessera, mais Dieu sait quand elle sera terminée.

L'exploit isolé de Frédéric Rolette ne dissipe pas l'insécurité sur les Grands Lacs, gênante pour le commerce. Les Américains ont pris leur revanche en s'emparant du *Caledonia*.

Mais la Compagnie du Nord-Ouest poursuit sa propre guerre, à l'intérieur de la guerre internationale. Son premier objectif est la prise d'Astoria, pour faire tomber toute concurrence à l'ouest des Rocheuses et se procurer une base solide, avec chantier maritime, pour le commerce avec la Chine.

John McDonald s'embarque à Québec sur l'*Isaac Todd,* le cargo de fourrures de la Compagnie, encadré dans la flotte d'automne qui comprend une quarantaine de voiliers. À Londres, aussitôt la cargaison débarquée, l'*Isaac Todd* est transformé en navire de guerre, avec vingt canons, autant de boulets qu'il avait apporté de fourrures et, d'après John McDonald, « une racaille hétéroclite comme équipage ». McDonald a entraîné Donald McTavish, l'un des plus anciens associés de la Compagnie du Nord-Ouest, qui s'est retiré avec une petite fortune, a fait l'acquisition d'une propriété en Écosse et comptait y passer sa retraite. Donald McTavish est un self-made man, d'une franchise agressive, traitant ses employés suivant leur mérite, sans considération de relations ou d'amitié. Il accepte de repartir pour participer à l'organisation du nouveau district de Columbia, mais rentrera par le Canada une fois l'affaire sur pied. L'*Isaac Todd* transporte, avec John McDonald et Donald McTavish, une demi-douzaine « de bons Voyageurs canadiens », aptes à conduire un canot sur la Columbia.

Un incident se produit à l'heure du départ. Des officiers de la marine de guerre montent à bord de l'*Isaac Todd* et prétendent transborder les Voyageurs, de gré ou de force, pour servir sur leurs propres navires. C'est la « presse », l'enrôlement forcé de matelots cyniquement pratiqué dans les ports anglais pendant les périodes de guerre. On avertit en hâte John McDonald et Donald McTavish, qui prenaient dans une auberge, leur dernier repas à terre, en compagnie d'Edward Ellice. Ellice est, par chance, beau-frère du comte Grey, auquel l'amiral commandant la flotte est lui-même apparenté. Il fait relâcher nos Voyageurs. L'*Isaac Todd,* vingt canons, escorté par une frégate de soixante-seize canons, met à la voile à la fin de février 1813.

John Jacob Astor entretient un réseau de renseignements.

John Jacob Astor, en grand homme d'affaires, a des intérêts bien enchevêtrés. Il partage le contrôle de la Southwest Company avec la Compagnie du Nord-Ouest, ce qui placerait un moindre personnage en posture délicate. La Southwest Company entretient un poste à Saint-Joseph, sous la protection de la garnison anglaise. Astor emploie des Canadiens, recrutés à Montréal ou à Michillimakinac, de préférence aux Américains moins habitués à ce genre de travail, dans ses postes du « Sud-Ouest ». Il reste en contact avec Montréal, malgré la guerre, grâce à des coureurs de bois qui savent éviter les cordons militaires. Il a fait demander à la firme Forsyth, Richardson, de lui procurer les marchandises anglaises dont l'embargo américain le prive. Richardson, loyaliste jusqu'au trognon, a refusé net. Mais Astor est au courant, par ses émissaires, du mouvement des armées. Il apprend des nouvelles qui l'aident à régler ses spéculations.

Il apprend aussi les desseins de la Compagnie du Nord-Ouest, le départ et l'objectif de l'*Isaac Todd.* Il dépêche son bateau le plus rapide, le *Lark,* avec instructions de tenir ferme : « Si mon but n'était que de gagner de l'argent, je dirais qu'il vaut mieux abandonner ce que nous ne pouvons sauver. Mais cette idée me poignarde le cœur. » Cependant une frégate escorte le bateau de la Compagnie du Nord-Ouest. Astor, très gros souscripteur aux emprunts de guerre américains et de ce fait influent à Washington, sollicite la même protection pour le sien. Mais le commandant de la flottille américaine sur le lac Ontario demande du renfort d'urgence. L'équipage du *Lark* est mobilisé pour servir sur les Lacs.

L'*Isaac Todd* fait escale à Santa Cruz de Ténérife, puis à Rio de Janeiro, où il reste un mois. Une frégate américaine qui a capturé une baleinière anglaise l'a montée en navire de guerre avec une vingtaine de canons et croise dans le Pacifique. La poursuite immédiate du voyage serait une opération risquée.

C'est une opération combinée que la Compagnie du Nord-Ouest a décidée contre Astoria. L'expédition par voie de terre est facilitée par l'existence de bases, qui sont les postes de la Compagnie en Nouvelle-Calédonie. John George McTavish apporte à ces postes la nouvelle de l'état de guerre.

Joseph Larocque rejoint John George McTavish, chef de l'expédition, sur la rivière Columbia, moins turbulente, moins entrecoupée de cascades que la rivière Fraser et dont les rives sont habitées par des tribus d'humeur moins belliqueuse. John Stuart, également posté en Nouvelle-Calédonie, en fait autant avec six Canadiens et deux Indiens dans deux canots. John George McTavish et ses compagnons descendent sur Astoria en canots (mai 1813).

Ils y apportent la nouvelle de l'état de guerre, que la population d'Astoria ignorait. Ils informent Duncan McDougall et ses gens que l'*Isaac Todd,* transformé en forteresse flottante et accompagné par une frégate, peut-être par une escadre, est en route pour pulvériser Astoria. John George McTavish produit une lettre d'Angus Shaw, l'un des « agents » de la Compagnie du Nord-Ouest, confirmant ces renseignements. La flotte anglaise bloquant les ports américains, Astoria ne peut attendre aucun secours.

Quand John Clarke et Ross Cox apportent leurs fourrures au poste d'Astoria, au mois de juin, ils le trouvent en état de double occupation. Duncan McDougall et ses compagnons, restés sujets britanniques sous le drapeau américain, sont embarrassés. Ils tergiversent un peu, dans l'attente de quelque vaisseau américain, qui n'arrive pas. John George McTavish n'exige pas une reddition de type militaire. Il propose, suivant ses instructions, une transaction commerciale : les représentants de la Pacific Fur Company vendent le poste d'Astoria, ses fourrures et ses provisions, aux représentants de la Compagnie du Nord-Ouest, pour 40 000 dollars, payables par versements échelonnés sur une année ; le personnel a le choix entre le transfert au service de la Compagnie du Nord-Ouest, avec gages assurés, et la rentrée aux États-Unis, par voie de mer sur l'*Isaac Todd* dans son voyage de retour, ou par voie de terre, en toute sûreté.

Duncan McDougall, Donald McKenzie et David Stuart sont des Écossais comme John George McTavish, dont ils ont été les collègues au service de la Compagnie du Nord-Ouest. L'entente entre eux est facile. McDougall et ses commis tiennent conseil et acceptent la proposition que Ross Cox estime « libérale ». Le seul dissident parmi les Canadiens est Gabriel Franchère, précieux par l'agilité avec laquelle il apprend les dialectes de la côte du Pacifique. Gabriel Franchère, en train de devenir le bras droit de Duncan McDougall, espérait une brillante promotion. « En un instant, écrira-t-il dans ses souvenirs, je perdis toutes mes espérances de fortune. »

L'Union Jack remplace la bannière étoilée. Duncan McDougall, Donald McKenzie, David Stuart, John Clarke et presque tous les Canadiens passent ou retournent à la Compagnie du Nord-Ouest. Une entente secrète garantit à McDougall son ancien rang d'associé. Gabriel Franchère, profondément déçu, fait exception. Il lie sa cause à celle des Américains qui choisissent leur rapatriement. Gabriel Franchère doit avoir une personnalité séduisante. François-Benjamin Pillet s'est pris d'admiration pour lui et s'attache à sa fortune. Olivier-Roi Lapensée, dont les deux frères se sont noyés quand le capitaine Thorn, chef sans entrailles, les a envoyés faire des sondages en canot malgré la tempête menaçante, en fait autant.

Pour les plus patriotes des Américains, leur chef Astor s'est trompé en se fiant aux gens du Canada, qui le trahissent ; le prix même de la vente ne correspond pas à la valeur réelle d'Astoria.

La conquête-acquisition d'Astoria est, pour la Compagnie du Nord-Ouest, un triomphe. L'Ouest des Rocheuses est à elle. La Compagnie obtient, sur la côte du Pacifique, cet accès à un port de mer, et donc cette possibilité d'approvisionnement pratique que la Compagnie de la Baie d'Hudson, assise sur son monopole, lui refuse obstinément. L'événement est plus important encore que l'évacuation du district d'Athabasca par Peter Fidler, quelques années plus tôt.

Joseph Larocque et Ross Cox partent d'Astoria le 5 juillet (1813), avec seize hommes dans deux canots, à destination de Fort William, où ils rendront compte. Au passage, ils avertissent les postes de la Pacific Fur sur la rivière Spokane.

44

Installation des colons à la rivière Rouge

Arrivée du deuxième contingent de colons de Selkirk — Les Métis de la rivière Rouge — Choc fatal de deux modes de vie.

William Auld, surintendant des factoreries du Nord pour la Compagnie de la Baie d'Hudson, d'abord chargé d'une politique d'économies puis chargé d'une politique agressive, en est un peu déconcerté. Il s'accorde mal avec William Hillier, qui a conduit des Irlandais à l'île à la Crosse, et encore plus mal avec Miles Macdonell, qui le dénigre dans ses rapports envoyés directement à Colvile. D'après Macdonell, le surintendant du Nord est un paresseux, un incapable, accolé à une Indienne déjà passée de main en main. Auld lui rend ces amabilités en appelant les immigrants « les diables les plus sales et les plus paresseux qu'on ait jamais vus ».

William Auld, n'approuve pas le plan de colonisation de la rivière Rouge, dont il prédit qu'il entraînera la ruine de la Compagnie. Or, Colvile soutient son beau-frère, à fond. La Compagnie de la Baie d'Hudson et le plan de lord Selkirk ne font, autant dire, qu'un. Auld est congédié comme « totalement inapte à remplir une charge aussi importante ». Thomas Thomas lui succède comme surintendant (juin 1813).

Les instructions du nouveau surintendant portent un cachet d'offensive. La Compagnie fait construire Rock Depot et Pike Fort (Fort aux Brochets), pour le service à la fois du commerce et de la colonie. Peter Fidler fera des relevés entre le lac Winnipeg et la rivière Albany. Mais les Irlandais de William Hillier envoyés à l'île à la Crosse manquent d'expérience et apparemment d'aptitude dans le maniement des canots. Cette tentative échoue. La Compagnie repense au plan de Robertson, mais sous un jour plus favorable, et prévoit l'engagement d'employés canadiens pour l'invasion du district d'Athabasca.

Le deuxième contingent de colons, composé en partie d'Irlandais catholiques, en partie d'Écossais presbytériens, fait un voyage de soixante et un jours comme le précédent, mais il est parti plus tôt. Il débarque à York Factory le 25 août 1812. Il est conduit par Owen Keveny, choisi par Selkirk pour sa fermeté mais qui, poussant cette qualité à l'excès, exige une discipline de fer et s'est fait détester dès la traversée. Un convoi de bateaux transporte le contingent à la rivière Rouge. Il arrive, le 25 octobre, aux « fourches » de l'Assiniboine et de la rivière Rouge, l'enseigne britannique flottant et un Écossais jouant de la cornemuse à l'avant du bateau de tête.

Miles Macdonell reçoit le contingent en cérémonie, avec décharges de canon et de fusils. Mais les hommes arrivent presque aussi fatigués et affamés que leurs prédécesseurs, et Miles Macdonell n'a pas de quoi les nourrir. Lagimodière, seul chasseur de bison de la colonie, ne peut fournir tout ce monde. Alexander Macdonell tire encore les pauvres diables de leur dangereuse situation. Il leur vend du pemmican. Il offre d'entreposer leur petite provision de pain.

Miles Macdonell distribue des terres à ses colons, qui devront les payer à terme. Les concessions sont d'étroites et longues bandes de terre donnant à chacun accès à la rivière, suivant la mode adoptée dans le Bas-Canada le long du Saint-Laurent, et qui s'impose dans un pays où les cours d'eau fournissent les seules voies de communication. Ces concessions, arpentées par Peter Fidler, sont de cent acres, dont trois de front. Les colons commencent à se construire des habitations. Owen Keveny, au bout de quelque temps, fait à tout le monde le plaisir de retourner à York Factory.

Les avocats consultés par lord Selkirk ont été formels : la charte de la Compagnie de la Baie d'Hudson lui permet et permet à ses concessionnaires « d'empêcher toutes autres personnes d'occuper les terres, d'en enlever du bois, de pêcher dans les eaux adjacentes » ; la Compagnie ou ses concessionnaires peuvent « déposséder les occupants des bâtiments qu'ils construisent dans les limites ». Selkirk a transmis ces documents à Macdonell et lui a donné des instructions en conséquence : faire évacuer la terre, confisquer le bois, interdire la pêche, saisir les bâtiments. Miles Macdonell est homme à les appliquer sans retard et sans faiblesse.

Mais la Compagnie du Nord-Ouest, même lorsqu'elle cherchait à traiter avec sa rivale, n'a jamais reconnu la validité de cette charte, pour la raison que ce document confère à la Compagnie de la Baie d'Hudson des droits exclusifs. William Dugald Cameron, associé de la Compagnie du Nord-Ouest, en poste sur la rivière Winnipeg, vient au poste de Pembina, au confluent de la rivière du même nom et de la rivière Rouge. Il vient pêcher en eau trouble, pense Macdonell, qui s'en plaint. Miles Macdonell ne s'estime, écrit-il à lord Selkirk, « tenu à aucune hésitation pour s'opposer décidément à la Compagnie du Nord-Ouest ». Il entend la dissuader, la dégoûter « de poursuivre son commerce ici ».

* * *

La Compagnie du Nord-Ouest n'est pas seule inquiète. Les prétentions de la Compagnie de la Baie d'Hudson et le ton autoritaire de Miles Macdonell déplaisent souverainement aux Métis, qui forment maintenant une petite nation.

Il y a des Métis de père francophone et des Métis de père anglophone (Anglais, Écossais ou Irlandais). Les Métis français, ou Bois-Brûlés, fils de traiteurs indépendants ou de commis ou de Voyageurs de la Compagnie du Nord-Ouest, sont de beaucoup les plus nombreux, et le français est resté leur langue. Les Métis sont des hommes de haute stature, rompus à la vie au grand air, à la chasse, à l'exercice physique. Ils ont le teint cuivré, les pommettes saillantes, la chevelure abondante et noire comme du jais. Ils portent chemise de laine épaisse, pantalons en peau d'orignal tannée et assouplie, mocassins aux pieds. Et souvent, comme les Voyageurs, un mouchoir flottant autour du cou[1].

Les Métis sont nomades. Ils n'ont pas de goût pour la culture du sol ou l'élevage du bétail. Retourner des mottes de terre ou tondre de stupides moutons ne les tente absolument pas. C'est par dérision qu'ils appellent les colons des jardiniers et Miles Macdonell « le chef des jardiniers ». Mais parlez-leur de la chasse au bison, des grandes expéditions de chasse, effectuées sous les ordres d'un chef, suivant une technique et des règlements non écrits qui font partie de la « loi de la prairie ». Les fins chevaux, guidés par l'intelligence et l'adresse de leurs cavaliers, doivent gagner de vitesse et encadrer la masse galopante des lourdes bêtes sous les sabots desquelles tout cavalier désarçonné se retrouverait en bouillie.

Les Métis vivent volontiers sous la tente. Ils se construisent tout de même, en bordure des rivières, quelques logis en bois contenant une seule pièce et le plus souvent sans plancher. Ils sont gais, braves,

---

1. À signaler le bon livre d'Auguste-Henri de Trémaudan : *Histoire de la nation métisse.*

généreux, hospitaliers et susceptibles. Ils n'aiment pas infliger ni subir une injustice. Ils gâtent leurs qualités par le goût de l'alcool. Les femmes métisses sont de parfaites épouses et mères, habiles aux travaux de l'aiguille, mais trop soumises à leur mari, qui ne les laisse pas manger à sa table[2].

Les Métis ne tolèrent de chef que pour la chasse au bison. L'absence de chef et de gouvernement permanent ne les empêche pas de constituer un peuple homogène, les Métis de langue anglaise se sentant parfaitement solidaires de la majorité francophone. Ils ont conscience de leur personnalité, de leur originalité de peuple. Ils ont leur poète national, Pierre Falcon, ancien employé de la Compagnie du Nord-Ouest. Pierre Falcon, barde illettré, qui s'est surnommé lui-même « Falcon le bon garçon », chante en vers approximatifs, et en couplets interminables car il est prolixe, les événements quotidiens de la vie métisse. Ses camarades, assis autour de la table ou en tailleur sur la terre battue, et vidant des pots, ne se lassent pas de l'entendre élever leurs petites histoires à la dignité littéraire. Pierre Falcon le bon garçon, ne sachant pas signer, y supplée par un dernier couplet, revendication verbale de ses droits d'auteur :

> Qui en a fait la chanson ?
> Un poète du canton.
> Au bout de la chanson
> Nous vous le nommerons.
> Un jour étant à table,
> À boire et à chanter,
> Il chanta tout au long
> La nouvelle chanson.
> Amis, buvons, trinquons,
> Saluons la chanson
> De Pierriche Falcon,
> Ce faiseur de chansons.

Les Métis s'accordent bien avec les Indiens, et mieux encore avec la Compagnie du Nord-Ouest qui, exclusivement consacrée au commerce, ne leur donne aucun motif d'ombrage. Ils fournissent des guides et des interprètes à cette Compagnie. De jeunes Métis, envoyés par leur père faire des études au Canada ou en Angleterre, sont ensuite entrés comme apprentis-commis au service de la Compagnie, où ils fraient leur chemin. Deux fils jumeaux de William McGillivray sont dans ce cas.

Les Métis sont habitués à vivre libres, à chasser et à pêcher à leur guise, dans le pays qu'ils considèrent comme le leur. Ils ne com-

---

2. D'après le journal de Ross Cox.

prennent pas qu'un papier qu'ils n'ont jamais vu, signé par un défunt roi d'Angleterre dont ils n'ont jamais entendu parler, puisse les déposséder de ce domaine. Ils s'en tiennent à la notion simple et claire de leur droit de premiers occupants. Ils craignent aussi que la colonisation ne chasse le gibier. La prise de possession par un « gouverneur » et l'intrusion des colons s'appropriant des terres provoqueront fatalement un choc entre deux modes de vie[3]. Les colons apportent une civilisation qui se prétend supérieure, mais dont les Métis contestent la supériorité et dont, de toute façon, ils ne veulent pas. Miles Macdonell peut mettre la Compagnie du Nord-Ouest et les Métis dans le même sac. Selkirk, prétextant l'état de guerre, demande au Colonial Office quelques pièces d'artillerie légère pour la protection éventuelle de ses colons.

* * *

L'assemblée générale de juillet 1813 ne connaît pas le sort des expéditions envoyées contre Astoria. Mais la détermination de la Compagnie reste la même : s'assurer à tout prix le monopole dans le district d'Athabasca et dans le district de la Nouvelle-Calédonie. John Stuart, qui fut l'excellent second de Simon Fraser dans la fondation des premiers postes de traite à l'ouest des Rocheuses, est promu associé. Et l'assemblée le délègue avec pleins pouvoirs pour ratifier la transaction de John George McTavish, s'il a réussi sa mission. John Stuart part de Fort William avec Alexander Stewart, Joseph McGillivray (le fils métis du grand patron, qui a servi dans les Voyageurs de son père et participé à la prise de Michillimakinac) et vingt hommes bien équipés en armes et en provisions, à destination d'Astoria, à peu près au moment où Joseph Larocque, Ross Cox et seize hommes partent d'Astoria, à destination de Fort William. Les deux troupes se rencontrent au pied des Rocheuses, sur le versant oriental, et repartent ensemble pour Astoria. John Stuart confirme l'arrivée probable et prochaine de l'*Isaac Todd,* avec une forte cargaison.

L'*Isaac Todd* a pu quitter Rio de Janeiro sous la protection de trois navires de guerre anglais qui croisaient au large du cap Horn. Donald McTavish est resté à bord, mais John McDonald est monté, pour le reste du voyage, sur une goélette armée, le *Racoon,* qui doit escorter l'*Isaac Todd* jusqu'à destination. Les deux bateaux voyagent de concert jusqu'au cap Horn, après quoi les hasards de la mer les séparent.

---

3. Une situation du même genre s'est présentée de nos jours, lors des grands travaux pour la mise en exploitation des ressources hydroélectriques de la baie James. Les autorités de la province de Québec ont eu conscience du problème, auquel elles se sont efforcées d'apporter une solution.

45

Prise de possession officielle à Astoria

La campagne de 1813 — Arrivée de John McDonald sur le *Racoon* à Astoria, débaptisée Fort George.

Les succès partiels remportés çà et là pendant la campagne de 1812 n'ont rien de décisif. On ne fait pas la guerre en hiver. La campagne de 1813 débute mal pour les Anglais dans le Haut-Canada. Les Américains, partis de Sackett's Harbour, traversent le lac Ontario et prennent York (27 avril 1813). Les autorités anglaises ont évacué la ville. Les vainqueurs brûlent les édifices publics. Le pasteur John Strachan, payant d'audace auprès des officiers américains, réussit à limiter les exactions. L'armée américaine occupe la péninsule du Niagara, en refoulant les troupes anglaises, jusqu'au jour ou plutôt à la nuit où l'attaque audacieuse du colonel John Harvey la surprend et la démoralise. Dominique Ducharme, capitaine des Sauvages, avec son beau-frère Jean-Baptiste de Lorimier pour lieutenant, prend la tête de deux à trois cents Indiens et défait des Américains deux fois plus nombreux, à Beaver Dam.

Sur les Lacs, les deux flottilles se recherchent et s'évitent, selon leur force et selon le vent. Les combats individuels tournent le plus souvent à l'avantage des bateaux américains, mieux construits et mieux armés. Les deux escadres, au complet, s'affrontent enfin sur le lac Érié — où navigua le *Griffon,* de Cavelier de La Salle — et le combat tourne au désastre pour la flotte anglaise (10 septembre 1813). Frédéric Rolette, commandant en second d'une goélette, prend le commandement quand son chef est blessé et, blessé lui-même, ne rend qu'à la dernière extrémité son bateau désemparé, sur le point de couler.

L'Ouest du Canada est à découvert. Les communications du commerce des fourrures sont menacées. Le *Nancy,* qui transportait

Dans un poste de traite, l'achat des pelleteries.
(Photo Armour Landry, tirée des archives de Raymond Denault.)

des provisions à Michillimakinac, est coulé à l'embouchure de la rivière Nottawasaga. La Compagnie du Nord-Ouest possède un bateau, le *Recovery,* sur le lac Érié. Elle le fait éloigner de la zone dangereuse et l'abrite, soigneusement camouflé, dans une baie vers l'extrémité du lac, non loin de Fort William. La petite armée anglaise du colonel Henry Adolphus Proctor est taillée en pièces à Moraviantown.

Saint-Joseph se sent menacée, et John Askin junior, dans sa correspondance, décrit « la détresse » de la population, qui n'a plus que deux mois de provisions « et peu d'espoir d'en obtenir d'ailleurs ».

Montréal, assez éloignée de ces champs de bataille, sans être entièrement rassurée, conserve un bon moral. La guerre gêne le commerce des fourrures. La Southwest Company, dont John Jacob Astor et la Compagnie du Nord-Ouest se partagent le contrôle, est virtuellement paralysée. La production se diversifie au Canada, qui expédie du bois de mâture en Angleterre. La fourrure perd de son importance relative. Mais Montréal reste la métropole commerciale. John Molson lance le *Swiftsure,* qui double le service déjà offert par l'*Accomodation* entre Montréal et Québec. Des perfectionnements ont été introduits sur le *Swiftsure,* qui sert au transport des troupes et des approvisionnements – et confirme la rentabilité de la navigation à vapeur sur le fleuve.

Deux unités étrangères, le régiment de Meuron et le régiment de Watteville, ainsi nommés, suivant la tradition, d'après le nom de leur colonel, débarquent à Québec à la fin de l'été de 1813. Le régiment de Meuron est stationné à Montréal et le régiment de Watteville à Québec. Le régiment commandé par Pierre-Frédéric de Meuron est surtout composé de Suisses, mais aussi d'Allemands, d'Italiens et même de Français, faits prisonniers pendant les guerres napoléoniennes et qui ont accepté de servir l'Angleterre en Amérique. Les Français, commandés par des officiers légitimistes, ont spécifié qu'ils ne serviraient pas contre des compatriotes. Les « Meurons », qui joueront un rôle dans la suite de notre histoire, portent tunique rouge avec épaulettes blanches et parements bleu clair, et pantalons descendant jusqu'aux pieds. Ils ont troqué leur chapeau noir et rond contre un shako pendant la guerre d'Espagne. Les « Wattevilles », dont le rôle sera moindre, portent tunique rouge avec parements noirs, culotte blanche et, eux aussi, le shako.

Les billets d'armée, ayant force libératoire, portent intérêt à six pour cent et sont garantis par le gouvernement impérial. Ils mettent de l'aisance dans les budgets. On importe des articles de luxe — sucre, thé, café, ce qui est un indice de prospérité. Les forêts du Vermont, écarlates à l'automne, sont bruissantes de contrebandiers, dont les uns transportent aux États-Unis les marchandises britanniques nécessaires à John Jacob Astor pour la traite, et les autres — parfois les mêmes — transportent au Canada les vivres nécessaires à l'armée britannique. L'Américain Horatio Gates organise, dans ce dernier sens, un service de « contrebande tolérée ». Une commission du Conseil exécutif, dont John Richardson fait partie, lui permet de continuer son « activité commerciale ».

Cependant les Américains lancent une nouvelle tentative contre Montréal, dont ils savent qu'elle n'est pas fortifiée. Le général Henry Dearborn franchit la frontière avec une armée assez imposante, la meilleure que les États-Unis puissent mettre sur pied, munie de dix pièces de canon.

Prevost, accouru à Montréal, assume la défense de la ville et charge le général de Watteville — d'origine suisse — de repousser l'envahisseur. Les Voltigeurs de Salaberry occupent de nouveau l'avant-garde de l'armée anglaise, à Châteauguay. Salaberry, cette fois encore, prend d'habiles dispositions. Après une série d'escarmouches, les Américains retraitent en désordre (26 octobre 1813). Cette rencontre très peu sanglante entraîne autant de conséquences qu'une grande bataille. Et ce succès compense les revers essuyés dans le centre et l'ouest du pays.

* * *

Pour la Compagnie du Nord-Ouest, le principal objectif de guerre est Astoria.

Le groupe conduit par John Stuart et le groupe conduit par Joseph Larocque — celui-ci ayant rebroussé chemin — y arrivent ensemble le 11 octobre 1813.

On attend l'*Isaac Todd,* qui ne paraît pas. John Stuart, Donald McKenzie, Ross Cox et Joseph McGillivray ravitaillent les postes de l'intérieur, pour l'hiver. À Spokane, ils sont au pays des Têtes-Plates, vite devenus les amis des Blancs qui leur vendent des armes rétablissant les chances contre les Pieds-Noirs et les Nez-Percés. Les Têtes-Plates torturent justement un Nez-Percé prisonnier. Ils brûlent les jambes, les cuisses, le cou, les joues et le ventre, brisent les doigts, taillent des lambeaux de chair, coupent le nez, scalpent la tête et arrachent la langue. Aux reproches des Blancs, ils répondent simplement : « C'est ainsi que nos ennemis nous traitent quand ils nous capturent. C'est la manière adoptée par tous les guerriers[1].» La version indienne de la loi du talion. Les Blancs, avec des peines infinies et en accumulant les présents, rachètent la liberté de quelques prisonniers.

Joseph McGillivray passera l'hiver à Oakinagan, avec quatre Canadiens et quelques indigènes des îles Sandwich. Le fils métis du grand chef de la Compagnie du Nord-Ouest, partageant le sort de ses compagnons « qui buvotent de la mélasse, fument du tabac et mastiquent de la viande de cheval », se rappelle l'hiver précédent où, rentré de la prise de Michillimakinac, il était fêté dans les salons de Montréal.

La population d'Astoria guette toujours en vain l'arrivée de l'*Isaac Todd,* retenu à San Francisco pour de longues réparations. Mais une voile apparaît, le 30 novembre. Amie ou ennemie ? Anglaise ou américaine ? Le bateau n'arbore aucun pavillon. Duncan McDougall part au-devant de lui en canot, avec deux hommes qui se diront Anglais ou Américains selon la nationalité du navire. John George McTavish fait entasser dans deux barges les ballots de pelleteries marqués aux initiales N.W.C. et remonte avec eux la Columbia, jusqu'à une pointe où il attendra un signal convenu.

Le bâtiment est la corvette britannique *Racoon,* à bord de laquelle John McDonald a eu la bonne inspiration de prendre passage et que les véhéments caprices de la mer ont séparée de l'*Isaac Todd.* John George McTavish revient avec ses fourrures.

Le capitaine Black, commandant du *Racoon,* qui croyait se créer un titre à l'avancement en s'emparant d'une place américaine, est déçu. Avoir capturé Astoria, sur la côte du Pacifique, cela sonnerait bien à Londres et favoriserait une carrière d'officier. Mais des terriens, vulgaires civils par surcroît, ont exécuté la besogne sans tirer une balle. Le capitaine Black, s'il eût emporté Astoria, eût sans doute, dans ses rapports, fait une impressionnante description de cette forteresse imprenable. Au lieu de quoi, il exprime dédaigneusement sa surprise devant ces bâtiments chétifs entourés de mauvaises palissades : « J'aurais pu tout abattre en deux heures de canonnade. » Il doute même qu'Astoria puisse résister à une sérieuse attaque des Indiens.

John McDonald trouve là John George McTavish, Alexander Henry, John Stuart, associés comme lui-même, sans parler du groupe d'Astoriens ralliés : Duncan McDougall, Donald McKenzie,

---

1. *Journal* de Ross Cox.

David Stuart, John Clarke... Il prend le commandement, à titre d'associé le plus ancien. Le capitaine Black prend une revanche partielle de sa déconvenue en observant que la Compagnie du Nord-Ouest, et non le gouvernement britannique, a pris possession du pays. Il y a une lacune à combler. John McDonald organise une cérémonie au cours de laquelle l'officier de la Royal Navy prend possession solennelle au nom du roi George : il brise une bouteille de madère contre la mât et invite les chefs sauvages à boire à la santé du roi[2]. Astoria est débaptisée Fort George.

À défaut du *Racoon,* l'*Isaac Todd* ou quelque autre bateau anglais aurait bien fini par arriver à l'embouchure de la Columbia. Les firmes londoniennes Inglis, Ellice and Company et McTavish, Fraser and Company ont frété une ancienne goélette américaine, qu'ils appellent le *Columbia,* sous le commandement du capitaine Anthony Robson. Le *Columbia* lève l'ancre, dans un convoi, le 26 novembre 1813.

---

2.   Gabriel Franchère en a laissé le récit.

Initiative draconienne de Miles Macdonell

**Proclamation de Miles Macdonell à la rivière Rouge
— Saisies de pemmican — La réaction à Fort William.**

Miles Macdonell s'est absenté de sa colonie pour aller au-devant d'une nouvelle fournée d'immigrants, en juillet 1813. Mais ces immigrants sont atteints de fièvres que l'on croit contagieuses. York Factory ne veut pas les recevoir. On les héberge tant mal que bien à Fort Churchill, où ils doivent hiverner. Miles Macdonell, au poste principal de la Compagnie de la Baie d'Hudson, médite un coup de nature à chasser la Compagnie du Nord-Ouest du district de la rivière Rouge. « Après cette mesure », écrit-il à lord Selkirk, « les traiteurs de la Compagnie du Nord-Ouest ne persisteront peut-être pas à rester là » (10 septembre 1813). Mais il doit rentrer à la rivière Rouge, en octobre, sans le renfort prévu.

Or, l'imprévoyance des organisateurs de la colonie de Selkirk a de quoi confondre. Rien n'était préparé pour recevoir les colons. Les provisions de bouche, insuffisantes, ont été vite épuisées, et les colons ont survécu grâce aux fournitures de la Compagnie du Nord-Ouest. On leur a distribué des terres sans les instruments nécessaires pour les cultiver. La première récolte, à peu près limitée aux pommes de terre, a été décevante. La malchance aggrave les maladresses. Les chiens ont dévoré des moutons. Un taureau acheté par Peter Fidler aux gens de la Compagnie du Nord-Ouest est devenu si méchant qu'il a fallu l'abattre. L'alimentation se résume au pemmican. Miles Macdonell affirme, dans ses lettres à lord Selkirk, que « la cordialité règne dans notre petite colonie ». En fait, il n'est pas uniformément populaire parmi ses colons. Ses relations se tendent avec ses voisins de la Compagnie du Nord-Ouest sans s'améliorer avec ses voisins de la Compagnie de la Baie d'Hudson.

Les colons devront vivre de pemmican. Est-ce une raison ou un prétexte ?

Miles Macdonell, gouverneur de l'Assiniboia par la grâce de la Compagnie de la Baie d'Hudson, lance une proclamation le 8 janvier 1814. Il interdit toute sortie de provisions de bouche, c'est-à-dire de pemmican, sans sa permission. L'ordonnance s'applique aux employés de la Compagnie du Nord-Ouest comme aux autres. Macdonell ordonne la livraison — contre paiement — du pemmican[1].

C'est la mesure que Miles Macdonell méditait à York Factory, et qu'il annonçait à lord Selkirk, en septembre, en ajoutant : « Les traiteurs de la Compagnie du Nord-Ouest ne persisteront peut-être pas à rester là. »

Et c'est un coup de tonnerre.

La Compagnie du Nord-Ouest a besoin, absolument besoin du pemmican pour la subsistance de presque tous ses postes. Lorsqu'elle offrait à la Compagnie de la Baie d'Hudson un partage de zones, abandonnant le district de la rivière Rouge, elle exceptait le grand dépôt de Fort Gibraltar. Simon McGillivray a décelé, dès la première heure, dans la fondation de la colonie Selkirk, futur centre de ravitaillement et de recrutement pour la Compagnie de la Baie d'Hudson, une machine de guerre contre la Compagnie du Nord-Ouest. Il a souhaité son échec, au besoin son extirpation. Se trompait-il ? Miles Macdonell, aussitôt en possession de son « gouvernement » ne s'estimait « tenu à aucune hésitation pour s'opposer décidément à la Compagnie du Nord-Ouest », qu'il entendait dissuader, dégoûter « de poursuivre son commerce ici ». En méditant, l'automne dernier, l'ordonnance qu'il vient de publier, il exprimait, dans une autre lettre à son patron, le même espoir. Et sa correspondance ultérieure établit, à peu près sans conteste, son intention de nuire à la Compagnie du Nord-Ouest autant que de protéger ses colons Il écrit le 4 février 1814 :

> Je suis assez fort pour écraser tous les Nor'Westers sur cette rivière s'ils ont l'audace de résister ouvertement à mon autorité... Quoi qu'il arrive, je suis résolu à ne pas laisser piétiner mon autorité.

Le désir d'affirmer son autorité joue un rôle dans cette décision explosive. Miles Macdonell nomme un shérif, John Spencer, choisi parmi les colons et qui délivrera des mandats d'arrestation à ceux

---

1. Le texte de la proclamation de Miles Macdonell, lu au procès de Brown et Boucher en 1818, figure dans le recueil de A. Amos, publié à Londres en 1820 sur ce procès.

qui défieront l'embargo. Il nomme un « Conseil », pour remplir la lettre de la loi, mais sans lui déléguer de pouvoirs.

Les postes de la Compagnie du Nord-Ouest que l'embargo frappe sont le Fort Gibraltar, aux fourches de la rivière Rouge, le Fort La Souris et le Fort Qu'appelle. John Wills, successeur d'Alexander Macdonell à la tête du district, en ce moment stationné au Fort La Souris, écrit à Miles Macdonell pour le prier de revenir sur cette décision « embarrassante » (25 février 1814). Macdonell réaffirme son ordre, qui ne comporte pas d'exception. La Compagnie du Nord-Ouest — Miles Macdonell, frère et cousin de Nor'Westers ne l'ignore pas — doit plus que jamais compter sur le pemmican des Prairies en cette période de guerre où les succès américains sur les Grands Lacs compromettent ses communications avec Montréal comme avec Detroit.

La Compagnie du Nord-Ouest renforce son impression que Selkirk vise à la déloger. Elle ne reconnaît pas — elle s'est toujours gardée de reconnaître — la charte de la Compagnie de la Baie d'Hudson, d'où découleraient les droits du prétendu gouverneur. Elle ne tiendra pas compte de la proclamation.

Des postes viennent se ravitailler au Fort Gibraltar, comme d'habitude. Macdonell fait pratiquer, de vive force, des saisies. Des hivernants du Petit lac des Esclaves, de la rivière aux Anglais et du district d'Athabasca décident de reprendre leurs sacs de pemmican, également par la force. L'escalade de la violence est désormais fatale.

Pierre de Rocheblave vient trouver Macdonell. Il lui représente le danger : nos traiteurs, privés des vivres nécessaires pendant le transport des fourrures à Fort William, sont exaspérés. Ils devront reprendre ces provisions ou mourir de faim. Macdonell répond :

— Mes colons ont besoin de ces vivres pour ne pas mourir de faim.

On partage, et l'affaire est réglée — pour l'instant.

* * *

En Colombie, des Indiens des Rapides ont attaqué et pillé deux canots, pour s'emparer de fusils, en janvier 1814. Ils ont blessé grièvement Alexander Stuart et un Indien au service de la Compagnie du Nord-Ouest. Les occupants de Fort George décident une expédition punitive, qui évitera, autant que possible, l'imprudence de tuer des Indiens, mais sauvera la face en récupérant les marchandises volées. Une soixantaine d'hommes se mettent en route, avec quelques

Indiens de tribus voisines, recrutés par Franchère exploitant le principe : les ennemis de nos ennemis sont nos amis. De village en village, avec des prodiges de courage, de ruse et de diplomatie, l'expédition, perdant des canots, frôlant dix fois l'incident irrémédiable, récupère des fusils, des bouilloires, des chemises de coton. Le chef indien Canook, instigateur présumé de l'attentat, fume le calumet de la paix avec les chefs blancs, mais sans perdre de vue leurs mouvements et sans lâcher sa hache de guerre. L'expédition a sauvé la face. Ce sera la dernière aventure de Gabriel Franchère en Colombie.

Au petit printemps de 1814, un convoi commandé par John McDonald et comprenant John George McTavish, Donald McKenzie, David Stuart et John Clarke quitte Astoria-Fort George à destination de Fort William. Gabriel Franchère en est aussi. Franchère a renoncé à passer aux États-Unis avec les Américains rapatriés. Il rentre au Canada, mais persiste dans son refus de transfert à la Compagnie du Nord-Ouest. François-Benjamin Pillet le suit comme son ombre.

Le convoi compte quatre-vingt-dix hommes, répartis entre cinq canots d'écorce et cinq de bois de cèdre, portant chacun sept Voyageurs et deux passagers, tous bien armés. Il remonte la Columbia, la Walla-Walla, la rivière que Lewis et Clark ont descendue en 1805. On achète aux Sauvages des chevaux et des chiens, pour fins d'alimentation. Quand les rivières ne sont plus navigables, on franchit à pied la crête des Rocheuses.

François Decoigne, qui commande à Rocky Mountain House, s'inquiète de voir arriver tant de monde, qu'il ne pourrait nourrir. Rocky Mountain House ramasse peu de fourrures. La Compagnie du Nord-Ouest, observe Franchère, a plutôt fondé ce poste « pour faciliter le passage des montagnes à ses serviteurs qui se rendent à la rivière Columbia ou qui en reviennent ». François Decoigne, commis principal, s'impatiente de le rester. N'y a-t-il rang d'associé que pour Pierre de Rocheblave, parmi les Canadiens qui servent la Compagnie depuis si longtemps, avec tant de zèle ? Franchère parle avec lui et, apparemment, l'entraîne. François Decoigne, sans révéler ses intentions, se joint au convoi. On descend des rivières. De nouveau, des rapides et des portages. Deux Voyageurs se noient. L'un d'eux est Olivier-Roi Lapensée, dont les deux frères se sont noyés quand le capitaine Thorn, du *Tonquin,* les a obligés à pratiquer des sondages à l'embouchure de la Columbia malgré la tempête. De l'équipage et des passagers du *Tonquin,* décidément, il n'en reviendra pas beaucoup.

Au lac La Biche, on rencontre un Canadien, Antoine Desjarlais, ancien guide de la Compagnie du Nord-Ouest, devenu traiteur libre depuis 1805, qui vit de chasse avec sa famille « et paraît à peu près content de son sort ». Desjarlais, illettré, prie Franchère de lui lire deux lettres de ses sœurs de Verchères, reçues deux ans plus tôt et dont il ne connaît pas le contenu. Franchère croit reconnaître « l'écriture de M. L.-G. Labadie, instituteur de cette paroisse ». Le convoi passe au Fort Vermillion, sur la Saskatchewan. Un comptoir de la Compagnie de la Baie d'Hudson est installé a proximité. Dans les Prairies, où le gibier abonde, le voyage est presque une promenade. Le Fort du Bas de la Rivière « a plutôt l'air d'une métairie que d'une maison de commerce ». Ses granges, ses étables, ses hangars, entourés de champs d'orge, de pois, d'avoine et de pommes de terre, « nous rappellent les pays civilisés que nous avons laissés depuis si longtemps ».

*   *   *

Mais les incidents ont recommencé. Au mois de mai, un bateau de la Compagnie du Nord-Ouest chargé de provisions arrive au confluent de l'Assiniboine et de la rivière Souris. Macdonell « assermente » quatre constables et fait bloquer le chemin. Les Voyageurs abandonnent leur bateau après avoir caché la cargaison. Les constables de Macdonell saisissent le bateau et arrêtent trois hommes qui, interrogés sous pression, indiquent les caches. Macdonell saisit quatre-vingt-seize sacs de provisions. Il désigne ensuite le jeune John Spencer, qui lui sert de secrétaire, comme shérif et l'envoie, avec une troupe armée, s'emparer des provisions de la Compagnie du Nord-Ouest au Fort La Souris.

Le nom de « fort », généralement donné aux postes des compagnies de fourrures, est excessif. Spencer défonce l'entrée. John Pritchard, ancien commis de la Compagnie X.Y. au service de la Compagnie du Nord-Ouest depuis la fusion, qui commande au fort La Souris, ne manque pas d'énergie. Au cours d'un stage dans la région de la rivière aux Anglais, au service de la Compagnie du Nord-Ouest, il est resté perdu, seul, pendant trente-cinq jours. Familier des procédés indiens, il s'est arraché les cheveux pour en faire des lacets, et il a mangé de petits animaux ainsi capturés. Incapable de tenir debout, il rampait quand des Indiens l'ont secouru. Pritchard a donc fait ses preuves. Mais il est insatisfait — sans doute, comme Decoigne et plusieurs autres, par la lenteur des promotions au rang d'associé. Il ne fait, devant l'envoyé de Miles Macdonell, aucun zèle. Spencer fait main basse sur quatre cents sacs de quatre-vingt quatre livres. C'est une petite fortune, en pemmican. Macdonell la fait transporter à Brandon House, le poste de la Compagnie de la Baie d'Hudson le plus voisin, où Peter Fidler commande actuellement. Il saisit encore un bateau de la Compagnie du Nord-Ouest, chargé de fusils.

Les Nor'Westers ripostent. La Compagnie de la Baie d'Hudson a chargé Joseph Howse de reprendre la tentative manquée par William Hillier à l'île à la Crosse. Joseph Howse affronte la rude concurrence de Samuel Black. Une querelle entre employés des deux compagnies entraîne la mort de James Johnston, adjoint de Howse.

C'est l'époque de la descente des fourrures vers Fort William. Des canots de la Compagnie du Nord-Ouest arrivent les uns après les autres aux « Fourches ». Le convoi venu de la côte du Pacifique, sous le commandement de John McDonald, arrive en même temps que la brigade de l'Assiniboine, que Miles Macdonell prétend rançonner. McDonald négocie avec Macdonell une paix de compromis. Macdonell exige la reconnaissance de son droit d'émettre des permis pour l'importation ou l'exportation de pemmican. Une sorte d'accord intervient. Macdonell laisse passer deux cents sacs de pemmican et les brigades qui suivent pourront en faire passer cent soixante-quinze. C'est un succès pour Macdonell, qui estime sa juridiction reconnue (juin 1814).

* * *

La Compagnie de la Baie d'Hudson, dont les affaires s'améliorent, a repris le versement de dividendes. Elle se sent encouragée.

La Compagnie, donnant ses instructions à Thomas Thomas, successeur de William Auld à la surintendance du Nord, lui a fait prévoir l'invasion du district d'Athabasca par des équipes de Canadiens à son service. Elle ajoutait : « Nous avons envoyé quelqu'un à Montréal pour engager des hommes et des commis connaissant leur langue. »

En effet, Colvile a, dès le mois de janvier (1814), fait venir Colin Robertson qui, mal résigné, avait ouvert un commerce à Liverpool, d'abord avec son frère, puis avec un autre associé. Il lui demande un plan précis de pénétration dans le district d'Athabasca, avec devis approximatif des dépenses. Colin Robertson soumet son plan le 15 mars. Il insiste sur la nécessité d'employer des Canadiens, commandés dans leur langue. L'idéal serait de débaucher du personnel de la Compagnie du Nord-Ouest. Robertson demande pour lui-même quatre « parts » dans la Compagnie.

Le « Comité » qui dirige la Compagnie de la Baie d'Hudson adopte le plan de Robertson, avec quelques entorses, le 19 avril. Robertson n'est pas à proprement parler engagé comme employé de la Compagnie. C'est plutôt un homme d'affaires indépendant, chargé de mission. Il est autorisé à choisir à Montréal une firme qui remplira les fonctions d'agent de la Compagnie. En Angleterre, la maison de commerce montée par Robertson à Liverpool aura la préférence, aux prix du marché, pour les fournitures de coton et de laine à la Compagnie.

Robertson s'embarque à Liverpool le 22 mai 1814 sur un rafiot dans un convoi qui, roulant, tanguant, navigue à vitesse d'escargot.

* * *

John McDonald, après conclusion d'une sorte de trêve avec Miles Macdonell, est remonté en canot. Il arrive à Fort William à temps pour l'assemblée générale, et fait rapport de tout ce qu'il a vu et de tout ce qui lui est arrivé depuis son départ de Portsmouth sur l'*Isaac Todd*.

La grande carte soigneusement préparée par David Thompson et aussi soigneusement transportée dans une toile imperméable orne le mur de la grande salle, au quartier général de Fort William. C'est la première carte complète du Canada jusqu'à l'océan Pacifique. L'inscription qui l'accompagne rappelle que cette carte, dressée pour la Compagnie du Nord-Ouest en 1811 et livrée à l'honorable William McGillivray en 1814, est le fruit de vingt années de découvertes et de relevés effectués par divers membres de la Compagnie. Thompson a donné ou confirmé les noms des grands Nor'Westers, à commencer par McGillivray, à des monts ou à des rivières[2].

Cette carte, à l'échelle de quinze milles par pouce, offre une image de l'ampleur — de l'immensité — des efforts et des réussites de la grande compagnie montréalaise, qui a jeté les bases d'un Canada britannique jusqu'à l'océan Pacifique. Les Nor'Westers ont assez d'expérience pour saisir toute la portée de cette œuvre. Et la carte facilite aux chefs de la Compagnie l'étude des points forts et des lacunes de leur entreprise. Mais comment oublier ce que cette entreprise a coûté en noyés, en morts de faim ou de froid, ou tués par des flèches indiennes ?

William McGillivray vient d'être nommé conseiller législatif, ce qui explique le titre d'honorable accolé à son nom. Il annonce, à cette assemblée générale de 1814, la réorganisation de la firme McTavish, McGillivrays, dont les membres sont désormais : William McGillivray lui-même, son frère Simon, Archibald Norman

---

2. La rivière McGillivray a été plus tard débaptisée Kootenay.

McLeod, Thomas Thain, John George McTavish (cousin de McGillivray) et Henry McKenzie. Les Hallowell disparaissent. La firme a acquis, pour 10 000 livres, les actions de Roderick McKenzie dans la Compagnie du Nord-Ouest.

L'abdication de Napoléon fait prévoir la fin des guerres, et les Nor'Westers s'en réjouissent. On connaissait déjà la prise d'Astoria par une lettre de John Stuart, transmise par le poste de Daniel Harmon. L'assemblée ratifie tout ce que John George McTavish et John McDonald ont fait à Astoria. L'expérience du double district de Columbia et de Nouvelle-Calédonie est en très bonne voie. Duncan McDougall est réintégré dans la Compagnie avec une part d'associé. Les employés de la Pacific Fur Company qui s'engagent ou se réengagent dans la Compagnie sont admis. Cette décision englobe Donald McKenzie, frère cadet de Roderick et de Henry.

Mais les nouvelles de la rivière Rouge oblitèrent tout. Miles Macdonell a eu le front de confier aux canots de la Nord-Ouest une lettre à l'adresse de William McGillivray, se plaignant que ses employés, à la rivière Rouge, cherchent à débaucher les colons. McGillivray répond aussitôt. Les « fortes épithètes » employées par Miles Macdonell sont injustifiées ; nous avons simplement fourni aux colons, désabusés et mécontents à plus d'un titre, les renseignements qu'ils nous demandaient anxieusement sur les conditions de travail au Canada ; je ne vois là rien de criminel. McGillivray renvoie à Miles Macdonell un colon déserteur, descendu à Fort William avec une brigade de la Nord-Ouest. Mais les hivernants, en grande majorité, désavouent leurs camarades qui ont traité avec Miles Macdonell sur une base de compromis. La saisie du pemmican, plus qu'une perte matérielle, est une insulte, une provocation à la fierté des Nor'Westers. John McDonald, presque seul, témoigne d'un esprit de conciliation. Certains hivernants sont enragés. Les Nor'Westers ne jouent pas les petits agneaux. Mais c'est la Compagnie de la Baie d'Hudson, par son « gouverneur » Miles Macdonell, qui a déclenché les hostilités armées en envoyant une troupe s'emparer du poste de La Souris. John Pritchard, qui a, un peu facilement semble-t-il, laissé John Spencer faire main basse sur les quatre cents sacs de pemmican de ce poste, est descendu à Fort William, mais dans une intention équivoque : il ne fournit guère d'explications ; il quitte la Compagnie du Nord-Ouest et poursuit sa route sur Montréal.

La Compagnie du Nord-Ouest, toujours victorieuse, à bien peu d'exceptions près, dans les rencontres avec sa rivale de la baie d'Hudson, doit se défendre et décide de se défendre « à tous risques ». Duncan Cameron et Alexander Macdonell — celui-ci, solidement fidèle à la Compagnie en lutte contre son cousin — sont promus associés. Duncan Cameron, qui s'est taillé une réputation dans les démêlés avec la Compagnie de la Baie d'Hudson dans le Nipigon, remplacera John Wills, jugé trop faible, au commandement du district de la rivière Rouge. Duncan Cameron et Alexander Macdonell repartent vers l'Ouest avec ces instructions : tout employé de la Compagnie résistera sans faiblesse à toute tentative de saisie ; aucun employé de la Compagnie de la Baie d'Hudson ne sera reçu dans un poste de la Compagnie du Nord-Ouest, sauf en cas de famine ; aucun employé de la Compagnie de la Baie d'Hudson ne sera engagé, sous aucun prétexte, par la Compagnie du Nord-Ouest. Les postes de la rivière Rouge, ainsi que Fort Dauphin et le district de Churchill, seront consolidés. Provisions et marchandises seront envoyées en abondance à la rivière Rouge.

Le corps de Voyageurs formé par William McGillivray est démobilisé. Mais la Compagnie conserve les commissions d'officier accordées lors de la formation de ce corps. Elle les distribue entre Duncan Cameron, capitaine, Alexander Macdonell, lieutenant, et Séraphin Lamarre, enseigne. Duncan Cameron incitera les colons, notoirement désabusés, à déserter, en leur offrant passage gratuit à bord des canots de la Compagnie. Miles Macdonell a engagé des « constables » en leur faisant prêter serment. Rendons-lui la monnaie de sa pièce. Archibald Norman McLeod, qui est juge de paix pour les territoires du Nord-Ouest, émet des mandats d'arrestation contre Miles Macdonell et son « shérif ».

À cette assemblée de Fort William, deux autres promotions d'associé sont accordées, l'une à John McLoughlin et l'autre à Angus Bethune, qui les attendaient et les réclamaient depuis longtemps. Le Dr John McLoughlin, éternel ronchonneur, en a reçu la promesse il y a deux ans. Encore ne veut-il pas moisir dans un poste perdu, où l'on ne reçoit de visites que celles de bandes indiennes plus ou moins faméliques. Il écrit en ce moment même à Simon Fraser, à Terrebonne : « On parle des déserts de Sibérie, mais ici c'est aussi mal. La différence est que les gens sont envoyés en Sibérie par la force et qu'ils viennent ici par leur choix. Pour ma part, je regrette d'y être venu. » John McLoughlin reçoit le commandement, agréable et convoité, du poste-dépôt du lac La Pluie, centre d'un continuel va-et-vient. Angus Bethune, fils d'un pasteur du Haut-Canada et d'une fille d'Étienne Wadden, n'est parti récemment pour le district de Columbia qu'avec cette promesse d'avancement.

À la rivière Rouge, Miles Macdonell, plein d'assurance, émet toujours des proclamations. Le contingent des colons qui, arrivés à

York Factory pendant l'été de 1813, mais atteints de fièvres présumées contagieuses, ont dû hiverner à Fort Churchill, arrive à la rivière Rouge le 21 juin 1814. Il compte cinquante et une personnes. Autant de gens à nourrir, avant qu'ils ne se transforment en producteurs. Miles Macdonell interdit la chasse à cheval, susceptible d'éloigner le bison (21 juillet 1814). Cette décision gênera et donc heurtera un peu les Indiens et beaucoup les Métis, pour qui la chasse à cheval est à la fois une méthode, une habitude et un plaisir : le dangereux et beau sport au championnat duquel ils pourraient défier toutes les races du monde.

47

Inauguration du commerce avec l'Orient

Arrivée de l'*Isaac Todd* à Fort George (ex-Astoria) – Inauguration du commerce avec la Chine – Un grand rêve réalisé.

William Mackay, qui faisait la traite au service de Dominique Ducharme dès 1793, s'est fixé à Michillimakinac, d'où il fait le commerce des fourrures dans la région du Haut-Mississipi, en étroite liaison avec la Compagnie du Nord-Ouest. C'est lui qui a porté la nouvelle de la guerre aux associés réunis à Fort William, en 1812. Fort loyaliste, il monte avec des Canadiens et des Sauvages une expédition contre Prairie-du-Chien, qu'il connaît bien. Joseph Rolette qui a, comme son frère Frédéric, opté pour les Anglais dès la première heure, et qui a participé à la prise de Michillimakinac, est capitaine dans cette troupe (fin juin 1814).

Prairie-du-Chien capitule après un commencement de résistance. Jean-Baptiste Faribault, qui tient un comptoir important à Prairie-du-Chien, a pris le parti des Américains. Les Anglais le mettent en captivité sur une canonnière.

Le colonel McDowall, commandant à Michillimakinac, dans un rapport, louange le lieutenant Brisebois, du département des Sauvages, l'interprète Sainte-Marie et surtout le capitaine Rolette, pour leur bravoure, mais aussi pour le sang-froid grâce auquel ils ont empêché les Indiens de se livrer au pillage. Ces officiers improvisés n'ont cependant pas empêché le sac du magasin de Jean-Baptiste Faribault, qui est bientôt relâché, mais ruiné. Joseph Rolette s'engage par contrat à ravitailler la garnison de soixante hommes laissée à Prairie-du-Chien.

Les Américains, de leur côté, s'apprêtent à reprendre Michillimakinac, ce nid d'intrigues à leur détriment. Le colonel McDowall demande le concours de John Johnston pour entretenir le loyalisme des Indiens. Johnston lève une centaine de Voyageurs ou engagés, les équipe à ses frais et les envoie à la défense du fort. Deux bateaux de guerre américains ne réussissent pas à les intercepter. Ils se vengent sur Sault-Sainte-Marie, qu'ils trouvent vide. Ils prennent une goélette à l'ancre, pillent le magasin de la Compagnie du Nord-Ouest et brûlent la maison et les écuries de Johnston. La femme indienne de Johnston, réfugiée dans les bois avec ses enfants, assiste de loin à cet incendie. Les équipages des deux bateaux renforcent ensuite l'attaque contre Michillimakinac, qui échoue.

John McDonald, John Clarke et Gabriel Franchère, qui se pensaient rassasiés d'aventures, avaient pris un canot pour rentrer à Montréal. Ils rencontrent en route un autre canot, portant le capitaine McCargo et deux Voyageurs. Le capitaine McCargo commandait la goélette que les Américains ont prise à Sault-Sainte-Marie. Il a pu s'échapper, et se rend à Fort William pour avertir.

John McDonald et ses compagnons continuent prudemment leur route, avec un seul canot. Ils passent à Sault-Sainte-Marie, qu'ils trouvent en effet dévasté : tout a été brûlé, les chevaux compris. Les traiteurs continuent, gagnent le lac Huron. Ils y rencontrent un autre canot, monté par un traiteur et quatre Indiens qui brandissent des scalps d'Américains « tout frais ». Le lac Huron est libre de vaisseaux ennemis. Mais sur la rivière des Français, qui est la route normale, apparaît un voilier. C'est un autre officier de marine anglais dont les Américains ont capturé la goélette et qui a pu s'échapper.

Les goélettes ennemies cherchent à intercepter le convoi de fourrures de la Compagnie du Nord-Ouest. John Jacob Astor verserait bien une prime à chacun des participants à une telle prouesse. Mais ils n'y parviennent pas. Le convoi de quarante-sept canots, portant plus de trois cents hommes armés et pour 200 000 livres de fourrures, passe.

Le deuxième officier anglais rencontré par John McDonald prend sa revanche : parti de Michillimakinac avec deux bateaux, il s'empare de haute lutte des deux goélettes qui avaient pris la sienne.

La rivière Ottawa ; le portage de la Chaudière ; le Long-Sault ; le lac des Deux-Montagnes ; nos traiteurs trouvent le trajet long. Enfin, à Montréal ! John McDonald y trouve la saison si gaie qu'il renonce à son projet de passer en Angleterre. Gabriel Franchère surprend sa famille, sans nouvelles de lui depuis son départ de New York et qui le croyait massacré par les Indiens avec l'équipage du *Tonquin*. Les parents des trois frères Lapensée n'auront pas la même bonne surprise. Franchère avoue son soulagement « à la suite d'un voyage accompagné de tant de périls, où un si grand nombre de mes compagnons ont trouvé la mort ».

* * *

Les nouveaux propriétaires d'Astoria ne se sont pas contentés de le débaptiser Fort George. Impressionnés par les observations du capitaine Black, ils ont transféré l'établissement sur un cap appelé Tongue Point en raison de sa forme, qui s'avance dans la rivière et se termine par un rocher à pic. Le sommet du rocher s'élève à quelque deux cent cinquante pieds au-dessus du niveau de l'eau. Les occupants s'y trouveront plus à l'abri des attaques des Sauvages par terre et des civilisés par mer.

Le *Racoon* est reparti le 31 mars (1814). Mais la garnison du fort George a le plaisir de voir arriver l'*Isaac Todd* le 17 avril, treize mois après son départ d'Angleterre. Donald McTavish en débarque avec plusieurs commis, quelques Voyageurs et le Dr Swan, qui doit remplir les fonctions de médecin du fort. Donald McTavish distribue, comme autant de gâteries du « vieux pays », des boîtes de conserve contenant bœuf ou fromage d'Angleterre et qu'il a dû maintes fois désespérer de faire parvenir à leurs destinataires. Il donne des nouvelles du *Racoon,* immobilisé à son tour à San Francisco, avec six pieds d'eau dans sa cale. De l'*Isaac Todd* débarque aussi une jeune Anglaise, compagne de l'un des commis, qui suscite une intense curiosité. Le commerce avec les Blancs introduit des changements, tels que l'usage de la bouilloire, dans le mode de vie des Indiens, et particulièrement dans le mode de vie des femmes, chargées des travaux domestiques. David Thompson a observé que les Indiennes donneraient la plus belle peau de castor ou de loup pour une alêne. Les tissus européens, les colliers, les bracelets, les breloques, les rubans, les châles, les dentelles les captivent. Et l'Anglaise débarquée de l'*Isaac Todd* exhibe des toilettes un peu tapageuses. Les Sauvagesses scrutent, palpent, admirent sa garde-robe : elles en rêveront la nuit, pour sûr. Et pas seulement les femmes. Un chef, apprenant qu'on se prépare à renvoyer l'Anglaise dans son pays, offre de l'épouser en lui donnant préséance sur ses quatre autres femmes. Il la dispenserait de porter de l'eau et de scier du bois, et lui donnerait cent peaux de phoque pour envoyer à ses parents en Angleterre.

Ross Cox et ses compagnons, descendant de Spokane avec leurs fourrures, à la fin de mai, éclatent de joie en voyant l'*Isaac Todd* à l'ancre. Mais Alexander Henry se noie en abordant l'*Isaac Todd* et Donald McTavish se noie, avec tous ses compagnons sauf un, quand un canot dans lequel il avait pris place chavire sur la Columbia.

D'autres jouiront de la propriété que Donald McTavish avait achetée en Écosse pour y passer sa retraite dans le calme.

Nouvelle alerte le 7 juillet, à l'arrivée d'un autre voilier. Une fois de plus se pose l'angoissante question : Ami ou ennemi ? C'est le *Columbia,* qui jette l'ancre à côté de l'*Isaac Todd.* Les nouveaux arrivés sont fêtés. Mais le *Columbia* ne reste pas longtemps. Il remonte la côte, avec James McTavish, associé, et un commis à bord pour aller commercer avec les Russes. Un bateau américain l'avait devancé. Les deux équipages, malgré la guerre entre leurs nations, fraternisent.

L'*Isaac Todd* n'a pas apporté que les boîtes de conserve distribuées par Donald McTavish comme autant de trésors. Il avait, dans des contenants heureusement bien étanches, une bonne cargaison de marchandises de traite et de provisions. Il la remplace par des ballots de fourrures et hisse les voiles pour Canton. Il emmène Angus Bethune, l'associé récemment promu, quelques indigènes des îles Sandwich à titre d'auxiliaires, et la jeune Anglaise qui trouvera sans doute pour mari quelque mandarin, moins polygame et plus fastueux que son prétendant indien.

Les marchandises et provisions apportées par l'*Isaac Todd* ne servent pas seulement pour le troc avec les Indiens qui viennent à Fort George. Elles servent à ravitailler les postes de l'intérieur. Cela ne va pas toujours sans risques. Plusieurs convois sont attaqués par des bandes avides de pillage. Des flèches atteignent et blessent plusieurs hommes. Il faut obtenir le concours des tribus amies pour monter des expéditions de représailles. Et c'est alors qu'on regrette Gabriel Franchère, si habile dans ces négociations.

Joseph Larocque, qui ne tient pas en place, est un vrai spécialiste de ces dangereux voyages de ravitaillement. Il porte en même temps le courrier. Il s'est rendu, à l'automne de 1813, jusqu'au lac Stuart, et recommence à l'automne de 1814. Les tribus de l'Ouest — Serpents, Nez-Percés et Têtes-Plates — se liguent pour chasser le bison à l'est des Rocheuses, car il leur faut alors affronter les puissants Pieds-Noirs, qui prétendent au monopole. En toute autre circonstance, elles s'entre-déchirent, et les Blancs traitant avec l'une d'elles risquent la colère des autres. Larocque est attaqué en route par des Nez-Percés, qui se vengent de l'amitié des Blancs pour les Têtes-Plates et aussi de la pendaison sur l'ordre de John Clarke d'un de leurs guerriers, pour vol. Larocque passe, victorieux. Il apporte à Daniel Harmon, avec les marchandises de troc, la nouvelle des noyades d'Alexander Henry, de Donald McTavish et de cinq matelots. Harmon, qui a pris Larocque en amitié, note avec plaisir « ses progrès dans les voies spirituelles ». Larocque profite de ce déplacement pour rétablir le Fort Fraser, incendié. À peine rentré au Fort George, il en repart pour une nouvelle expédition de traite.

Une expédition de taille à se faire respecter, comprenant plusieurs Bourgeois et commis — Keith, McKenzie, Alexander Stewart, Montour et Cox — répartis entre huit canots. Le groupe remonte la Columbia jusqu'à l'entrée de la rivière Walla-Walla, où des Indiens d'apparence amicale s'approchent en canots, demandent du tabac, en reçoivent un peu, en exigent davantage et finalement se disposent au pillage (novembre 1814). Les Bourgeois doivent tirer. Des coups de feu s'échangent contre des volées de flèches. Les assaillants perdent plusieurs tués et se retirent. Mais la nuit, au campement, les Blancs se sentent assiégés et n'osent allumer du feu, de peur de fournir une cible.

Les Indiens reviennent en effet le lendemain. Les parents et amis des tués, les cheveux coupés en signe de deuil et le visage barbouillé de rouge, entonnent des chants de vengeance : « Reposez, frères, reposez. Vous serez vengés. Vos veuves cesseront de pleurer quand elles contempleront le sang de vos meurtriers, et vos enfants sauteront de joie en voyant leurs scalps. . . »

George Keith, chef du groupe, Stewart, Larocque et l'interprète Pierre Michel s'avancent sans armes vers les chefs et leur offrent le calumet de la paix. Les chefs refusent. Pierre Michel, traduisant, offre les compensations d'usage aux familles des tués.

— Quel genre de compensations ?

— Deux costumes de chef, des couvertures, du tabac, des ornements pour les femmes.

Les Indiens exigent la livraison de deux hommes blancs, qu'ils sacrifieront, suivant leurs rites, à l'Esprit des guerriers tués. George Keith répond, toujours traduit par l'interprète :

— Les Indiens ont été les agresseurs. Nous préférons votre amitié. Mais si vous n'êtes pas animés des mêmes sentiments, n'oubliez pas la supériorité de nos armes. Pour chacun d'entre nous qui tomberait, dix d'entre vous paieraient de leur vie. Pesez bien tout.

Les Indiens discutent. Les plus querelleurs semblent l'emporter, et les Blancs se tiennent prêts à l'action.

Quand arrive au galop un groupe à cheval, entre les deux partis. Un grand chef harangue les autres Indiens :

Nous étions humiliés et sans espoir quand l'aide des Blancs nous a sauvés. Nous dominons aujourd'hui nos ennemis. Serons-nous des ingrats ? Les Blancs ne nous ont jamais volés. Pourquoi les voler ? Ils ont agi en légitime défense. Un guerrier au cœur fort ne doit jamais voler son ami. Les Blancs sont forts. Ils peuvent tuer beaucoup d'entre vous. Si vous les détruisez tous à présent, ils reviendront l'année prochaine assez nombreux et assez forts pour vous exterminer. Si même ils ne revenaient pas nous retomberions, sans les armes qu'ils nous fournissent, dans notre état d'infériorité. Nous finirions comme esclaves, à moins d'errer dans les bois comme des loups traqués.

Il conclut :

Si un homme blanc tombe sous la flèche d'un Indien, l'assaillant, serait-il mon frère, sera tué de ma main.

Pareille harangue produit un effet magique. Tout le monde fume le calumet de la paix. Les Blancs continuent leur chemin vers Oakinagan.

De tels incidents ne sont pas spécifiques de la Colombie. Ils se produisent aussi à l'est des Rocheuses. Ils font partie des risques du métier et n'empêchent pas le commerce de prospérer. Fort George devient donc un foyer commercial assez actif. Le *Columbia,* revenant de l'Alaska chargé de fourrures, y fait escale avant de repartir pour la Chine. Duncan McDougall monte à bord, pour se faire déposer en Californie, où la Compagnie du Nord-Ouest veut établir des relations de commerce avec les Espagnols.

Admirons une fois encore cette ampleur de conception. La Compagnie du Nord-Ouest a réussi, avec l'établissement du Fort George, la mission de l'*Isaac Todd* et celle du *Columbia,* au moins l'ébauche de son grand dessein : la fondation, sur la côte du Pacifique, d'une base servant à la fois le commerce avec l'Extrême-Orient et le ravitaillement autonome des postes, substitué à l'interminable trajet de Montréal par Fort William.

48

La guerre du pemmican

Hostilités à la rivière Rouge — Plan et préparatifs de Colin Robertson — Fin de la guerre anglo-américaine.

Mais il y a la grande querelle avec la Compagnie de la Baie d'Hudson et les troubles de la rivière Rouge.

À Cumberland House, à l'embouchure de la rivière Saskatchewan dans le lac des Anglais, les deux compagnies ont des postes voisins. Celui de la Compagnie du Nord-Ouest sert d'entrepôt pour les brigades montant de Fort William vers le lac des Esclaves ou descendant du lac des Esclaves à Fort William. John Duncan Campbell, chef du poste, fait construire une annexe plus rapprochée des bâtiments de la compagnie rivale. Alexander Kennedy, chef du poste de la Compagnie de la Baie d'Hudson, le somme de cesser les travaux, faute de quoi il les détruira lui-même. Il rappelle que « les Territoires sont la propriété exclusive de l'honorable Compagnie de la Baie d'Hudson » (4 juillet 1814).

Miles Macdonell se rend à York Factory, au-devant d'un nouvel arrivage de colons, au mois d'août. Il souffre d'une forte dépression nerveuse. Il y trouve une lettre de lord Selkirk, lui ordonnant de faire évacuer les postes de la Compagnie du Nord-Ouest dans le district d'Assiniboia. Selkirk, actionnaire, concessionnaire et allié de la Compagnie de la Baie d'Hudson, n'agirait pas autrement si son plan de colonisation n'était aussi un plan d'éviction de la Compagnie du Nord-Ouest.

Pareille partie se joue à deux.

Le « capitaine » Duncan Cameron et le « lieutenant » Alexander Macdonell, en uniforme, sont arrivés le 30 août, à la tête d'une brigade de sept canots, pavillons flottant. Ils arrachent la proclamation interdisant la chasse à cheval, placardée à la porte de leur fort, et lui substituent un avis proclamant leur propre autorité dans le pays et autorisant la chasse à cheval. Le 3 septembre, ils s'emparent de John Spencer, le « shérif » qui a forcé leur poste de La Souris au printemps précédent, et l'envoient en canot, sous escorte, à Fort William.

Duncan Cameron commence aussitôt son travail auprès des Métis et auprès des colons.

La tâche est facile auprès des Métis, presque tous fils d'un employé ou ancien employé de la Compagnie du Nord-Ouest. Les Métis, qui n'ont jamais subi de gouvernement, ne comprennent décidément pas qu'un pouvoir étranger, quelque part au-delà de l'océan, puisse disposer de leurs terres et leur interdire de chasser comme ils l'ont toujours fait. Des chefs tels que John (surnommé Bostonnais) Pangman et Cuthbert Grant, plus résolus que les autres, surgissent parmi eux. Tous deux sont fils de Nor'Westers et même de Bourgeois de la Compagnie du Nord-Ouest. Bostonnais Pangman est le fils de Peter Pangman qui a été l'un des compagnons de Nicolas Montour (l'aîné) au Fort des Prairies et qui, à la retraite, est devenu seigneur de Lachenaie. Bostonnais Pangman, qui a d'abord servi Miles Macdonell, fait cause commune avec ses compatriotes et se tourne contre lui. Cuthbert Grant est le fils de l'Écossais du même nom qui a débuté sous Peter Pond et secondé Laurent Leroux dans la fondation du Fort Résolution, au Grand lac des Esclaves. Cuthbert Grant le père a témoigné d'esprit offensif ; il a pu se vanter d'être allé plus loin vers l'Ouest qu'aucun Blanc avant lui. Il a reçu sa part d'associé lors de la réorganisation de 1792, une deuxième vaillamment gagnée un peu plus tard, et cédé ses parts, l'heure de la retraite venue, à Alexander Mackenzie. Le fils de ce Bourgeois et d'une Métisse a du sang écossais, français et cri, ce qui, dans son cas au moins, forme un mélange détonant.

Certains colons sont, d'après les Métis, plus trappeurs que colons. Les colons sont, en bonne partie, déçus. Nombre d'entre eux avaient cru venir dans une région peuplée – civilisée – du Canada. Ils ont bien, cette année, un commencement de récolte, mais ils sentent, comme rôdant autour d'eux, la méfiance des Indiens et l'hostilité des Métis. Duncan Cameron les persuade que seule l'influence de la Compagnie du Nord-Ouest empêche les Indiens de se jeter sur eux. Un voyage gratuit dans les canots de la Compagnie les conduira dans le Haut-Canada, où le gouvernement leur concédera, dans une région plus hospitalière, des terres fertiles.

Miles Macdonell a reçu à York Factory, le 22 septembre (1814), un renfort de quinze colons dont une seule femme. Il arrive avec eux à sa colonie — à Fort Douglas — le 20 octobre. Il apprend l'arrestation de John Spencer, envoyé à Fort William sous l'inculpation de vol. Les Métis chassent à cheval en dépit de son ordonnance — à l'instigation de la Compagnie du Nord-Ouest, pense et dit Miles Macdonell. Il exécute l'ordre reçu de lord Selkirk, en envoyant aux chefs de poste de la Compagnie du Nord-Ouest, à Fort Gibraltar, au Bas de la rivière Winnipeg et à Fort Dauphin, « au nom de votre propriétaire, le très honorable comte de Selkirk », l'ordre de quitter les lieux dans les six mois (octobre 1814).

Vous n'imaginez pas une minute que des Bourgeois obéissent à cet ordre, envoyé par un rustre dont Norman McLeod a signé le mandat d'arrestation.

Duncan Cameron contre Miles Macdonell. À butor, butor et demi.

*   *   *

Le rafiot sur lequel Colin Robertson se ronge d'impatience, parti d'Angleterre le 22 mai 1814, n'arrive à Québec que le 27 septembre. Des bateaux du convoi, pris dans une furieuse tornade, ont sombré. Robertson gagne Montréal en hâte. Une obsession s'est bien ancrée dans sa tête. Si Miles Macdonell exècre la Compagnie du Nord-Ouest, Colin Robertson la hait.

Colin Robertson, dès son arrivée à Montréal, tient son journal. Il commence par y écrire (30 septembre 1814) que la Compagnie du Nord-Ouest a bien raison de regarder la colonie de Selkirk d'un œil jaloux, « car le plan que je suis en train d'exécuter avec l'aide de cet établissement vise à la chute du système de commerce le plus tyrannique qui ait jamais existé ». L'idée maîtresse de Colin Robertson est donc de nuire à la Compagnie du Nord-Ouest, de la ruiner si possible.

Colin Robertson, comptant agir en secret, se fait passer pour un agent de lord Selkirk, uniquement préoccupé de spéculation sur les terres de l'Ouest. Mais Simon McGillivray, parti de Londres beaucoup plus tard, arrive deux jours après lui. Le secret, percé à Londres, est vite dévoilé à Montréal.

Le projet immédiat de Robertson est de monter à Montréal, avec du personnel canadien, une solide invasion du district d'Athabasca. Robertson s'adjoint pour l'administration George Moffat, dont nous savons qu'il ressemble à John Richardson par l'ultra-loyalisme, l'ambition, et l'aptitude à réaliser son ambition. George Moffat, admis au Beaver Club en 1813, en est devenu le secrétaire au bout de quelques mois. (Alexander Henry — l'aîné — est alors le seul survivant des membres fondateurs.) Robertson s'abouche avec la firme Maitland, Garden and Auldjo, après un moment d'hésitation parce que le jeune George Auldjo est fiancé à une fille de John Richardson. Son plan connu, il invite et reçoit, aux frais de la Compagnie de la Baie d'Hudson, aussi largement que les Bourgeois de haute mine. Il approche James Hallowell, qui vient de perdre sa position de membre et agent de la firme McTavish, McGillivrays and Company et qui en veut aux McGillivray. Il pousse Hallowell, qui n'est pas un homme de premier plan, à fomenter une cabale parmi les employés mécontents de la Compagnie du Nord-Ouest. Il approche lui-même des hivernants tels que François Decoigne, dont Gabriel Franchère a influencé la désertion à Rocky Mountain House, et Aulay McAulay, qui a longtemps servi dans le district de Winnipeg, puis dans le district du Nipigon. McAulay s'est distingué, si l'on peut dire, par sa brutalité dans les bagarres avec les gens de la Compagnie de la Baie d'Hudson, mais Colin Robertson peut l'ignorer, et ce ne sont pas des pacifiques qu'il cherche à enlever à la Compagnie du Nord-Ouest. Robertson gagne sans peine John Clarke, l'associé de la Pacific Fur dont Gabriel Franchère n'aimait pas la rudesse. Il gagne sans plus de peine John Pritchard, qui méditait peut-être sa désertion quand il a si facilement cédé à John Spencer les quatre cents sacs de pemmican du fort La Souris. Pritchard, descendu à Montréal, envisage, à cette heure, son établissement comme colon à la rivière Rouge plutôt que le service de la Compagnie de la Baie d'Hudson. Thomas Thain cherche vainement à le retenir en offrant de lui fournir des marchandises s'il veut s'établir à Michillimakinac comme traiteur libre. Pritchard renseigne Colin Robertson sur les mauvais desseins de la Compagnie du Nord-Ouest à l'égard de la Compagnie Selkirk. Il a, prétend-il, fait parler les Bourgeois lors de son passage à Fort William, et Donald McKenzie, en particulier, lui aurait fait d'atroces révélations.

Donald McKenzie ? Colin Robertson le connaît bien, puisqu'ils ont projeté, en 1810, de s'associer pour une irruption dans le district d'Athabasca. C'est après l'abandon de ce projet que le frère de Roderick McKenzie est entré dans la combinaison d'Astor, qui l'a conduit en Colombie. Robertson invite Donald McKenzie, dont ce ne serait pas le premier avatar. Donald McKenzie hésite, mais se décide pour la Compagnie du Nord-Ouest, qui lui a promis sa réintégration au rang d'associé.

Tant pis. Colin Robertson a bien travaillé. Avec John Clarke, John Pritchard, François Decoigne et Aulay McAulay, il a réussi un coup de filet presque comparable à la mémorable recrue d'Astor enlevant cinq associés et quelques commis à la Compagnie du Nord-Ouest.

Pendant tout l'hiver de 1814 à 1815, Colin Robertson prépare à Montréal l'expédition destinée à frapper la Compagnie du Nord-Ouest au cœur : dans le district d'Athabasca. Il engage encore Robert Logan, commis de la Compagnie du Nord-Ouest stationné au Sault-Sainte-Marie depuis 1806, impatient, lui aussi, de ne pas obtenir la promotion qu'il souhaitait. Colin Robertson achète des canots. Il engage des Voyageurs, et la surenchère des salaires s'ensuit, comme au temps de la lutte entre la Compagnie du Nord-Ouest et la Compagnie X.Y. Mais la Compagnie du Nord-Ouest se vante, avec raison, de pouvoir recruter dix hommes quand Robertson en embauche péniblement un seul. Robertson engage, en bonne partie, des turbulents dont la Compagnie du Nord-Ouest n'a pas voulu ou qu'elle a congédiés. Il les rassemble à Terrebonne, ce qui est plutôt provocant, puisque Terrebonne est le village où, autour des Chaboillez, de Roderick McKenzie et de David Thompson, les anciens employés de la Compagnie du Nord-Ouest aiment à prendre leur retraite. Roderick McKenzie a provoqué, à Terrebonne, la fondation d'une petite fabrique de « biscuits de matelots » que la Compagnie du Nord-Ouest achète pour le ravitaillement de ses postes. Mais un autre genre d'occupation prend l'essentiel de son temps. Roderick McKenzie et David Thompson, l'un plus littéraire et l'autre plus scientifique, ont noué une amitié, d'esprit autant que de cœur, presque fraternelle. L'un ramasse la documentation d'une histoire de la Compagnie du Nord-Ouest ; l'autre précise la géographie du Nord-Ouest d'après les découvertes et les entreprises de la Compagnie. Ils se communiquent leurs travaux, se complètent. Roderick McKenzie attire par sa curiosité et retient par son aménité des associés ou commis de la Compagnie susceptibles de le renseigner. W.F. Wentzel a passé près de lui son dernier congé. D'autres hivernants en activité passent aussi volontiers leurs congés à Terrebonne, auprès de leurs anciens camarades. Le rassemblement des gars de Robertson, bruyants et, quand ils ont bu, effrontés, trouble la sérénité de ce centre de retraite et d'accueil. Des familles n'osent plus s'aventurer le soir dans les rues du village. William McGillivray charge John McDonald, le petit « Bras croche » qui a témoigné d'esprit de conciliation mais n'est pas poltron, d'une manœuvre, à Terrebonne, McDonald tentera d'empêcher le renouvellement du bail de l'auberge où les fiers-à-bras de Robertson tiennent leur quartier.

Il y réussit. Reste à faire évacuer les lieux — la grande maison de pierre à deux étages — où deux ou trois cents Voyageurs sont agglomérés autour de quelques matamores. McDonald ne trouve que James McKenzie — « a brave fellow » — pour l'accompagner. Il pénètre dans l'auberge, canne-épée à la main, et donne lecture du papier signé par le propriétaire. Un grognement lui répond. John McDonald donne vingt-quatre heures pour l'évacuation. En vingt-quatre heures, la maison est vide.

Colin Robertson pensait d'abord conduire lui-même l'expédition d'Athabasca. Constatant l'influence de la Compagnie du Nord-Ouest à Montréal, et la nécessité de la contrecarrer, il décide de confier l'opération à John Clarke, lui-même restant à Montréal pour veiller au grain. George Moffat a dressé l'inventaire des marchandises et provisions nécessaires. Robert Logan, qui surveille leur emballage cet hiver, pourra faire, pour John Clarke, un bon lieutenant.

John Pritchard accomplit cet hiver un long voyage en traîneau et en raquettes, par Moose Factory et York Factory, pour établir la liaison avec Miles Macdonell. C'est un exploit peu ordinaire que de monter de Montréal à la baie d'Hudson pour en descendre sur la rivière Rouge, mais Pritchard sait, par expérience, comment survivre, perdu dans la forêt canadienne, au moins pendant trente-cinq jours.

* * *

L'Angleterre étant aux prises avec Napoléon, le Canada s'est battu seul contre les États-Unis. La colonie de cinq cent mille habitants tient en échec une république de huit millions d'âmes. L'abdication de Napoléon permet à l'Angleterre de renforcer ses troupes d'Amérique. Sir George Prevost reçoit seize mille hommes de l'armée de Wellington et l'ordre de passer à l'offensive. Il assiège Plattsburg, mais échoue et se retire en désarroi. Les Américains ramassent force traînards et déserteurs.

Les escadres anglaises bloquent les ports américains, pour le plus grand dommage du commerce. Une armée anglaise débarque, ravage Washington, rançonne Alexandria et menace Baltimore. Une autre échoue contre la Nouvelle-Orléans. Les honneurs de la guerre sont bien partagés. Au traité de Gand, signé le 24 décembre 1814, les deux nations se rendent leurs conquêtes. La Compagnie du Nord-Ouest a vainement souhaité la constitution d'un « territoire indien », sorte de territoire-tampon qui serait neutre, au sud des Grands Lacs. Le gouvernement britannique inaugure une tradition en sacrifiant l'intérêt canadien pour conserver l'amitié américaine. Une commission mixte précisera le tracé de la frontière.

La restitution mutuelle des conquêtes est grosse de nouveaux conflits, entre deux pays comme le Canada et les États-Unis, aux frontières si indistinctes. La Compagnie du Nord-Ouest supplie le gouvernement de conserver Michillimakinac — peuplée de Canadiens et prise avec le concours de ses associés et de ses Voyageurs — pour la protection de la navigation sur les Lacs et pour la protection de Sault-Sainte-Marie et de la colonisation qui s'étend dans cette partie du Haut-Canada. William McGillivray remet un mémoire au gouverneur Prevost : Si l'on ne peut pas conserver Michillimakinac, il faut le remplacer par un poste militaire protégeant le Sault-Sainte-Marie, où la Compagnie du Nord-Ouest rétablira ses installations, détruites par les Américains pendant la guerre.

La question d'Astoria et de la Colombie est encore moins claire. La Compagnie du Nord-Ouest prétend conserver Fort George, acquis, non pas en vertu d'une conquête militaire, mais par l'effet d'une transaction commerciale, sur laquelle le traité de paix est inopérant. John Jacob Astor prétend récupérer Astoria, dont il ne reconnaît pas la vente. La perte d'Astoria inflige un coup dur à John Jacob Astor, mais plus à son orgueil qu'à sa fortune, car il est immensément riche. Astor se promet vengeance. Il presse le gouvernement américain d'envoyer un corps expéditionnaire reprendre possession d'Astoria et de la Colombie. John Jacob Astor, devenu l'un des administrateurs de la Banque des États-Unis, est influent. Les États-Unis demandent la restitution d'Astoria ; mais les Américains, contents de retrouver la paix, ne sont pas prêts à en découdre pour la possession de ce poste, inconnu de quatre-vingt-dix-neuf pour cent d'entre eux, au bout du continent. Le Congrès accorde au magnat des fourrures une autre satisfaction en interdisant aux traiteurs étrangers de poursuivre leur commerce sur des territoires réclamés par les États-Unis. Les traiteurs étrangers sont essentiellement les agents de la Compagnie du Nord-Ouest.

Au Canada, Colin Robertson est déçu, car il comptait sur la prolongation de la guerre pour entraver ou même couper les communications habituelles de la Compagnie du Nord-Ouest. Il pressait la Compagnie de la Baie d'Hudson, dans ses rapports, de tout faire pour empêcher sa rivale de compenser par l'envoi d'un bateau de ravitaillement en marchandises à la baie d'Hudson. « Si l'on peut empêcher leurs postes avancés de recevoir des marchandises pendant une année, ce sera leur ruine. »

Tout rentre graduellement dans l'ordre, pour ceux que la guerre a dérangés. Joseph Rainville, qui a pris part à plusieurs engagements à la tête de guerriers sioux, en les empêchant de massacrer des prisonniers, vient résider « au Canada » en demi-solde de capitaine anglais.

Le commandant anglais évacue Prairie-du-Chien après avoir mis le feu au fort, et se transfère à Michillimakinac. Les Américains rebâtissent le fort. Jean-Baptiste Faribault, repartant de zéro, rebâtit son commerce, se fait naturaliser américain et devient lieutenant de milice.

La Compagnie du Nord-Ouest obtient une indemnité pour ses goélettes perdues, mais non pour ses installations de Sault-Sainte-Marie et pour son écluse détruites. John Johnston, dont la fortune était concentrée au Sault-Sainte-Marie, se relève péniblement de ses pertes, dont le gouvernement anglais finira par l'indemniser, mais au bout de plusieurs années.

49

Organisation du vaste district à l'ouest des Rocheuses

Liaison entre la Colombie, la Nouvelle-Calédonie, Rocky Mountain House et l'est des Montagnes — Liaison avec les Russes de l'Alaska, les Chinois de Canton et les Hawaiiens des îles Sandwich.

Dans Athabasca, Peter Fidler, William Hillier, Joseph Howse, qui ne passent pas pour débiles, ont successivement plié bagages. À l'ouest des Rocheuses, la Compagnie de la Baie d'Hudson ne se risque plus. La Nouvelle-Calédonie et la Colombie, avec Kamloops pour point de jonction, forment un immense district, maintenant bien organisé. Kamloops n'est pas un simple poste d'achat des fourrures, mais un dépôt, comme celui du lac La Pluie à l'est des Rocheuses. Le castor et le saumon foisonnent dans ses parages, et l'on entrepose le saumon séché à Kamloops comme le pemmican au lac La Pluie. Des liaisons régulières, en partie en canot, en partie à cheval, relient Astoria-Fort George, Oakinagan, Spokane House, Kamloops et même, à l'est des montagnes, Rocky Mountain House, près des sources de la Saskatchewan. Un courrier, par ce chemin, porte des dépêches à Fort William et croise son collègue apportant des dépêches de Fort William. Il arrive au courrier d'être attaqué et pillé, mais cet accident se produit aussi à l'est des Rocheuses. Le district de la Nouvelle-Calédonie communique aussi, par la rivière La Paix, avec Fort Chippewean et le district d'Athabasca.

En un peu plus d'un tiers de siècle, la Compagnie du Nord-Ouest a ouvert le pays, du lac Supérieur à l'océan Pacifique et des sources du Mississipi à l'océan Arctique. À l'heure actuelle — 1815 — , elle monopolise presque la traite des fourrures en Amérique du Nord, sous réserve de la Compagnie de la Baie d'Hudson, à demi cantonnée aux environs immédiats de la Baie.

Alexander Stewart a reçu le commandement du district de Columbia, au départ de John McDonald. Des chefs de poste comme Alexander Stewart, Daniel Harmon, Nicolas Montour, Joseph Larocque, Ross Cox, Joseph McGillivray, mènent à l'ouest des Rocheuses, mais sous un climat moins rude, une existence tout analogue à celle qu'ils mèneraient dans l'Est. Harmon vit avec sa femme et ceux de ses enfants qu'il n'a pas envoyés dans l'Est pour leur éducation. Il parle en français avec sa femme et en cri avec ses enfants. Les Indiens arrivent, jettent à terre le produit de leur chasse, autour duquel on s'assied. Le calumet passe de main en main et de bouche en bouche. Chaque Indien sépare ses peaux en lots, pour chacun desquels il demande un article différent : fusil, munitions, chaudière, hache, couverture, ornements pour sa femme. Un nouveau calumet clôt les opérations. Ross Cox, ramassant quarante-cinq ballots de fourrures, trouve que le district « vaut vraiment la peine qu'on s'en occupe ». Le saumon reste à la base de l'alimentation, comme le pemmican dans l'Est. Daniel Harmon entretient un entrepôt considérable de saumon séché. Les Indiens sont moins prévoyants et si le saumon vient à manquer une année, la disette, pour eux, est pénible. Les Blancs cultivent un potager près de chaque poste. Il incitent les Indiens qui apprécient leurs légumes à les imiter, mais, constate Cox, « ils sont trop irréfléchis pour suivre notre conseil ».

Il faut toujours rester sur ses gardes — comme dans l'Est — puisqu'un accrochage peut toujours survenir, avec ou sans raison. Ross Cox et ses compagnons, descendus de Spokane au Fort George avec leurs fourrures, au printemps, rencontrent dans leur voyage de retour les Indiens auxquels ils ont, en légitime défense, infligé des pertes l'automne précédent. Les parents des tués sont reconnaissables à leurs cheveux coupés. Mais la compensation a été payée, et ces Indiens ne manifestent pas de rancune. Autre alerte, à Spokane. Un commis achète une jeune Sauvagesse, qu'il prend pour femme. Mais un Indien furibond vient réclamer cette femme déjà mariée avec lui et qu'il punira comme elle le mérite. Les Blancs s'expliquent : notre camarade ne l'aurait pas achetée s'il l'avait sue mariée ; il est prêt à la rendre, pourvu que le mari s'abstienne de la punir. Les Blancs qui soumettent cette offre commettraient-ils une faute de psychologie indienne ? Le mari transige pour un fusil, des munitions, deux bouilloires, du tabac et de menus articles, moyennant quoi il renonce à sa femme. Les Blancs trouvent le prix exorbitant, mais ils tiennent à la paix. Le calumet clôt les négociations.

* * *

Fort George peut envoyer jusqu'à Rocky Mountain House — jusqu'à Fort Chippewean même — des marchandises arrivées d'Angleterre ou de New York par la voie du Pacifique. De Fort George, la Compagnie du Nord-Ouest est en relations avec les Russes de l'Alaska et les Chinois de Canton. Duncan McDougall et son adjoint Archibald McLellan sont partis sur le *Columbia* pour entamer des relations avec les Espagnols de San Francisco, première mission européenne que l'on rencontre au sud de la Colombie. Ils comptent y rester jusqu'au retour du *Columbia* de la Chine. Les Espagnols les reçoivent avec leur faste habituel. Un escadron de cinquante cavaliers déployés sur la plage rend les honneurs, en échange des salves d'artillerie du bateau anglais. Les matelots peuvent se promener en ville, et plusieurs en profitent pour déserter. La requête de Duncan McDougall pour rester à terre est transmise à Mexico. Mais un gouverneur intérimaire y siège, et ne prend pas sur lui d'autoriser le séjour. Le *Columbia* repart le 21 septembre, remonte en un point, sorte de centre de ravitaillement, occupé par les Russes, aussi courtois que les Espagnols mais aussi inflexibles dans leur interdiction de séjour. Le *Columbia* repart alors pour les îles Sandwich, où le roi Kamehameha autorise le séjour du Bourgeois de la Compagnie du Nord-Ouest et de son adjoint. Duncan McDougall reste donc, pour quelques mois. Le *Columbia,* chargé de fourrures de l'Alaska et de la côte du Pacifique, met enfin le cap sur la Chine, le 18 janvier 1815[1]. Il jette l'ancre à Canton le 23 mars. Il y trouve Angus Bethune, les indigènes des îles Sandwich et la jeune Anglaise transportée par l'*Isaac Todd.* Tous ont été bien traités, choyés même. Le *Columbia* vend ses fourrures, et lève l'ancre pour son voyage de retour à Fort George le 28 avril 1815. Il ramène Angus Bethune et les auxiliaires hawaiiens, mais laisse la jeune Anglaise qui a épousé, non pas un mandarin, mais un riche compatriote. Le *Columbia* reparaît devant Fort George le 1er juillet, et repart quinze jours plus tard pour la Californie et les îles Sandwich, d'où il ramènera Duncan McDougall.

Il y a vraiment de la grandeur dans cette épopée d'une compagnie montréalaise. Ses Bourgeois, ses commis et ses Voyageurs ont les premiers franchi les Rocheuses et, souvent au péril de leur vie, sillonné le territoire, riche et varié, où le Canada taillera l'une de ses grandes provinces. Ils ont, sans aide officielle, entamé des relations commerciales avec les Russes de l'Alaska, les Chinois de Canton et les Hawaiiens de l'archipel polynésien. Comme elles sont vaillantes, comme elles sont intrépides, ces goélettes-sabots, *Isaac Todd* et *Co-*

---

1. O'Neil, M. : « Maritime activities of the North West Company, 1811 to 1821 », *Wash. Hist. Quarterly,* 1930.

lumbia, si l'on songe que l'expression de coquilles de noix, si usée soit-elle, n'a jamais mieux convenu.

* * *

À l'est des Rocheuses, la Compagnie de la Baie d'Hudson construit Acton House, en opposition au poste de Rocky Mountain, et le poste de Paint Creek, en opposition au Fort Vermillion. Peter Skene Ogden, qui commande le poste de Green Lake de la Compagnie du Nord-Ouest, malmène des commis de la Compagnie de la Baie d'Hudson en route de l'île à la Crosse à Paint Creek. James Bird, chef du district de la Saskatchewan pour la Compagnie de la Baie d'Hudson, ordonne à John Stewart McFarlene, chef du poste de Paint Creek, de s'emparer d'Ogden s'il essaie d'embarrasser un convoi. McFarlene va plus loin. Il fait terrasser Ogden à la porte de son propre fort et le retient prisonnier. La Compagnie du Nord-Ouest prépare une expédition de représailles. McFarlene a outrepassé ses ordres. Le prisonnier est relâché.

George Keith, passé à la tête du district du Mackenzie, y trouve l'hiver décevant, et l'écrit à Roderick McKenzie : « Le rendement cette année est tombé si bas qu'il n'y a pas de plaisir à en parler... » (4 février 1815). Mais Keith peut nous apparaître comme un pessimiste invétéré.

Dans le Nord-Ouest en général, et dans l'Athabasca en particulier, Bourgeois et commis de la Compagnie du Nord-Ouest ont emmené des Iroquois, recrutés dans le Haut-Canada. Les Iroquois sont bons chasseurs, mais ils se conduisent, hors de leur territoire, comme en pays conquis, et les tribus du Nord-Ouest les détestent. « Les Iroquois ont ruiné le pays », écrit W.F. Wentzel, du lac de l'Ours, à Rodrigue McKenzie : « Le département d'Athasbasca, que vous aviez porté à un point de prospérité, est dans un état lamentable. Le département est tombé de quinze à huit établissements : Lac des Esclaves, Crique à la Tortue, Fort Chippewean, Fort Vermillion, Hay River, Dunvegan, Saint-Jean et Pierre-au-Calumet sur la rivière Athabasca... » Ferdinand Wentzel, comme François Decoigne et comme plusieurs autres, est déçu par la lenteur des promotions. Il le dit à Roderick McKenzie dans la même lettre (6 mars 1815) :

> Je ne puis guère entretenir l'espoir de jamais devenir actionnaire de la Compagnie au service de laquelle j'ai déjà donné seize années de ma jeunesse...

> Quand je suis allé à Fort William il y a deux ans, M. McGillivray m'a assuré que mon nom ne serait pas oublié sur la liste des promotions, mais loin des yeux loin du cœur. Je n'ose demander l'intervention de quelque personnage puissant en ma faveur, de peur

d'être importun, mais je suis convaincu que des gens ont été promus, dont les services n'étaient pas supérieurs aux miens. . .

George Keith, dans sa lettre à McKenzie, approuve la plainte de son camarade : « Ses longs services et ses souffrances devraient mériter considération, mais je crains qu'il n'y ait des préjugés contre lui. »

Ses griefs personnels peuvent influencer le jugement de Wentzel. Il y a encore, semble-t-il, de beaux jours en perspective pour le district que Peter Pond a ouvert, il y a quelque trente-huit ans. William McGillivray, écrivant à Duncan Cameron, dans l'ignorance de ce qui se passe à la rivière Rouge, lui souhaite un hiver agréable

> bien que ce soit plus que je puisse prévoir. La Compagnie de la Baie d'Hudson a l'intention de nous concurrencer sérieusement, en adoptant nos méthodes. J'espère que le vieil esprit du Nord-Ouest se soulèvera d'indignation. Soyez assuré que nous avons des consultations juridiques, des meilleures possibles en Angleterre, affirmant qu'on ne doit pas empiéter sur nos droits de sujets britanniques. Si nous nous laissons enlever notre propriété par la force, ce sera de notre faute.

Et McGillivray ajoute que les comptes de l'année seront excellents. « J'espère que les fourrures expédiées en Angleterre trouveront leur prix. »

50

Dispersion de la colonie Selkirk

Une requête de lord Selkirk — Arrestation de Miles Macdonell — Dispersion de la colonie de la rivière Rouge.

Le point crucial reste bien la rivière Rouge.

Lord Selkirk envoie des plaintes au gouvernement britannique. On incite, dit-il, les Indiens de la rivière Rouge à détuire la colonie. « Des employés de la Compagnie du Nord-Ouest sont soupçonnés d'entrer dans ce complot diabolique. » Le gouvernement n'ayant pas permis d'armer le personnel de la Compagnie de la Baie d'Hudson, Selkirk demande protection armée pour ses colons. On pourrait prélever un détachement sur la garnison de Prairie-du-Chien, trop exposée et en voie d'évacuation.

Henry Goulburn, sous-secrétaire des Colonies, est très lié avec les agents de la Compagnie du Nord-Ouest à Londres. Son ministre, lord Bathurst, informe lord Selkirk en mars 1815 qu'il a prié le gouverneur du Canada « de donner aux colons de la rivière Rouge la protection qu'il est possible de leur accorder sans détriment pour le service de Sa Majesté en d'autres quartiers ».

Le gouverneur, sir George Prevost, est miné dans son autorité, dans son moral, dans sa santé même, par une cabale dont John Richardson fait partie, qui l'accuse d'incapacité, manifestée pendant la guerre, et demande sa tête. Il est allé en Angleterre pour se défendre. Sir Gordon Drummond, administrateur du Canada, s'avoue mal renseigné, et même mal pourvu en cartes « sur cette partie éloignée des possessions de Sa Majesté ». Où se renseignerait-il sur le « pays indien », sinon auprès du seul groupe d'hommes qui le connaissent : les Bourgeois de la Compagnie du Nord-Ouest, si estimés, si influents à Montréal ?

L'honorable William McGillivray, que l'on doit présumer expert, est descendu à Québec, comme conseiller législatif, pour la session. Sir Gordon Drummond a été le parrain d'un de ses enfants, mort en bas âge. Il le consulte. Il ne saurait mieux témoigner « le grand respect qu'il entretient pour le chef de ce corps très respectable et sa confiance en sa sincérité ».

Les colons de la rivière Rouge sont-ils vraiment en danger ? En pareil cas,

> la puissante organisation que vous dirigez est mieux que le gouvernement en mesure d'influencer les tribus indiennes avec lesquelles elle seule est en relations, dont elle est le seul fournisseur et dont elle seule peut contrôler la conduite.

Pour ces raisons, continue l'administrateur du Canada,

> la Compagnie du Nord-Ouest apparaîtrait comme responsable aux yeux du monde, comme aux yeux de Sa Majesté, si une horrible catastrophe se produisait à l'instigation de ses agents, ou du simple fait de la malignité des Indiens...

William McGillivray connaissait déjà la démarche de lord Selkirk par la correspondance de ses agents londoniens. Sa réponse est connue d'avance. Il repousse « de la manière la plus solennelle » les insinuations et accusations que Miles Macdonell a inspirées. La Compagnie du Nord-Ouest a secouru les premiers colons, menacés de famine, lors de leur arrivée. « Si nous avions eu le dessein qu'on nous prête, il n'eût pas été nécessaire de soulever les Indiens ; nous n'avions qu'à laisser les colons mourir de faim. »

Toutefois, observe McGillivray, des conflits entre Indiens et colons sont inévitables si ceux-ci continuent d'enlever à ceux-là leurs territoires de chasse. La conduite « arrogante et violente » des agents de lord Selkirk provoque la violence. Miles Macdonell, agissant en vertu d'une autorité usurpée, a saisi les provisions de pemmican de la Compagnie du Nord-Ouest au moment où celle-ci défendait le pays dans la guerre contre les États-Unis, au moment où les Américains ravageaient ses installations du Sault-Sainte-Marie, au moment où nos postes ne pouvaient espérer d'approvisionnements du Canada. Qui donc a voulu affamer l'adversaire ?

La Compagnie du Nord-Ouest sait bien qu'en excitant les Indiens contre les colons de la rivière Rouge, elle !es encouragerait à l'agression contre tous les Blancs, car les Indiens déchaînés ne distingueraient pas entre les Écossais de la Baie d'Hudson et les Écossais du Canada.

McGillivray termine par un réquisitoire contre Selkirk, visionnaire dont les projets conduiraient les colons à un échec tragique, et contre les procédés de Miles Macdonell. Si cela continue, la Compagnie du Nord-Ouest sera justifiée d'opposer la force à la force. « Les droits et les propriétés de la Compagnie du Nord-Ouest ont autant de titres à la protection du gouvernement de Sa Majesté que les droits et les propriétés de lord Selkirk » (24 juin 1815).

McGillivray fait tenir à l'administrateur une carte du Nord-Ouest, « dressée par M. David Thompson, astronome de la Compagnie » et sur laquelle la concession accordée par la Compagnie de la Baie d'Hudson est colorée « en rouge ou rose ».

Le plan de lord Selkirk est d'ailleurs critiqué au Canada, en dehors du cercle de la Compagnie du Nord-Ouest, par des ultra-loyalistes mêmes. Le pasteur John Strachan, sur le point d'entrer au Conseil exécutif du Haut-Canada, dont il veut faire « une loyale province britannique », craint que l'effort tenté par Selkirk dans le « pays indien » ne ralentisse le courant d'émigration vers sa province. Il craint aussi que la colonie de Selkirk, isolée du Canada, ne tombe sous l'influence américaine. Il est sûr — il constate — que les colons de la rivière Rouge sont voués à d'amères déceptions. Le pasteur Strachan, originaire d'Aberdeen, est un Écossais comme lord Selkirk, comme William McGillivray, comme les principaux acteurs de la tragédie en train de se nouer. Il voudrait mettre ses compatriotes d'Écosse en garde contre ce qui lui apparaît comme une tromperie monumentale. Ce sont là ses points de vue essentiels. Strachan ne vole pas à la défense de la Compagnie du Nord-Ouest ; mais il transige ses affaires financières avec Forsyth, Richardson and Company ; les dirigeants de la Compagnie du Nord-Ouest sont ses amis ; il a voyagé dans leurs canots ; c'est auprès d'eux qu'il puise ses renseignements ; et la communauté d'adversaire fera de lui l'allié de la Compagnie du Nord-Ouest. Le pasteur Strachan tient lord Selkirk pour l'agresseur, dans le conflit des deux compagnies. Il annonce à William McGillivray son intention d'écrire un pamphlet à ce sujet[1]. Des lettres ouvertes, hostiles au projet de Selkirk, paraissent déjà dans les journaux sous le titre « Letter from the Red River ». Samuel Gale, avocat de lord Selkirk à Montréal, renseigné par Colin Robertson, leur répond sous un pseudonyme.

Toute la société montréalaise, à l'exception de George Moffat et de Samuel Gale, est pour la Compagnie du Nord-Ouest, et l'on peut en dire autant de la société d'York, dans le Haut-Canada. Gordon

---

1. *The John Strachan Letterbook 1812-1834* (Ontario Historical Society).

Drummond adopte la thèse de McGillivray. Il fait répondre par son secrétaire à la firme Maitland, Garden et Auldjo, agent et écho de lord Selkirk au Canada :

> M. McGillivray a répondu d'une manière qui aurait ôté de l'esprit de Son Excellence toute trace d'une impression défavorable à l'honorabilité et aux principes libéraux des chefs de la Compagnie du Nord-Ouest, si une telle impression avait existé.

Et l'administrateur fait rapport au ministre : Il serait impraticable d'envoyer des troupes dans l'Ouest, ce qui pourrait d'ailleurs nous entraîner dans un conflit avec les Indiens ; la vie et les biens des colons, à la rivière Rouge, ne sont pas en danger ; le risque viendrait plutôt de M. Miles Macdonell, « apparemment mû par tout autre chose que l'esprit de modération et de conciliation dans son langage et dans sa conduite envers les employés de la Compagnie du Nord-Ouest » et s'arrogeant des pouvoirs « qui ne sont reconnus à aucun agent d'aucune compagnie à charte ».

* * *

Avec ou sans protection officielle, à la rivière Rouge, Miles Macdonell ne se laissera pas intimider par le « capitaine » Cameron, même flanqué du « lieutenant » Macdonell et de « l'enseigne » Lamarre. Il réitère ses interdictions, en particulier celle de la chasse à cheval, et le fait rappeler aux Métis, qui retiennent son émissaire pendant six jours et lui font demander de venir en personne. Miles Macdonell, solidement encadré, s'approche à deux milles de leur camp. Cette méfiance choque les Métis, qui ne lui ont pas demandé de s'approcher mais de venir chez eux. Ils ne sortent pas. Macdonell émet une proclamation : « Je ne répéterai pas ce geste. Votre devoir est de venir me faire votre soumission. » Il les prévient : « Par humanité, pour éviter l'effusion de sang et parce que je sais qu'on vous a trompés, j'ai évité jusqu'ici d'employer les armes contre vous », mais s'ils persistent, ils seront considérés et traités comme des rebelles (13 février 1815). Le prisonnier délivré, Miles Macdonell fait arrêter un Métis qui l'aurait maltraité. Il fait surprendre et dépouiller un commis de la Compagnie du Nord-Ouest, Jean-Baptiste Desmarais, qui emportait un stock de pemmican dans le Dakota. Duncan Cameron riposte en arrêtant un officier de la colonie, et les prisonniers sont échangés (31 mars 1815).

La colonie, pendant ce temps, végète. Les provisions diminuent. Les Métis ne chasseront pas pour Miles Macdonell. Il faut rationner. Le mécontentement gagne parmi les colons qui s'estiment leurrés par de fausses promesses. Pourquoi nous avoir conduits dans ce pays inaccessible, parmi les Sauvages, alors que — la Compagnie du

Nord-Ouest ne manque pas de le rappeler — le gouvernement accorde volontiers des terres dans les régions fertiles, civilisées et relativement peuplées du Haut-Canada ? Des colons veulent descendre dans le Haut-Canada. Miles Macdonell le leur interdit. Il menace de les canonner s'ils s'en vont sur l'étroite rivière qui est le seul chemin possible. Le Fort Douglas possède en effet dans un de ses bâtiments neuf canons : deux pièces de cuivre de trois livres, deux pièces de cuivre à pivot, quatre pièces de fer à pivot et un obusier, qui ne sont pas montés mais peuvent l'être rapidement.

Un colon mécontent, George Campbell, fomente une rébellion, au début d'avril. Archibald McDonald commande au Fort Douglas en l'absence de Miles Macdonell, en tournée d'inspection. Campbell et ses complices, bâton à la main, font irruption chez le garde-magasin John Bourke, enlèvent les canons, les placent sur des traîneaux et les transportent au Fort Gibraltar, de la Compagnie du Nord-Ouest.

Miles Macdonell, aussitôt rentré, vient au Fort Gibraltar réclamer ses canons « volés ». Duncan Cameron refuse. Des colons demandent asile au Fort Gibraltar, où Cameron collectionne avec plaisir leurs griefs[2]. Onze colons irlandais passent ensemble au Fort Gibraltar le 6 juin. Tous rappellent à la Compagnie du Nord-Ouest son offre de transport gratuit. Un contingent de quarante-deux colons part ainsi le 7 juin dans les canots de la Nord-Ouest. Des coups de feu claquent. Un adjoint de Miles Macdonell est mortellement blessé.

Un « express » arrivé le 10 juin annonce la nouvelle du traité de Gand, qui met fin à la guerre anglo-américaine. Dugald Cameron note : « Paix sur la terre, excepté à la rivière Rouge. »

Duncan Cameron fait signifier à Miles Macdonell le mandat d'arrestation délivré par Archibald Norman McLeod « pour saisie illégale, effraction et vol à main armée ». Les Nor'Westers affirment qu'ils n'en veulent qu'à ce fomentateur de troubles : qu'il se rende, et tout ira bien. Miles Macdonell affirme aux colons que la Compagnie du Nord-Ouest veut la destruction, la disparition de leurs établissements. La Compagnie du Nord-Ouest fait neuf prisonniers. Mais des colons passent volontairement dans ses rangs. Miles Macdonell réunit son Conseil, ce qu'il ne fait jamais, et, sous la pression de ses gens, se livre, le 17 juin 1815.

---

2. Les faits ont été nettement établis au procès de John Cooper et Hugh Bannerman, deux des colons révoltés, à York en 1817.

C'est au moment où les Anglais de Wellington et les Prussiens de Blücher écrasent l'armée de Napoléon à Waterloo. C'est aussi le moment où sir Gordon Drummond, administrateur du Canada, et l'honorable William McGillivray, conseiller législatif, échangent à Québec leur correspondance relative à la demande de protection adressée par lord Selkirk au gouvernement britannique.

La Compagnie du Nord-Ouest a promis de laisser les colons tranquilles si le « gouverneur » se rendait. Mais les Métis ne se croient pas liés par cette promesse. Ils veulent bien tolérer les traiteurs de la Compagnie de la Baie d'Hudson, qui ne font que passer et commercer, mais non pas les colons qui s'établissent en intrus et s'approprient leurs terres. Les Indiens appuient les Métis. Alexander Macdonell, influent sur les Cris, n'a pas eu de peine à les persuader que la colonisation, si elle s'étendait, les priverait de leur territoire de chasse. Les traiteurs libres, pour la plupart anciens employés de la Compagnie du Nord-Ouest, sont aussi sensibles à cet argument. Une chape de plomb pèse sur la colonie plus que décimée de la rivière Rouge. Des familles partent sous garantie de sécurité. Les trente-quatre derniers colons partent le 27 juin 1815. La majorité accepte l'offre de transport vers le Haut-Canada dans les canots de la Compagnie du Nord-Ouest. Un groupe tentera de rejoindre York Factory par ses propres moyens.

La colonie de lord Selkirk est dispersée. La guerre du pemmican est terminée — victorieusement pour la Compagnie du Nord-Ouest.

Vous pensez si les Métis sont contents.

Un nouveau contingent de colons écossais arrive à ce moment à York Factory, dans l'ignorance du sort lamentable des contingents précédents.

* * *

L'honorable William McGillivray, conseiller législatif, n'exerce pas seulement son influence politique pour contrecarrer la requête de lord Selkirk, demandant une protection armée pour ses colons. Il s'efforce aussi d'obtenir un tracé des frontières favorable au commerce de sa Compagnie. John G. Rigsby, secrétaire britannique de la commission chargée de la délimitation des frontières, est arrivé au Canada. Le Beaver Club, un peu en veilleuse pendant la guerre, mais qui retrouve maintenant tout son lustre, l'invite. William McGillivray offre chez lui un dîner plus intime en l'honneur du secrétaire, et prend soin de lui donner David Thompson comme voisin de table. La Compagnie du Nord-Ouest espère bien que le gouvernement britannique ne cédera pas sur la question d'Astoria-Fort

George, pivot d'opérations qui prennent une ampleur et ouvrent des perspectives d'avenir vraiment formidables. Elle insiste encore sur la conservation de Michillimakinac, si possible.

William McGillivray, ainsi obligé d'intervenir auprès du personnel politique, et retenu à Québec par la session, délègue Archibald Norman McLeod et Simon McGillivray pour représenter les agents à l'assemblée annuelle de Fort William (juillet 1815). Lui-même envoie à l'administrateur du Canada un nouvel avertissement, tenant compte des derniers renseignements reçus de la rivière Rouge : De graves conséquences peuvent suivre l'exécution des menaces de Miles Macdonell, la saisie des postes « que les traiteurs du Canada occupent, avec le consentement des nations indiennes, depuis une époque antérieure à la conquête anglaise ».

Les brigades descendantes ont pris chacune quelques colons dans leurs canots, au Bas de la Rivière. Duncan Cameron arrive à Fort William, où les associés sont réunis, avec son prisonnier Miles Macdonell et cent quarante-quatre colons, femmes et enfants compris, librement descendus de la rivière Rouge. John Spencer, fait prisonnier avant Macdonell, est arrivé sous escorte un peu plus tôt. Archibald Norman McLeod procède, en qualité de juge de paix, à l'interrogatoire des deux prisonniers. Macdonell répond qu'il a agi et continuera d'agir comme il lui plaît. Spencer répond qu'il croit avoir agi en vertu d'une autorité légale.

John Macdonell, resté dans le Nord-Ouest jusqu'à cette année-là, fidèle à la Compagnie dont il est un des associés depuis près de trente ans, se sent probablement gêné par cette guerre pour lui fratricide. Il vend sa part. Il ouvre un magasin à Pointe-Fortune, dans le canton d'Hawksbury[3].

Les colons de Selkirk recevront, comme ils le souhaitent, des terres dans le Haut-Canada. Ils y resteront groupés, à l'extrémité inférieure du lac Simcoe, dans un établissement qui portera le nom de Scots' Line. Quelques-uns préfèrent chercher un emploi à York ou à Montréal. Un petit nombre opte pour le rapatriement au pays natal.

La Compagnie du Nord-Ouest fait reconstruire ses bâtiments du Sault-Sainte-Marie, démolis par les Américains pendant la guerre. Elle engage assez curieusement, comme maître-menuisier pour ce travail, son ancien commis Perrault, à qui la profession d'instituteur à Saint-François, qu'il avait reprise, ne réussit décidément pas.

---

3. Il a laissé *Some account of the Red River.*

Les associés décident, comme tous les ans, diverses mutations. Alexander Stewart quitte la rivière Spokane avec sa famille, pour prendre la direction du Petit lac des Esclaves à l'est des Rocheuses. George Keith, descendu du district du Mackenzie, où il a souffert, retourne avec sa famille dans le district de Colombie, où il s'est plu. Il emporte les dépêches destinées aux postes de ce district. D'autres mutations, plus importantes, répondent à la menace que les projets de Colin Robertson font peser. Simon Fraser consent à reprendre la direction du district d'Athabasca. Samuel Black, le commis vigoureux qui a découragé Joseph Howse à l'île à la Crosse, sera son adjoint. Un de leurs chefs de poste sera Simon McGillivray, fils métis du grand chef (frère jumeau de Joseph, chef de poste dans le district de Colombie).

Miles Macdonell est envoyé à Montréal, pour y subir un procès — qui n'aura jamais lieu.

51

Rétablissement de la colonie de la rivière Rouge

Colin Robertson rétablit la colonie — Selkirk à Montréal — Échec de nouvelles négociations entre les deux compagnies.

Colin Robertson a modifié ses plans. Le contact avec John Clarke l'a convaincu que cette ancienne recrue d'Astor ne serait réellement efficace qu'en sous-ordre. Robertson rouvrira — on peut dire ouvrira, puisque la Compagnie de la Baie d'Hudson n'a jamais réussi à s'y implanter solidement — lui-même le district d'Athabasca. Il partira ensuite, par la baie d'Hudson, pour l'Angleterre où il veut régulariser son statut auprès de la Compagnie de la Baie d'Hudson.

Robertson part de Lachine au mois de mai 1815, à la tête d'une bonne centaine d'hommes — « notre rebut », affirme la Compagnie du Nord-Ouest — constituant une belle brigade de seize canots. Colin Robertson et John Clarke connaissent leur affaire. Bien secondés dans leurs choix par George Moffat, ils emportent tout ce qu'il faut comme marchandises pour séduire les Indiens. Louis Nolin, du Sault-Sainte-Marie, est l'interprète de l'expédition.

Entre le lac Supérieur et le lac La Pluie, la brigade de Robertson rencontre une brigade de la Compagnie du Nord-Ouest qui lui apprend les événements de la rivière Rouge et la ruine de la colonie. Au lac La Pluie, la nouvelle lui est confirmée. Plus loin, Robertson rencontre Miles Macdonell lui-même, prisonnier de la Compagnie du Nord-Ouest et conduit à Fort William. Avec la brigade de la Compagnie du Nord-Ouest descendent des colons désenchantés.

Robertson continue sa route. Au lac Winnipeg, il rencontre le groupe de colons en fuite qui veulent rentrer par York Factory. Il rencontre aussi Thomas Thomas, surintendant des postes du Nord pour la Compagnie de la Baie d'Hudson, et James Bird, son second.

Les trois chefs confèrent. Les colons qui se retiraient à York Factory acceptent, sous promesse de protection, de retourner à la rivière Rouge. Le surintendant Thomas prie Robertson de les conduire. Robertson, dont cette requête bouleverse les plans, demande un mandat ou titre officiels. Le surintendant les lui donne. Colin Robertson, successeur de Miles Macdonell au gouvernement de la colonie, conduira les colons prêts à retourner. John Clarke, dont l'aplomb inspire confiance à Thomas et à Bird, conduira le détachement destiné au district d'Athabasca.

Robertson, se hâtant, et la cinquantaine de colons revenus avec lui arrivent en octobre devant une scène de désolation. Métis et Indiens ont pillé les baraques, incendié le Fort Douglas, la maison du gouverneur, le moulin, les constructions déjà faites ou commencées. Il ne reste guère, des anciens colons, que John McLeod, gardien de l'unique bâtiment debout, qui est la forge.

Mais de Miles Macdonell à Colin Robertson, la Compagnie du Nord-Ouest n'a rien gagné au changement. Robertson offre aux Métis des prix d'inflation pour les provisions qu'il leur achète. Il gagne les Indiens en leur donnant des couvertures en cadeau. Il fait ramasser ce qu'on peut sauver des récoltes et commencer la reconstruction du Fort Douglas. Les colons devront entourer de palissades les maisons qu'ils se construisent. Colin Robertson prétend arrêter Duncan Cameron, qui le prend de haut, le menace et réussit à l'intimider.

Cameron poursuit son avantage. Il adresse de dures réprimandes aux Indiens qui se sont laissé gagner. Colin Robertson apprend, d'autre part, qu'Alexander Macdonell à la rivière Qu'appelle menace les traiteurs de la Compagnie de la Baie d'Hudson. Ces deux faits lui servant de raison, ou de prétexte, Robertson s'empare cette fois de Cameron et de Fort Gibraltar. Il reprend des mousquets « volés » au Fort Douglas. Il saisit du courrier, dans l'espoir d'y trouver la preuve que le personnel de la Compagnie du Nord-Ouest a poussé les Indiens à détruire la colonie. Il occupe le Fort Gibraltar et retient Cameron prisonnier pendant vingt-quatre heures, avant d'évacuer l'un et de relâcher l'autre. Colin Robertson pense avoir pris de l'ascendant sur le personnel de la Compagnie du Nord-Ouest, sur les Métis et sur les Indiens, et l'écrit à John Pritchard, qui commande maintenant à Pembina pour le compte de la Compagnie de la Baie d'Hudson.

> Nous n'avions que trois hommes de plus que la Compagnie du Nord-Ouest. Cela vous montre que ce ne sont pas les hommes, mais le commandement, qui compte dans ce pays (17 octobre 1815).

La situation des colons n'est pas brillante, pour autant. Robertson l'écrit à Pritchard quelques jours plus tard : « Mes hommes meurent de faim. Si vous pouvez m'envoyer quelque chose de Pembina, tant mieux. »

Colin Robertson a cependant rétabli la colonie de la rivière Rouge. Lord Selkirk, parti d'Angleterre, doit être arrivé au Canada. Robertson charge Jean-Baptiste Lagimodière d'aller à Montréal pour lui rendre compte. Lagimodière est la quintessence du coureur de bois. Il lui arrive de quitter sa femme canadienne et ses six enfants pour passer des semaines, des mois, seul dans la forêt. Il n'y a que lui qui puisse, sans escorte, entreprendre un pareil voyage. Robertson lui promet, outre les provisions pour le voyage, une somme d'argent, deux séries complètes de vêtement, et en cas « d'accident imprévu », une petite rente pour sa femme pendant dix ans. Bostonnais Pangman accepte — un moment — de remplacer Lagimodière comme chasseur pour la colonie.

* * *

Au mois de mai 1815, tandis qu'à la rivière Rouge des colons demandaient asile au Fort Gibraltar et qu'à Montréal Colin Robertson partait pour l'Athabasca, la Compagnie de la Baie d'Hudson, à Londres, désignait Robert Semple, fils d'un Écossais expulsé du Massachusetts pour son loyalisme, comme gouverneur de la Terre de Ruprecht — gouverneur de ses territoires en Amérique. Semple est un homme cultivé, auteur de récits de voyage et même d'un roman. Il a l'expérience des affaires. Il ne connaît rien cependant au Canada, ni à la traite des fourrures. Il aura sous ses ordres Thomas Thomas, surintendant du département du Nord, Thomas Vincent, surintendant du département du Sud, et Miles Macdonell, gouverneur de la colonie de la rivière Rouge.

Robert Semple, débarqué à York Factory le 27 août, conduit à la rivière Rouge un nouveau peloton d'immigrants, par Oxford House et Jack River House, postes de sa Compagnie. Il y arrive le 3 novembre. La situation n'est pas réconfortante pour les nouveaux colons. Colin Robertson a cependant opéré un assez extraordinaire redressement. Semple, mis au courant, le reconnaît : « En quelques jours, je puis dire en quelques heures, avec quelques colons, il a changé le cours des affaires. » Semple confirme le mandat délivré par Thomas à Robertson, ce qui élimine implicitement Miles Macdonell. C'est plutôt un soulagement pour la plupart des colons, dont Macdonell ne s'était pas fait aimer.

Colin Robertson ne peut se voir avec plaisir, après son exploit, subordonné à un gouverneur qui résiderait dans les parages. Mais

Semple part en tournée d'inspection. Robertson l'annonce à Pritchard : « Le gouverneur sera chez vous avant le 25 de ce mois. » Il l'engage à rassembler et exciter les Métis, que le gouverneur haranguera. Préparez son arrivée par des manifestations de joie. « Ces choses produisent un excellent effet » (7 décembre 1815).

Colin Robertson reste le chef à Fort Douglas, en face du Fort Gibraltar.

Duncan Cameron, chef du district pour la Compagnie du Nord-Ouest, visite aussi les postes placés sous son autorité. Colin Robertson écrit à John Pritchard (10 décembre 1815) :

> Cameron ne reste pas oisif. Tâchez donc de savoir par les Métis ce qu'il a dans l'esprit.

> Je dispose de la force physique suffisante pour punir ces mécréants, mais je ne voudrais pas recourir à des mesures hostiles dans l'état d'enfance où se trouve actuellement la colonie. Je ne veux pas abuser de mon autorité avant d'être bien en selle. Mais si ces gens veulent enrayer mes plans par des mesures analogues à celles qu'ils ont adoptées le printemps dernier, ils auront lieu de le regretter, car je suis résolu à disputer le terrain pouce par pouce.

* * *

Lord et lady Selkirk, venus en Amérique par New York, y apprennent la destruction de la colonie, la dispersion des pionniers de la rivière Rouge. Ils se hâtent vers Montréal, où ils arrivent après le départ de Colin Robertson.

William McGillivray a trop dédaigné lord Selkirk, à la réputation de philanthrope et quasiment d'utopiste, qu'il traitait dans sa correspondance en personnage insignifiant, en femmelette. Peut-être a-t-il trop ignoré la présence, derrière son adversaire, de l'intelligente lady Selkirk, principale actionnaire de la Compagnie de la Baie d'Hudson, aussi volontaire et plus souple que son mari, et qui a la poigne de deux hommes. Lady Selkirk est très mondaine, gracieuse et spirituelle : les préventions fondent sous son charme.

Selkirk arrivait d'ailleurs avec des intentions conciliantes, convenues avant son départ avec son beau-frère et le Comité de la Compagnie de la Baie d'Hudson. La liberté du commerce est la pierre fondamentale des doctrines économiques admises en Angleterre comme un dogme. Selkirk, comme ses collègues, juge « imprudente » la proclamation de Miles Macdonell interdisant la sortie du pemmican. Le Comité de la Compagnie de la Baie d'Hudson souhaite la réouverture des pourparlers d'entente. (Les deux compagnies n'ont pas cessé de se tâter, d'amorcer, de rompre et de renouer des négociations, tout en se combattant avec acharnement.) La Compagnie de la Baie d'Hudson passe outre aux conseils réitérés de Colin Robertson, qui ne veut pas d'entente, mais la ruine de la Compagnie du Nord-Ouest. Colin Robertson, ancien employé de la Nord-Ouest, connaît les points faibles de son adversaire. Il n'a cessé de signaler l'antagonisme latent, et d'après lui facilement exploitable avec des complicités, entre les agents et les hivernants. Il l'a récrit à lord Selkirk, au mois de février : les agents avec lesquels vous voulez traiter ne représentent pas la volonté unanime de leur Compagnie.

Selkirk prend contact avec John Richardson, membre du Conseil exécutif du Bas-Canada.

Des négociants anglais, et surtout écossais, de Montréal continuent de mettre plus que de l'initiative, une sorte de génie, au service de la ville à laquelle ils sont attachés, en même temps, bien sûr, qu'au service de leur intérêt personnel. James McGill est mort en 1813, en léguant sa propriété de Burnside et la somme de dix mille livres à l'Institution Royale, à la condition qu'un collège ou une université soit érigé sur cette propriété dans un délai de dix ans. Des chantiers de construction maritime mettent en cale des bateaux de 150 à 300 tonnes. John Richardson trouve le moment propice à la reprise de son projet de banque. Les billets d'armée ont accoutumé les commerçants, et même les « habitants », autrefois si soupçonneux, au papier-monnaie. Les cultivateurs ont pu vendre au comptant, sans l'intermédiaire du marchand local. Le retrait des billets d'armée fait sentir la nécessité d'un substitut. John Richardson reste le maître d'œuvre du projet. George Garden et George Moffat entrent dans la combinaison. Presque seul, John Molson se déclare sceptique et se tient ostensiblement à l'écart. Horatio Gates, l'Américain qui a organisé pendant la guerre un réseau de « contrebande tolérée », est devenu l'agent à Montréal d'une banque new-yorkaise, elle-même correspondante de la puissante firme Baring Brothers de Londres. Il trouve des souscripteurs à Boston, à New York et même dans le Connecticut, pour compléter le capital requis. Augustin Cuvillier, député de Huntingdon et l'un des rares Canadiens français auxquels les Anglais reconnaissent la bosse des finances, pilote le projet à la Chambre d'assemblée.

John Richardson, conseiller exécutif, Bourgeois de la Compagnie du Nord-Ouest et ami personnel de William McGillivray, est donc l'un des personnages les plus considérables de Montréal. Lord Selkirk, prenant contact avec lui, est flanqué de son avocat Samuel Gale, remuant et assez politisé — dans le même camp que John Richardson, qui devient la bête noire de Louis-Joseph Papineau et de ses amis. Un accord ferait bien l'affaire des autorités qui ont, par définition, horreur du grabuge. Le ministre — le titre exact est « secrétaire » — des Colonies, harcelé de plaintes par la Compagnie de la Baie d'Hudson, charge le gouverneur d'obtenir la paix, en parlant un peu fort, au besoin. Sir Gordon Drummond prie les deux compagnies de cesser « les outrages qui ont été dernièrement une cause si fréquente de plainte ».

La Compagnie de la Baie d'Hudson envisage, cette fois encore, un partage de zones. Elle concéderait à la Compagnie du Nord-Ouest le droit de traite dans le district d'Athabasca — où elle-même n'a pas réussi à prendre pied — et, « au Canada », au sud de la ligne de partage des eaux. Elle lui accorderait un droit de transit à la Baie. La Compagnie du Nord-Ouest, en échange, reconnaîtrait la charte de la Compagnie de la Baie d'Hudson et tous les droits qui en dérivent.

Cette dernière clause, essentielle aux yeux de la Compagnie de la Baie d'Hudson, est un piège aux yeux de William McGillivray et de ses associés. Il y a longtemps que la Compagnie du Nord-Ouest refuse de reconnaître la validité de la charte, ce qui équivaudrait, pensent les Bourgeois, « à nous mettre la corde au cou ». Il incombe à la Compagnie de la Baie d'Hudson de rechercher une décision de justice pour soutenir ses prétentions. Lord Selkirk, sans doute à la suggestion de Gale, parle alors d'arbitrage. Autre piège, pensent les Bourgeois. La Compagnie de la Baie d'Hudson revendique, en vertu de sa charte, des droits exclusifs. Si l'arbitrage lui donne gain de cause, notre Compagnie du Nord-Ouest sera dépossédée de son commerce. Si l'arbitrage lui est défavorable, il lui restera des droits de concurrence, et nous retomberons dans la situation actuelle.

John Richardson observe cependant que les deux compagnies peuvent se compléter, l'une ayant l'avantage de la route et l'autre celui du personnel. William McGillivray soumet une autre proposition : une fusion, accordant un intérêt d'un tiers à la compagnie « anglaise », et des deux tiers à la Compagnie du Nord-Ouest qui possède l'organisation à Montréal, le personnel expérimenté, les droits acquis par ses découvertes et par ses années de succès. En somme, les conditions jadis imposées à la Compagnie X.Y. Selkirk repousse dédaigneusement cette offre. Il observe, en passant, qu'on ne saurait fusionner deux compagnies de différentes natures juridiques : la Compagnie de la Baie d'Hudson est une société à responsabilité limitée ; la Compagnie du Nord-Ouest, une société en participation.

La Compagnie du Nord-Ouest se voit « dans la pénible obligation de cesser toute négociation, comme ne présentant plus d'espoir » (décembre 1815). Colin Robertson, s'il le savait, se frotterait
les mains.

52

Nouvel échec de la Compagnie de la Baie d'Hudson dans Athabasca

Requêtes pour l'envoi de missionnaires — Premiers engagements de militaires — Les voyages du *Columbia* — Cuisant échec du plan Robertson dans Athabasca.

Les négociations rompues, Selkirk publie un pamphlet : *Sketch of the British Fur Trade in North America, with observations relative to the North West Company of Montreal.* William McGillivray charge Henry McKenzie de ce qui s'appellera plus tard, dans les grandes entreprises, les relations publiques. Les agents de la Compagnie du Nord-Ouest à Londres obtiennent de deux maîtres du barreau une consultation en trois points — bien sûr, très délayés :

> a) La charte de la Compagnie de la Baie d'Hudson n'est pas valable. La Couronne ne peut accorder une telle concession sans la sanction du Parlement. D'autre part, quand la charte a été accordée, les Français étaient en possession du territoire actuellement litigieux ; la Couronne britannique ne pouvait pas disposer de territoires appartenant à un souverain étranger.
>
> b) Les territoires colonisés débordent les limites prévues par la charte, qui ne dépassent pas les rives de la baie d'Hudson.
>
> c) En supposant que la charte soit valable et que le territoire occupé soit compris dans ses limites, la Compagnie s'arroge des droits qui ne lui ont pas été conférés (janvier 1816).

Henry McKenzie fait préparer, par Edward Ellice ou par Simon McGillivray, ou peut-être par ces deux collaborateurs, des répliques à lord Selkirk, qui ressemblent à la consultation londonienne comme des sœurs jumelles.

* * *

Jean-Baptiste Lagimodière, parti de la rivière Rouge à la mi-octobre 1815, avec les dépêches de Robertson à Selkirk annonçant le rétablissement de la colonie, a voyagé tout l'hiver à marches forcées, en compagnie d'un seul Indien, en passant sur le territoire américain, par Fond-du-Lac, pour éviter les postes de la Compagnie du Nord-Ouest. Il arrive à Montréal au début de mars 1816. Il se renseigne sur la résidence de lord Selkirk et force presque l'entrée que les valets voulaient refuser à ce demi-sauvage hirsute. Selkirk demande à Lagimodière quelle récompense il désire. La tradition prête à l'envoyé de Robertson cette réponse :

— L'envoi de missionnaires à la rivière Rouge.

La tradition peut être exacte. Et la requête tomberait au bon moment. Mgr Plessis caresse depuis quelques mois l'idée d'un envoi de missionnaires et même d'une visite pastorale dans les « pays d'en haut », en poussant jusqu'au lac La Pluie. Angus Shaw, au nom des agents de la Compagnie du Nord-Ouest, a mis les canots et le personnel de la Compagnie à sa disposition :

> Montréal, 7 novembre 1815
>
> La dernière fois que j'ai eu l'honneur de vous faire visite à l'Hôpital Général, vous m'avez communiqué votre intention de vous rendre l'été prochain jusqu'au lac La Pluie. J'ai mentionné le fait à M. McGillivray et aux autres agents de la Compagnie du Nord-Ouest, et j'ai le plaisir de vous annoncer de la part de ces messieurs qu'ils seront heureux de tout faire en leur pouvoir pour rendre le voyage confortable et sûr. . .

M. McGillivray procurera un canot à l'évêque catholique

> et veillera à ce que vous soyez partout reçu avec le respect dû à votre rang et à votre personne. Ces messieurs ne peuvent considérer votre visite autrement que propre à servir le bon ordre, la subordination aux autorités, par quoi la Compagnie du Nord-Ouest s'est assuré la confiance de tous les Canadiens.

Selkirk va plus loin. Un noyau d'organisation religieuse est indispensable à la vie stable et civilisée de la colonie. Selkirk est protestant, mais il a près de lui à Montréal Miles Macdonell, qui est catholique. Miles Macdonell, dès sa libération à l'automne, a lui aussi rencontré Mgr Plessis et souhaité l'envoi de missionnaires — jusqu'à la rivière Rouge.

Miles Macdonell écrit à l'évêque, le 4 avril 1816 :

> J'ai l'agréable devoir de communiquer à Votre Seigneurie que la Providence a veillé sur la sécurité d'une jeune colonie à la rivière Rouge, qui est toujours en existence malgré les actes de barbarie sans précédent accomplis pour l'anéantir. . .

Vous savez, Monseigneur, qu'il ne peut y avoir de stabilité dans le gouvernement des États ou royaumes si la religion n'en est pas la pierre angulaire. Mon principal motif en acceptant la direction de cette louable entreprise a été de faire prévaloir la religion catholique dans cet établissement, si la divine Providence me juge un digne instrument pour favoriser ses desseins. Le comte de Selkirk, d'esprit libéral, a volontiers acquiescé à ma requête de faire venir avec moi un prêtre d'Irlande. Votre Seigneurie connaît le résultat de cette première tentative.

Nos besoins spirituels augmentent avec notre nombre. Nous sommes beaucoup de catholiques d'Écosse et d'Irlande, sans parler des Canadiens déjà parmi nous. Des centaines de Canadiens errant autour de notre colonie ont des enfants de femmes indiennes et sont dans le plus pénible besoin de secours spirituels. Une grande mission religieuse pourrait être tenue parmi les indigènes autour de nous, le plus souvent de langue algonquine, et qui sont traitables et bien disposés, si l'on tient compte de la corruption introduite parmi eux par la concurrence des traiteurs...

J'ai appris avec grand plaisir que vous envoyez deux missionnaires au lac La Pluie cet été. Je serais heureux d'offrir passage dans un de mes canots, et de là à la rivière Rouge, qui n'en est éloignée que de six journées de voyage ; et s'il en restait un en permanence parmi nous, la Compagnie lui procurera une fois par année le transport pour visiter son confrère au lac La Pluie...

L'esprit très libéral et philanthropique de lord Selkirk mérite la collaboration du pasteur en chef de l'Église catholique dans l'Amérique britannique du Nord, pour porter la lumière du Christ dans la partie du pays qui est encore dans un état de barbarie idolâtre.

Selkirk confirme, dans une lettre à Mgr Plessis, le même jour :

M. Macdonell m'a fait part d'une conversation au cours de laquelle, l'automne dernier, il a recommandé l'envoi d'un missionnaire dans la colonie... Je suis pleinement persuadé du bien infini qu'un ecclésiastique intelligent et zélé pourrait faire... J'aurais grande satisfaction à collaborer dans toute la mesure en mon pouvoir à une si bonne œuvre. Et si Votre Seigneurie choisit une personne convenable pour remplir cette tâche, je puis l'assurer de tout le soutien que vous jugerez nécessaire.

On m'a dit récemment que Votre Seigneurie projetait d'envoyer cet été deux ecclésiastiques visiter le lac Supérieur et le lac La Pluie pendant la saison où les Voyageurs de la Compagnie du Nord-Ouest y viennent de l'intérieur. Ces gens ayant grand besoin de bons conseils, je suis heureux d'entendre parler de ce projet. Toutefois, si je puis exprimer une opinion, ce serait qu'un missionnaire fût en résidence permanente à la rivière Rouge, remplissant plus efficacement votre pieuse intention... Il pourrait très facilement visiter les postes du lac La Pluie et du lac Supérieur pendant la période de l'année où les Voyageurs y sont rassemblés. Tandis qu'un missionnaire envoyé du Canada pour visiter ces postes en été n'aurait pas de relations avec le grand nombre de Canadiens vagabonds qui ne sont pas au service de la Compagnie du Nord-Ouest ou d'une autre compagnie, et qui, ayant renoncé à toute idée de retourner au pays natal, ont plus grandement besoin d'aide spirituelle...

Selkirk termine en endossant l'offre de Macdonell, qui doit partir pour la rivière Rouge en canot léger vers la fin de mai ou le début de juin, et ferait volontiers le voyage en compagnie d'un missionnaire

qui aurait ainsi l'occasion de passer plusieurs semaines parmi les Canadiens errants de la rivière Rouge avant la période où l'on peut attendre un grand nombre de Voyageurs de la Compagnie du Nord-Ouest au lac La Pluie ou au lac Supérieur[1].

Mgr Plessis répond à lord Selkirk par retour du courrier. Il avait d'abord projeté d'aller lui-même dans ces régions. On lui a fait modifier ses plans. Il a mis la main sur un prêtre tout préparé à cette mission :

Il pourra, suivant le désir de Votre Seigneurie, profiter du canot de M. Macdonell et faire route avec lui jusqu'à la rivière Rouge. Santé robuste, solidité de caractère, intelligence remarquable, zèle et bonne volonté, tout se réunit dans cet ecclésiastique en faveur de l'œuvre projetée...

Ce premier déplacement ne sera toutefois qu'un voyage d'observation. Ce n'est qu'après le rapport de ce prêtre que l'on pourra décider de l'établissement d'une mission stable.

* * *

Selkirk n'a pas affaire seulement avec l'évêque de Québec.

Lagimodière prend à peine le temps de se reposer, et repart avec les dépêches de lord Selkirk à Colin Robertson, le 1er avril. Selkirk ne peut pas pardonner la destruction de sa colonie, la dispersion de ses colons, ressenties comme des injures, comme des blessures personnelles, et qui ont fait dissoudre les intentions conciliantes qu'il pouvait partager, au départ de Londres, avec ses collègues du Comité. Il ordonne l'arrestation de Duncan Cameron, d'Alexander Macdonell et de quelques autres, tenus a priori pour responsables :

---

1. Toute cette correspondance est aux Archives de l'Archevêché de Québec. Grace Lee Nute l'a reproduite dans *Documents relating to the Northwest Missions, 1815-1827.*

Comme il est de première importance que les chefs des atroces procédés de l'été dernier ne puissent s'échapper, je dois attirer particulièrement votre attention sur la nécessité de vous assurer en premier lieu des personnes de Duncan Cameron et Alexander Macdonell, en second lieu de Séraphin Lamarre, Cuthbert Grant, Angus Shaw et de Bostonnais, s'il maintient son hostilité, et de tous ceux dont vous savez qu'ils ont pris une part déterminante. Je désire que ces personnes restent sous bonne garde jusqu'à l'arrivée de M. Semple et de moi-même.

Selkirk recommande d'agir avec vigueur, mais dans la légalité, en sauvegardant les formes :

Il faut sans aucun doute obliger la Compagnie du Nord-Ouest à renoncer à ses intrusions sur mon territoire, et particulièrement au poste des Fourches. Mais comme il faudra user de la force pour y parvenir, je désire que ce soit fait d'une manière régulière, avec un mandat délivré par le gouverneur, afin qu'on ne puisse pas nous accuser de recourir à des violences illégales, comme fait la Compagnie du Nord-Ouest.

Selkirk ne blâme pas directement l'ordonnance de Miles Macdonell interdisant l'exportation du pemmican, mais elle l'a inquiété. Il recommande à Robertson d'éviter les entraves à la liberté du commerce :

Je regretterais que les provisions de la Compagnie du Nord-Ouest fussent arrêtées à la sortie de la rivière, pourvu qu'ils traversent le pays d'une façon pacifique, sans violation de mes propriétés.

Il est bien difficile de ne pas violer les propriétés d'un monsieur qui se prétend possesseur de tout le pays. Selkirk ordonne l'arrestation des dirigeants de la Compagnie du Nord-Ouest et des chefs des Métis à la rivière Rouge. Il prévoit, comme inévitable, l'usage de la force. Les pourparlers avec Richardson et McGillivray rompus, il se fait nommer juge de paix pour les « territoires indiens » et demande l'autorisation de recruter et d'entretenir à ses frais une troupe armée, parmi les régiments licenciés à la fin de la guerre. Sir Gordon Drummond lui permet une escorte, un corps de garde pour sa protection personnelle. Selkirk demande davantage. L'administrateur s'en tient au corps de garde et lui permet d'engager le lieutenant Friedrich von Graffenried, avec une quinzaine de soldats licenciés du régiment de Meuron ou du régiment de Watteville, qui recevront instructions de neutralité dans le conflit entre les deux compagnies.

William McGillivray demande aussitôt la même autorisation, pour ne pas laisser croire au public et surtout aux Indiens, que le gouvernement favorise l'une des compagnies. C'est juste, concède l'administrateur, qui autorise le lieutenant Brumby et le lieutenant

John Teodore Misani, mis en congé de six mois, à escorter les Bourgeois de la Compagnie du Nord-Ouest.

*   *   *

Si absorbante qu'elle soit, la situation à la rivière Rouge n'occupe pas seule l'attention de la Compagnie du Nord-Ouest, dont les postes s'étendent du golfe du Saint-Laurent à l'océan Pacifique.

Alexander Stewart a quitté Spokane avec sa famille, pour aller prendre la direction du Petit lac des Esclaves, à l'est des Rocheuses. Il espère rencontrer, au portage de Rocky Mountain, George Keith accomplissant le trajet inverse et porteur des dépêches pour la Colombie. Mais George Keith et sa famille ont fait un voyage pénible, et même souffert de la famine. Ils n'arrivent au portage que le 15 octobre 1815, en retard d'un mois. Keith se sépare de Stewart, qui l'attendait, et arrive à Spokane House, pour y prendre le commandement, le 24. Il y trouve une bonne équipe, comprenant Donald McKenzie, Nicolas Montour et Ross Cox.

George Keith, en changeant de district, a bien cru mettre fin à ses misères. Il repart le surlendemain de son arrivée, pour Fort George, d'où il rapportera les provisions d'hiver : farine, pois en conserve, riz. Il y arrive le 8 novembre. Fort George est le Fort William du Pacifique. Les arrivées et les départs, au cœur de la saison, y forment ce que Ross Cox appelle un carnaval de Bourgeois, commis, interprètes et Voyageurs, avec distribution de rhum, de sucre et de farine « et une quinzaine de jours de continuelle dissipation qui font oublier les misères de l'hiver ».

Le point culminant de cette activité est passé quand George Keith et ses compagnons arrivent, mais le *Columbia* est en rade. Le *Columbia* est parti à la mi-juillet pour un assez court voyage, avec, à bord, John George McTavish, qui comptait échanger à San Francisco ou à Monterey des marchandises anglaises contre des monnaies espagnoles d'or ou d'argent — les fameux doublons — très appréciées en Chine. Le *Columbia* a récupéré à Monterey les huit déserteurs de sa précédente escale, mais les ordres du vice-roi interdisent désormais le contact entre la population et les étrangers. Le *Columbia* rentre à Fort George en septembre, remonte la côte pour faire des échanges avec les Russes, et revient le 25 octobre. Les fourrures obtenues des Russes sont réemballées pour le marché de Canton.

La saison est trop avancée pour permettre à George Keith de s'attarder. Il repart le 19 novembre avec son équipe.

C'est vraiment tard. Les Blancs rencontrent peu d'Indiens sur les rives de la Columbia et, faute de chevaux et de chiens pour leur cuisine, entament leurs provisions d'hiver. Des glaces précoces menacent leurs canots. Elles s'accumulent, à certains coudes des rivières, obligeant les Voyageurs à des portages imprévus. Des distributions supplémentaires de rhum ne dissipent pas l'épuisement des hommes. L'un d'eux, des plus estimés par les chefs, expose à Keith l'état de ses compagnons, qui ne se mutinent pas, mais n'en peuvent vraiment plus, se sentent incapables d'un nouvel effort. C'est la première fois, à la connaissance de George Keith, que des Voyageurs canadiens parlent à leurs chefs avec cette fermeté.

George Keith n'adresse aucun reproche à ses hommes. Il reconnaît l'impossibilité d'atteindre Spokane, et même Oakinagan, le poste le plus voisin à trois cents milles, où Joseph Larocque commande. Il faut hiverner en terrain peu convenable. On trouve heureusement assez de bois pour construire des abris et pour se chauffer. La chasse est mauvaise. Aucun homme ou animal à l'horizon. Keith et ses compagnons passent ainsi la fête de Noël, à l'exception de quelques hommes partis à pied pour chercher du secours à Oakinagan.

La petite équipe de secours revient d'Oakinagan au début de janvier, avec seize chevaux dont Keith fait charger les moins minables — Gueule de Travers, Tête Plate, La Courte Oreille, La Crème de la petite Chienne, et La Queue Coupée. Keith part avec Montour et une partie de son monde pour Oakinagan. McKenzie et Cox passent encore six semaines dans leur lamentable situation, sans voir un Indien. Au printemps, les rivières de nouveau navigables, McKenzie et Cox tuent leurs deux derniers chevaux et montent en canot. Ils arrivent à Oakinagan le 28 février, « l'estomac vide et le corps épuisé », et à Spokane le 9 mars.

Ne les croyez pas saturés. Ils repartent le 20 mars pour la côte — pour Fort George — par Oakinagan. La Columbia est alors un continuel torrent. sur lequel la descente est rapide. Ils sont à Fort George le 3 avril (1816)[2] — quand, à Montréal, Selkirk et Macdonell rédigent leurs lettres à Mgr Plessis.

Le *Columbia* est reparti à la mi-novembre pour son deuxième voyage en Chine. Il a fait escale aux îles Sandwich pour prendre McDougall et McLellan, qui ont été princièrement traités, avec des serviteurs à leur disposition. Le *Columbia* jette l'ancre dans le port de Canton en février 1816. Le grand mandarin monte à bord.

---

2. Le récit en a été fait par Ross Cox dans ses souvenirs.

Le *Columbia* passe près de deux mois à vendre et acheter en Chine. Ce ne sont pas deux mois de délices pour l'équipage. Canton est, certes, une ville active, où d'habiles artisans travaillent la soie, la porcelaine, la laque et l'ivoire. Une population grouillante vit en partie dans des rues étroites, en partie sur des sampans. Elle est pittoresque, mais énigmatique aux étrangers, si différents d'elle. Le grand mandarin, d'une politesse raffinée, n'a pas livré les clés de la ville, qu'une muraille entoure. La Chine, en 1816, reste impénétrable, et les allées et venues des « diables blancs » sont restreintes. McDougall, McLellan et tous ceux qui ont séjourné aux îles Sandwich ont trouvé les Polynésiens plus nonchalants, mais plus ouverts. Le *Columbia* repart le 30 avril avec McDougall et McLellan, qui auront vu du pays, pour les îles Aléoutiennes, où il compte acheter aux Russes des ballots de peaux de phoque.

*   *   *

Et le front de l'Athabasca ?

John Clarke y a conduit, depuis le lac Winnipeg, l'expédition montée à Montréal par Colin Robertson, à grands frais, pour « enlever à la Compagnie du Nord-Ouest la prépondérance dont elle jouit dans ce district ». Une expédition imposante : dix commis, une centaine de Voyageurs et quatorze canots. Les hommes sont des « durs », triés par Robertson ou repoussés par la Compagnie du Nord-Ouest, gavés de primes et de rhum. Et Moffat, disposant de généreux crédits, n'a pas lésiné sur les marchandises de troc. L'expédition a emporté tout ce qu'il faut pour attirer les Indiens. John Clarke lui-même connaît le district, où il a servi la Compagnie du Nord-Ouest. Il se pique d'y avoir particulièrement réussi auprès des Chippeouais. Mais ses brigades sont arrivées fatiguées, et les « durs » ne sont pas d'un maniement facile.

John Clarke établit ou rétablit plusieurs postes sur la rivière Athabasca, la rivière La Paix, le lac Athabasca (Fort Wedderburn), le Grand lac des Esclaves et le Petit lac des Esclaves. Mais presque partout les Nor'Westers, devançant leurs rivaux, ont acheté toutes les fourrures. John Clarke lui-même remontant la rivière La Paix, prétend forcer le Fort Vermillion, de la Compagnie du Nord-Ouest. William McIntosh, Bourgeois qui commande le fort, conduit une défensive victorieuse.

François Decoigne, qui fut un vieux et habile Nor'Wester, passe un hiver convenable au Petit lac des Esclaves, où le poisson abonde, et récolte vingt-cinq ballots d'excellentes fourrures. Robert Logan se tire d'affaires, tant bien que mal, à l'île à la Crosse. Les autres font une traite insignifiante, manquent de vivres et passent le plus lamentable hiver (1815-1816). Des hommes meurent de faim. Les survivants grognent. Quelques-uns se réfugient auprès de François Decoigne, au Petit lac des Esclaves. Aulay McAulay, au Grand lac des Esclaves, doit céder ses marchandises de traite au poste de la Compagnie du Nord-Ouest, contre de quoi manger. Le sort le plus misérable est celui de Clarke, dont les Indiens, sermonnés par McIntosh, s'écartent comme de la peste. Le cruel justicier qui a fait pendre un Indien pour vol, en Colombie, doit se présenter à McIntosh en suppliant et céder, lui aussi, ses marchandises contre des subsistances qui sauveront le reste de son équipe. Il s'engage à ne pas paraître dans le district pendant trois ans. Il redescend avec les quatre canots qui lui restent — sur quatorze. « Ma situation, écrira-t-il à Selkirk était telle que je ne pourrais la décrire. » Les postes de la Compagnie du Nord-Ouest, sous la direction générale de Simon Fraser et de Samuel Black, envoient plus de quatre cents ballots de fourrures au lac La Pluie.

« Telles, écrit W.F. Wentzel à Roderick McKenzie, ont été les conséquences de la présomption infatuée de M. Clarke. »

Le cuisant échec n'est pas seulement celui de John Clarke, mais celui de Colin Robertson, qui a voulu et organisé l'expédition. Toute la théorie, tous les plans de Robertson, tous les rapports qu'il a envoyés au Comité de la Compagnie de la Baie d'Hudson ont été axés sur la conquête du district d'Athabasca, organisée de Montréal avec des brigades de Canadiens. Robertson, évitant d'accabler son lieutenant, attribue le revers à divers facteurs qui n'infirmeraient en rien la justesse de ses plans. Il aurait sans doute, à la place de Clarke, subi le même sort.

Colin Robertson n'a cessé de dépeindre les employés supérieurs de la Compagnie de la Baie d'Hudson comme des bureaucrates, des somnolents, des passifs, incapables de se mesurer aux Canadiens. Les surintendants et facteurs en chef l'ont assez naturellement pris en grippe. Ils maugréent d'autant plus que la malencontreuse expédition a entraîné d'énormes dépenses, qui rogneront leur part de bénéfices.

53

La bataille des Sept-Chênes

Capture de Fort Gibraltar et de Duncan Cameron — Semple défait et tué par les Métis aux Sept-Chênes — Retentissement de cette échauffourée.

Lord Selkirk et Miles Macdonell accomplissent des démarches pour obtenir l'envoi de missionnaires catholiques à la rivière Rouge. Robert Semple, gouverneur de la Terre de Ruprecht — chef suprême de la Compagnie de la Baie d'Hudson en Amérique — écrit au Comité de Londres pour obtenir l'envoi d'un pasteur anglican.

À la rivière Qu'appelle, Robert Semple reçoit les plaintes de Richard Mackay, chef de poste auquel Alexander Macdonell a enjoint de s'en aller. Le gouverneur Semple va régler le cas d'Alexander Macdonell. Il se présente à son fort, qui détient deux des canons transportés de Fort Douglas par des colons rebelles. Il exige la restitution des pièces « volées ». Alexander Macdonell offre de les rendre contre deux pièces de canon enlevées par les gens de Colin Robertson au Fort Gibraltar. La lettre de Semple, laissant planer d'obscures et « décisives » menaces, est altière. La réponse de Macdonell l'est plus encore :

> Vous dites que vous disposez, ici et aux Fourches, d'un certain nombre d'hommes braves et plus difficiles à refréner qu'à exciter. Je ne mets en doute ni le nombre ni la bravoure de vos serviteurs. Je souhaite seulement, et il faut espérer, qu'ils montreront cet esprit d'enthousiasme au service d'une meilleure cause que celle où ils se trouvent actuellement engagés. Les « mesures décisives » sont des termes ambigus, dont j'attends cependant impatiemment le résultat (2 février 1816).

Semple, qui n'est pas en force pour exécuter ses menaces, s'en va quinaud.

Médaille en or massif présentée par le Beaver Club à Roderick McKenzie, de la Compagnie du Nord-Ouest.

(Photo Armour Landry, d'après l'original propriété de Henri McKenzie-Masson.)

Encore un échec ! Colin Robertson n'est pas critiqué seulement par ses collègues de la Compagnie de la Baie d'Hudson, dont certains, disciples de William Auld à cet égard, n'ont jamais cru la colonie viable. Il est critiqué, au sein même de la colonie, par un groupe dont l'instigateur est l'Irlandais John Palmer Bourke, le garde-magasin qui enrage encore d'avoir laissé prendre ses canons. John Palmer Bourke est l'un des colons qui ont voulu se replier sur la baie d'Hudson, lors de la dispersion, et qui, rencontrant Colin Robertson au lac Winnipeg, sont revenus avec lui. Bourke et quelques autres têtes chaudes trouvent Robertson pusillanime. Ils lui reprochent d'avoir évacué Fort Gibraltar et libéré Duncan Cameron quand il les tenait en son pouvoir. Est-ce sous cette pression que Colin Robertson passe de nouveau à l'action ?

Duncan Cameron, rentré à Fort Gibraltar au début de mars, après inspection de son district, prépare son rapport. Il écrivait une lettre à James Grant, au Fond-du-Lac, lui demandant de l'aide contre les « machinations » de Selkirk, quand Colin Robertson, à la tête d'une bande armée, fait irruption. Robertson s'empare de Cameron, cette fois sans tenir compte de ses protestations, se déclare maître de Fort Gibraltar, et saisit tous les documents, tous les papiers qui peuvent tomber sous sa main. Parmi ces documents se trouve une lettre d'Alexander Macdonell, transmettant la « glorieuse nouvelle » du désastre de John Clarke dans le district d'Athabasca. Alexander Macdonell annonce « une tempête qui s'amoncelle dans le Nord, prête à fondre sur la racaille qui le mérite ». La « Nouvelle Nation — cette expression désigne les Indiens — nettoiera son sol natal des envahisseurs et des assassins ». C'est ce genre de pièce à conviction que Colin Robertson, pressentant les intentions de Selkirk, voulait trouver pour établir la préméditation, la responsabilité de la Compagnie du Nord-Ouest dans les attaques contre la colonie.

Duncan Cameron s'est laissé surprendre. L'opération a été, pour Colin Robertson et ses hommes, d'une facilité dérisoire. Enner Holte, l'un des lieutenants de Robertson dans cette affaire, en rend compte à son ami G. Rogers, « capitaine aux Fourches » :

> Le jour de la saint Patrice, nous avons fait prisonniers Cameron et trois de ses fonctionnaires et pris possession de son fort. Cela s'est fait, croyez-le, en grand style. S'ils avaient été résolus, ils auraient pu tuer quatre fois plus d'hommes que nous n'étions, avant de nous laisser franchir leur porte, d'autant plus que son étroitesse ne nous laissait passer qu'un à un. En examinant un ballot de la Compagnie du Nord-Ouest, nous avons découvert qu'ils étaient déterminés à tout faire pour détruire la colonie et empêcher pour

toujours, si possible, son rétablissement. Il est donc heureux que nous les ayons devancés à temps.

P.S. — M. Robertson vous envoie ses compliments, et s'excuse de ne pouvoir vous écrire, son temps étant requis par des affaires de la plus haute importance.

Colin Robertson achève de scruter les papiers saisis à Fort Gibraltar. Il note sur son journal (18 mars 1816) :

J'ai examiné ce matin les papiers privés de Cameron. Leur contenu est de la plus haute importance, car ils montrent très clairement par quelles personnes et par quels moyens la colonie a été détruite au printemps dernier, et ils trahissent la volonté de poursuivre les hostilités contre ce malheureux établissement.

John Pritchard, qui commande à Pembina pour la Compagnie de la Baie d'Hudson, se pique d'émulation et s'empare du poste de la Compagnie du Nord-Ouest, également sans résistance.

L'établissement de la Compagnie du Nord-Ouest dans le district de la rivière Rouge est à peu près réduit au poste commandé par Alexander Macdonell sur la rivière Qu'appelle.

Alexander Macdonell se sentirait en état d'infériorité sans la sympathie des Métis. Mais il ne peut perdre la face. Il écrit aussitôt à Colin Robertson. Il exige la restitution de tous les biens de la Compagnie du Nord-Ouest. Il se défend de toute préméditation hostile : « Je n'ai jamais eu et il n'est toujours pas dans mes intentions de commencer des hostilités dépassant la préservation et la défense des personnes et des biens placés sous ma responsabilité. »

Colin Robertson n'en tient pas compte. Il arrête un courrier de la Compagnie du Nord-Ouest et saisit ses dépêches, où il cherche à la fois la preuve de la préméditation adversaire et la justification d'une action préventive. Il prétend trouver cette double démonstration et l'écrit à Alexander Macdonell (19 mars 1816) :

Dimanche soir, j'ai pris possession des Fourches. Je suis actuellement en possession de votre courrier d'hiver, qui m'a découvert un plan diabolique de la Compagnie du Nord-Ouest pour détruire la colonie de la rivière Rouge. J'envoie demain ces papiers à York Factory. Quoi qu'il arrive aux colons et aux braves gens sous mon commandement, le monde le saura, et mon pays punira les instigateurs et perpétrateurs de ces crimes, qui couvriront la Compagnie du Nord-Ouest d'une infamie indélébile.

J'ai l'intention de conserver les Fourches et de disputer le chemin par pouce et toute molestation de nos gens à Qu'appelle ou dans tout autre endroit où la Compagnie du Nord-Ouest est établie sera punie avec une sévérité exemplaire. La propriété de la Compagnie du Nord-Ouest paiera toute obstruction faite à celle de la Compagnie de la Baie d'Hudson.

Alexander Macdonell s'adresse à ce moment au gouverneur Semple :

> Permettez-moi de vous dire que je regretterais de dévier du langage ou des actions d'un gentilhomme, mais la nécessité m'oblige à vous informer que les menaces et autres choses semblables ne m'empêcheront jamais de faire ce que je considère comme la justice due à moi-même et à la Compagnie à laquelle j'appartiens. . . (20 mars 1816).

La réponse de Robert Semple est assez brève. Il transmet à Macdonell la lettre de Robertson, datée de la veille et qui, écrit-il, « se passe de commentaire ». Il ajoute à titre personnel :

> ... Je soupçonne vos associés d'avoir mal compris mon caractère. Rappelez-vous ce que je vous dis maintenant :

> Si vous ou vos alliés indiens ou métis essayez quelque violence contre la Compagnie de la Baie d'Hudson à Qu'appelle ou ailleurs, les conséquences pour vous-mêmes seront terribles[1].

* * *

L'assaut à Gibraltar n'a mis en jeu que des effectifs insignifiants. Robertson a pris avec quinze hommes un « fort » qui en abritait onze. L'affaire n'en est pas moins sensationnelle, si l'on songe au rôle de grand ravitailleur en pemmican de ce poste au nom orgueilleux. Dans tous les projets de partage de zones, la Compagnie du Nord-Ouest, renonçant au district de la rivière Rouge, se réservait Fort Gibraltar, comme une enclave indispensable.

Fort Gibraltar formait aussi centre d'attraction et point d'appui pour les Métis, ses fournisseurs en pemmican. Il s'y est tenu plus d'une réunion intime où Pierre Falcon étrennait, pour un auditoire de Métis et de Canadiens, la dernière née de ses chansons. Dans l'affaire de Fort Gibraltar, les Métis s'estiment impliqués. Cuthbert Grant prend décidément figure de chef. Il prévoit un grand rassemblement de Métis, non seulement de la région, mais de Fort des Prairies et de la rivière aux Anglais, au cours duquel de graves décisions pourront être prises. Il l'écrit, de la rivière Qu'appelle, dès le 13 mars :

> ... Je suis encore sain et sauf, grâce à Dieu, et j'ose présumer que Robertson et sa suite ne se permettront pas la moindre insulte contre les Bois-Brûlés, bien que Robertson ait employé des expressions qu'il ravalera, j'espère, au printemps. Il verra que ni quinze,

---

1. Cette correspondance, aux Archives de la Province de Québec à Montréal.

ni vingt ni cinquante de ses meilleurs cavaliers ne peuvent forcer les Bois-Brulés à s'incliner devant lui. Les Métis du Fort des Prairies et de la rivière aux Anglais seront tous ici au printemps. Nous espérons en sortir couleurs déployées, et qu'on ne verra plus aucun de ces gens coloniser la rivière Rouge. Les traiteurs devront aussi partir avec eux, pour avoir désobéi à nos ordres du printemps dernier, conformes à nos arrangements. Nous passerons tous l'été aux Fourches, de peur qu'ils ne nous jouent, comme l'année dernière, le tour de revenir ; mais ils recevront une chaude réception[2].

Robert Semple ratifie les mesures prises par Robertson. Le Fort Gibraltar comprend une grande maison pour les patrons, trois maisons plus petites pour les hommes, un entrepôt, une forge, une écurie et une glacière. Semple fait tout raser par le feu, après avoir fait transporter tout ce qui se trouvait dans les bâtiments — armes, provisions, marchandises, fourrures et jusqu'aux livres de comptes — au Fort Douglas. Il est au courant de l'agitation des Métis, qui parlent de « nettoyer leur sol natal des intrus ». Il voit derrière cette menace l'influence de la Compagnie du Nord-Ouest, qui se laverait les mains d'un mauvais coup accompli par les Métis. Il informe Alexander Macdonell qu'il l'en tiendra responsable. Il ajoute :

> Si vous ne commettez aucune agression sur le cours supérieur de cette rivière, votre personne et les biens qui vous sont confiés ne seront pas molestés. Je n'ai agi qu'en vertu du principe de légitime défense. Je n'outrepasserai pas ce que ce principe justifie. Le monde jugera entre nous. . . (10 avril 1816).

Robert Semple prend bien soin de mettre toutes les apparences du droit et de la légitime défense de son côté. Mais il prend des mesures auxquelles on peut trouver un cachet d'offensive. Les agents de la Compagnie de la Baie d'Hudson à Montréal ont engagé et envoyé à la rivière Rouge Pierre-Chrisologue Pambrun, Canadien français originaire de Berthier, qui s'est distingué aux Voltigeurs de Salaberry pendant la guerre contre les États-Unis, a gagné ses épaulettes de lieutenant et participé à la bataille de Châteauguay. Semple lui confie une mission, toujours avec les précautions oratoires lui donnant un caractère préventif (12 avril 1816): :

> Ayant été informé de divers endroits que les agents de la Compagnie du Nord-Ouest projettent d'intercepter nos bateaux venant de Qui Appelle, vous vous dirigerez le plus tôt possible à Brandon House avec les hommes que M. Robertson placera sous vos ordres. Là vous vous concerterez avec M. Peter Fidler sur l'opportunité de poursuivre jusqu'à Qui Appelle ou de rester à Brandon House. C'est vous, en tous les cas, qui aurez le pouvoir de décider.

---

2. Cette lettre et plusieurs autres citées plus loin ont été produites au procès de Brown et Boucher à York (Toronto) en 1818.

Je désire que vous évitiez tout acte d'hostilité jusqu'à ce qu'il soit justifié par la conduite de nos ennemis. Les Métis ayant reçu l'ordre de se rassembler au fort français de Qui Appelle, tout acte d'hostilité commis par eux doit être considéré comme commis directement par des agents autorisés de la Compagnie du Nord-Ouest. Vous devrez les repousser ou exercer des représailles en conséquence. J'ai confiance toutefois que votre modération et une plus sobre réflexion de nos adversaires empêcheront des troubles graves. Si malheureusement je me trompe, vous n'oublierez pas que les querelles auxquelles vous avez pris part dans le passé peuvent avoir été beaucoup plus importantes, mais non pas plus justes[3].

Il faut parfois lire entre les lignes. Les instructions de Semple à Pambrun peuvent signifier plus qu'elles ne disent. Un courrier, même armé et accompagné, peut être intercepté. Ses papiers peuvent être saisis. Il ne faut pas fournir à l'adversaire des preuves de préméditation qui pourraient un jour lui servir — devant les tribunaux, par exemple. Tandis qu'il prête à la Compagnie du Nord-Ouest, dans ses instructions à Pambrun, l'intention « d'intercepter nos bateaux », Semple fait équiper une goélette en bateau de guerre, dont il confiera le commandement à Enner Holt avec mission de s'ancrer dans la rivière pour intercepter les canots de la Compagnie du Nord-Ouest. Holte est tout fier de l'annoncer à Pritchard (14 avril 1816) :

J'ai reçu le commandement d'une goélette qui sera équipée en bateau de guerre et ancrée dans la rivière pour intercepter les canots de la Compagnie du Nord-Ouest. Vous verrez que je vais être glorieux et je ne manquerai pas de faire de mon mieux pour administrer une volée à ces coquins du Nord-Ouest si je puis[4].

Holt continue par cette allusion à la mission de Pambrun :

Un groupe de vétérans est parti pour Qu'appelle, pour s'emparer de Macdonell, si possible. Mais je crains qu'ils ne soient déçus. Le groupe est sous le commandement de ce favori de Sa Hauteur...

Sa Hauteur désigne Robertson, que Holt n'aime pas.

De Brandon House, Pambrun, approuvé par Peter Fidler, poursuit jusqu'à la rivière Qu'appelle. Sa mission, si elle est de s'emparer de Macdonell comme Holt l'a écrit, n'est pas exécutable : les Métis sont rassemblés autour des forts. Il y aurait, à les provoquer, danger mortel. Pambrun repart le 5 mai, avec cinq canots chargés de pemmican et de fourrures. Il tombe, au cours d'un portage, dans une

---

3.   Document produit à l'un des procès d'octobre 1818 à York.
4.   Toujours au procès de Brown et Boucher en 1818.

embuscade commandée par Cuthbert Grant, Thomas Mackay et Bostonnais Pangman, qui le reconduisent à Qu'appelle, mais cette fois au fort de la Compagnie du Nord-Ouest.

Alexander Macdonell reçoit Pambrun, son prisonnier, à sa table.

— De quelle autorité, demande Pambrun, m'avez-vous arrêté ?

— Nous vous avons arrêté en représailles de la prise de Fort Gibraltar.

Macdonell relâche les autres prisonniers, sur promesse de ne pas servir contre la Compagnie du Nord-Ouest pendant un an, mais il emmène Pambrun. En route, il harangue les Indiens rencontrés[5] :

> Mes amis, j'ai honte de ne pouvoir vous offrir du tabac. Les Anglais, qui sont nos ennemis et les vôtres, ont pris nos provisions comme ils ont pris vos terres. Ils éloignent le bison et vont vous rendre misérables. Mais nous les châtierons, et j'espère que vos jeunes guerriers se joindront à nous. . .

Alexander Macdonell parle en français, que certains Indiens comprennent plus ou moins. Pangman et Primeau répètent sa harangue en sauteux. Une escorte de Métis conduit Pambrun à Brandon House, puis à Portage des Prairies.

De représailles en représailles, on finira par s'entre-tuer. Alexander Macdonell offre de rencontrer, à la rivière La Souris, Colin Robertson qui serait muni de pleins pouvoirs pour négocier la paix (5 mai 1816). Semple, revendiquant son autorité, lui répond (14 mai) :

> Monsieur,
>
> Je prends l'occasion du retour de M. Séraphin Lamarre à Qui Appelle pour accuser réception de votre lettre du 5 courant.
>
> L'idée que M. Robertson fasse un voyage de 120 milles pour tenir une conversation avec vous me paraît totalement inadmissible, quand cela peut se faire au premier endroit ou à l'une des Fourches. Je pense encore moins à déléguer de pleins pouvoirs à qui que ce soit pour conclure des arrangements définitifs, quand je suis moi-même sur les lieux et puis seul en répondre, tant aux amis qu'aux ennemis.
>
> En attendant, mon désir de tranquillité générale restera toujours inchangé. Je suis satisfait des preuves qui sont entre mes mains et

---

5.   D'après le témoignage de Pambrun au procès d'octobre 1818 à York.
    Je souligne une fois pour toutes l'utilité, comme source historique, des procès où les deux parties se font entendre, sont interrogées et contre-interrogées, de sorte que la vérité a quelque chance de se faire jour (Note de l'Auteur).

n'en cherche pas davantage. Si vous ne voulez pas me rencontrer ici, je vous laisse le choix d'un endroit à distance modérée des Fourches pour une conférence. Quelque plan que vous adoptiez, je répète que votre personne et vos biens seront considérés comme sacrés, à moins que vous ne commenciez des actes d'hostilité. Mais si vous avez occasion de m'écrire de nouveau, il serait parfaitement superflu de parler de vos moyens de représailles. Moi aussi j'aurais, si j'y étais obligé, des moyens de représailles, et de représailles dont l'écho, si je ne me trompe, se ferait sentir d'Athabasca à Montréal.

On croirait lire les hautains défis de deux généraux, à la veille d'une bataille rangée.

Robert Semple et Colin Robertson envoient Duncan Cameron et deux ou trois autres prisonniers, comme Jean-Baptiste Branconier, jugés plus compromis, à York Factory par la rivière Jack, avec les documents accusateurs qui serviront, espère Robertson, dans un procès criminel à intenter à Londres. Le personnel du Fort Gibraltar et du Fort Pembina est évacué sur les postes de la Compagnie du Nord-Ouest à la rivière Winnipeg et au lac Manitoba. Et Robertson envoie, daté de la position conquise de Fort Gibraltar, un communiqué de victoire « à tous les Messieurs appartenant à la Compagnie de la Baie d'Hudson », qu'il entend réconforter de l'échec d'Athabasca (20 mai 1816) :

Je désire vous informer que tout ici va *très bien.*

Nous avons envoyé Cameron le 10 par la rivière Jack, d'où il doit se rendre à York Factory.

Prenez *courage,* et tâchez d'inspirer à vos hommes les mêmes sentiments.

Je suis en possession du fort de la Compagnie du Nord-Ouest ; le gouverneur a mis le Fort Douglas en excellent état de défense ; et nous sommes déterminés à disputer chaque pouce de terrain.

Faites-moi connaître par le porteur la situation réelle où ces malheureux événements vous ont placés, et prenez garde, en remettant vos dépêches à cet Indien, de ne pas être découverts par nos adversaires.

P.S. Vous pouvez lire cette lettre à vos hommes et leur dire de n'accorder aucune créance aux rapports, quels qu'ils soient, jusqu'à ce que vous receviez des nouvelles du gouverneur Semple ou de moi-même.

* * *

Colin Robertson a envoyé un communiqué de général en chef. Colin Robertson, en sous-ordre, bout. Il ne reçoit pas de Semple la haute considération qu'il estime mériter « après tout ce que j'ai fait pour la colonie ». Colin Robertson continue de railler les « vieux » employés de la Compagnie de la Baie d'Hudson. Il bouleverserait, s'il était le maître, toute l'administration à York Factory. Il ose moins, depuis l'échec dans le district d'Athabasca qu'on peut lui imputer, affirmer que tous les succès de la Compagnie du Nord-Ouest sont dus à la faiblesse, à l'apathie du personnel de la Compagnie de la Baie d'Hudson. Mais, dépensier comme s'il avait la fortune de lord Selkirk à sa disposition, il critique les consignes d'économie dont le gouverneur Semple se fait l'écho. Il reproche encore à Semple d'éparpiller les colons, au lieu de les ramasser autour du Fort Douglas pour mieux résister à une attaque prévisible. Cette attaque, nous devrions la devancer. Robertson a pris le fort Gibraltar. Il prendrait, si on l'écoutait, le fort de la Compagnie du Nord-Ouest à Qu'appelle, d'où Alexander Macdonell excite les Métis : « Écrasez nos adversaires ! Établissez la colonie ! Il pourra ensuite être question d'économies. »

Le 1er juin 1816, des Métis pillent le poste de la Compagnie de la Baie d'Hudson à Brandon House. C'est, pense et dit Robertson, à l'instigation d'Alexander Macdonell, dont nous aurions dû nous débarrasser comme nous avons fait de Duncan Cameron. Les rapports entre le gouverneur Semple et le gouverneur Robertson s'aigrissent. Robertson, affectant de se tromper, appelle Semple, dans les lettres mêmes qu'il lui envoie, « Mr. Simple ». La guerre entre les deux compagnies ne profite évidemment pas à la colonie, de plus en plus mal vue des Métis et des Indiens et dont l'état est stagnant. Robertson pense à se rendre en Angleterre, témoigner au procès de Cameron et obtenir pour lui-même les avantages qui lui sont dus. Il s'en va, dans un accès de colère, le 11 juin, en avertissant Semple : « La colonie est presque ruinée ; le temps dira par la faute de qui. »

Au lac Winnipeg, toutefois, Robertson s'arrête et réfléchit. Il écrit au gouverneur, offrant de retourner « si mes services sont nécessaires ». Semple repousse cette requête. Robertson poursuit sa route, en direction de York Factory.

* * *

Robert Semple, qui se partageait entre divers postes, s'installe en permanence à Fort Douglas, le poste principal que Robertson a quitté[6].

---

6. Le Fort Gibraltar devait être très près de l'embouchure de la rivière Assiniboine. Une partie du terrain est actuellement vacante. Un ou deux entrepôts s'élèvent entre le pont de la rue Main et la ligne du Canadien-National, qui traverse la rivière

Cuthbert Grant rassemble des Métis, quelques Canadiens et quelques Indiens, pour escorter un convoi de pemmican nécessaire à divers postes de la Compagnie du Nord-Ouest. L'expédition ne peut se faire par voie d'eau, voie normale que les gens de la Compagnie de la Baie d'Hudson ont décidé de bloquer. Cuthbert Grant et ses hommes, dans l'état de quasi-guerre civile existant dans le pays, sont armés. Ils voyagent à cheval. Les vivres sont entassés sur trois chariots. La troupe fait un détour, au risque d'embourber les voitures dans un terrain marécageux, pour éviter le Fort Douglas.

Louis Nolin, interprète au Fort Douglas, témoignera, seul, que deux Indiens seraient venus prévenir Semple de l'approche des Métis « aux intentions hostiles ». Le gouverneur, y ajoutant peu de foi, aurait cependant fait renforcer la garde.

Le 19 juin, une sentinelle signale le convoi. Robert Semple sort aussitôt, à la tête d'une trentaine d'hommes, que d'autres doivent suivre. Il cherche à rattraper, peut-être à intercepter le convoi. La sortie de Semple et de ses hommes alarme les Métis comme l'apparition du convoi vient d'alarmer Semple. Chaque camp se demande, inquiet : « Que veulent-ils ? » Les Métis, se sentant poursuivis, s'arrêtent, à l'endroit que les Blancs appellent les Sept-Chênes et qu'eux-mêmes préfèrent appeler La Grenouillère, et font face déployés en arc de cercle. Firmin Boucher, qui parle un peu d'anglais, s'avance en parlementaire. Semple saisit la bride son cheval.

— Que voulez-vous ? demande Boucher.

— Que voulez-vous vous-mêmes ?

— Notre fort, que vous avez pris et brûlé.

Le garde-magasin Bourke fait demi-tour pour aller chercher du canon. Mais des coups de feu éclatent. Des témoins déposeront plus tard que les Métis ont tiré le premier coup. D'autres témoins déposeront que les gens de Semple l'ont tiré. Les décharges pourraient bien avoir été simultanées, de part et d'autre, sans préméditation. Les esprits en sont arrivés au degré de méfiance et de fièvre où les fusils partent tout seuls.

---

en cet endroit. La position du Fort Douglas n'est pas déterminée avec certitude. Un district résidentiel occupe l'emplacement probable, à l'est et le long de la rivière. La ligne principale du Pacifique-Canadien traverse cette zone. On projette l'ouverture d'un parc, quand le Canadien-National déménagera ses cours de triage. Cela permettrait des recherches archéologiques et le dépôt de plaques commémoratives aux emplacements des forts. (Charles Napier Bell : *The Old Forts of Winnipeg*. Renseignements complémentaires par Mme R. Malaher, Executive Director de la Manitoba Historical Society.)

Enner Holte (qui fut le lieutenant de Colin Robertson à la prise de Fort Gibraltar, et qui, recevant le commandement d'une goélette pour intercepter les canots de la Compagnie du Nord-Ouest, écrivait fièrement, le 16 avril : « Vous verrez que je vais être glorieux ») tombe le premier, mais Patrick Maroony, à qui l'on attribuera le premier coup de feu[7], et Semple lui-même s'affaissent tout de suite après. Les Métis, abrités derrière leurs chevaux, tirent avec précision. En moins d'un quart d'heure, vingt et un corps, dont celui d'un seul Métis, jonchent la plaine. Les Métis ont cependant plusieurs blessés. Quand Bourke est prêt à sortir avec son canon monté en bât sur un cheval, tout est fini.

L'interprète François Deschamps, réputé pour sa bravoure mais aussi pour sa violence, a participé à cette action avec ses deux fils, François et Joseph, encore tout jeunes. On accusera François Deschamps, sans preuve et peut-être sur sa seule réputation, d'avoir achevé le gouverneur Semple d'un coup de fusil.

Le lendemain, Cuthbert Grant et ses Métis s'emparent du Fort Douglas. Les occupants du fort et les colons des environs s'enfuient vers le lac Winnipeg.

C'est au moment où, à Montréal, lord Selkirk écrit au nouveau gouverneur, sir John Coape Sherbrooke, que seule une population agricole établie en permanence peut, barrière à l'expansion américaine, assurer la possession de cette région (la rivière Rouge, voire : le Nord-Ouest) à l'Empire britannique.

Une onde de joie parcourt le pays métis. Ceux qui ont participé à la bataille racontent en les gonflant leurs exploits. Quelle fricassée, mes amis ! François Deschamps junior se vante d'avoir à lui seul tué six « Anglais ». Mais ses vantardises se donnent cours dans des scènes de boisson, et s'il fallait les croire, et celles de ses émules, les Métis n'auraient pas tué vingt « Anglais », mais cent. Pierre Falcon touche sa lyre et compose la chanson de geste qui se répétera longtemps dans les foyers métis :

> Voulez-vous écouter chanter
> Une chanson de vérité ?
> Le dix-neuf juin, la bande des Bois-Brûlés
> Sont arrivés comme des braves guerriers.

---

7. Admis par Colin Robertson dans une lettre de décembre 1917. Un rapport de James Bird admet aussi que les gens de Semple aient tiré le premier coup de feu. Deux témoins déposeront, au procès d'octobre 1818 à York, qu'un des rescapés, Michael Heden, leur a confié : « Nous ne pouvons pas blâmer les Métis ; nous avons tiré les premiers. »

Arrivant à la Grenouillère
Nous avons fait trois prisonniers :
Trois prisonniers des Arkanys[8]
Qui sont ici pour piller notre pays.

Étant sur le point de débarquer,
Deux de nos gens se sont écrié
Deux de nos gens se sont écrié :
Voilà l'Anglais qui vient nous attaquer.

Tout aussitôt nous avons déviré,
Nous avons été les rencontrer ;
J'avons cerné la bande des Grenadiers ;
Ils sont immobiles, ils sont démontés.

J'avons agi comme des gens d'honneur,
J'avons envoyé un ambassadeur :
Le gouverneur, voulez-vous arrêter
Un petit moment, nous voulons vous parler.

Le gouverneur, qui est enragé,
Il dit à ses soldats : « Tirez ! »
Le premier coup c'est l'Anglais qui a tiré,
L'ambassadeur ils ont manqué tuer.

Le gouverneur, qui se croit empereur,
Il veut agir avec rigueur ;
Le gouverneur, qui se croit empereur,
À son malheur, agit trop de rigueur.

Ayant vu passer tous ces Bois-Brûlés
Il a parti pour les épouvanter ;
Étant parti pour les épouvanter.
Il s'est trompé, il s'est bien fait tuer.

Il s'est bien fait tuer
Quantité de ses grenadiers ;
J'avons tué presque toute son armée ;
Quatre ou cinq se sont sauvés.

Si vous aviez vu tous ces Anglais,
Tous ces Bois-Brûlés après,
De butte en butte les Anglais culbutaient,
Les Bois-Brûlés jetaient des cris de joie.

Qui a composé la chanson :
Pierre Falcon, ce bon garçon ;
Elle a été faite et composée
Sur la victoire que nous avons gagnée.

Avec cette variante :

Elle a été faite et composée,
Chantons la gloire des Bois-Brûlés.

---

8. Tout probablement pour Orcades (Orkneys en anglais).

L'affaire est retentissante au point que Châteaubriand en parlera dans son *Voyage en Amérique*[9].

---

9. Le grand précurseur du romantisme parle des Métis, qu'il n'a sans doute jamais rencontrés, « bâtards de la nature civilisée et de la nature sauvage », qui ont, d'après lui, ou d'après son informateur, hérité des vices des deux races. Les Métis « se vendent tantôt aux Américains, tantôt aux Anglais pour leur livrer le monopole des pelleteries. Ils entretiennent les rivalités des compagnies anglaises de la Baie d'Hudson et du Nord-Ouest et des compagnies américaines ».

Et voici, pour la curiosité de mes lecteurs, le récit de la guerre des fourrures :

« On ne connaît en Europe que cette grande guerre de l'Amérique, qui a donné au monde un peuple libre. On ignore que le sang a coulé pour les chétifs intérêts de quelques marchands fourreurs. La Compagnie de la Baie d'Hudson vendit en 1811 à lord Selkirk un grand terrain sur les bords de la rivière Rouge ; l'établissement se fit en 1812. La Compagnie du Nord-Ouest ou du Canada en prit ombrage. Les deux compagnies, alliées à diverses tribus indiennes et secondées des Bois-brûlés en vinrent aux mains. Cette petite guerre domestique, qui fut horrible, eut lieu dans les déserts glacés de la baie d'Hudson ; la colonie de lord Selkirk fut détruite en 1815, précisément au moment où se donnait la bataille de Waterloo. Sur les deux théâtres, si différents par l'éclat et par l'obscurité, les malheurs de l'espèce humaine étaient les mêmes. »

54

La Compagnie du Nord-Ouest rétablit sa situation

La réaction à Fort William — A.N. McLeod à la rivière Rouge — Lord Selkirk engage une compagnie de Meurons.

William McGillivray et John Jacob Astor ont prolongé, en 1815, l'accord de la South West Company jusqu'en 1820. Mais d'après sa correspondance, Astor considère cet accord comme provisoire, et ne désespère pas de chasser un jour « les Écossais » du Sud-Ouest et de la Colombie, avec l'aide de son gouvernement. La reprise d'Astoria, par-dessus tout, lui tient à cœur.

La Compagnie du Nord-Ouest n'a jamais envisagé son avenir dans le Sud-Ouest, mais dans le Nord-Ouest et, depuis quelques années, à l'ouest des montagnes Rocheuses.

Le district de Colombie complète son organisation. John George McTavish et Joseph Larocque s'apprêtent à traverser les Rocheuses pour se rendre à l'assemblée de Fort William. Ross est cette année à Fort George, Ross Cox à Oakinagan, McMillan et Nicolas Montour sont à Spokane, McDonald est à Kamloops, qui a pris figure de centre de ravitaillement. Ross Cox consolide son fort, au confluent de la rivière Oakinagan avec la Columbia. Il en fait un établissement en règle, avec quatre bonnes chambres, une salle à manger, deux pavillons pour les hommes, un entrepôt et un magasin pour la traite. Le tout flanqué de deux bastions et entouré de palissades de quinze pieds de hauteur, avec des meurtrières pour le tir. Le « fort » dispose d'un canon de cuivre.

On vit de saumon, de cheval, de gibier sauvage. On boit du café et du thé. Les hommes ont découvert des serpents dont la chair vaut celle des anguilles. Il faut toutefois tuer le serpent du premier coup de baguette, sans quoi, en se mordant soi-même, il empoisonne sa chair. La principale occupation des Indiens est la pêche au saumon. La chaleur oblige à interrompre le travail par des siestes. On juge l'emplacement rêvé pour l'établissement d'une ville quand la civilisation, qui gagne vers l'ouest, aura traversé les Rocheuses et atteint ces parages.

Ross Cox, seul de sa nationalité, se morfond tout de même un peu. À l'été de 1816, Donald McKenzie, qui a décidement opté pour la Compagnie du Nord-Ouest, arrive de Fort William avec deux canots et vingt hommes. Il apporte à Cox et aux autres, avec les dépêches de la Compagnie, des lettres de leur famille.

Donald McKenzie poursuit jusqu'au Fort George, dont il doit prendre le commandement, avec James Keith et Angus Bethune pour adjoints.

Le commerce extrême-oriental, avec Fort George pour base, qui prend un tour régulier et paraît susceptible d'une grande expansion, se heurte à deux obstacles, l'un anglais, l'autre américain : le monopole de la Compagnie des Indes et la revendication des États-Unis sur l'ex-Astoria et son arrière-pays. Le gouvernement américain, talonné par Astor, a dès 1815 signifié au gouvernement britannique son intention de réoccuper Astoria. Simon McGillivray proteste vainement auprès de lord Bathurst.

La Compagnie du Nord-Ouest a imaginé un moyen de contourner le double obstacle. Elle s'est abouchée, dès 1815 aussi, avec la firme G. and T.H. Perkins, de Boston, qui échappe au monopole britannique et aux interdits de son propre pays. La firme londonienne des McGillivray enverra les marchandises d'Angleterre à Boston, d'où la firme américaine les réexpédiera, sous pavillon étoilé, à la rivière Columbia, pour les échanger contre les fourrures à destination de Canton. La firme américaine sera payée par un intérêt d'un quart. Le premier bateau assigné au circuit Boston-Fort George-Canton et Boston partira cette année, 1816. Il doit rapporter de Chine du thé, de la porcelaine et des soieries.

* * *

William McGillivray se prépare aussi et surtout pour la lutte contre la Compagnie de la Baie d'Hudson. Il s'est juré « de ne se laisser expulser du commerce des fourrures par aucun lord ou bourgeois dans les possessions du roi ». Il a engagé, comme le gouverneur le lui a permis en contrepartie de l'autorisation donnée à Selkirk, les lieutenants Bumbry et Misani et les sergents Charles de Reinhard et Frederick Damien Heurter, du régiment licencié de Meuron.

William McGillivray enverra Norman McLeod dans le district d'Athabasca. Archibald Norman McLeod n'est pas seulement Bourgeois de la Compagnie du Nord-Ouest, mais associé de la firme McTavish, McGillivrays and Company. À ce titre, il n'est pas censé hiverner, mais rester à Montréal, sauf à représenter les agents à l'assemblée annuelle de Fort William. Il est d'ailleurs cette année (1816) président du Beaver Club, où les demandes d'adhésion sont si nombreuses que l'on envisage une augmentation de l'effectif. L'envoi d'Archibald Norman McLeod montrera l'importance attachée à la conservation des succès acquis dans le district de prédilection – que Selkirk et la Compagnie de la Baie d'Hudson appellent sans droit leur territoire et « dont ils prétendent nous chasser. Ni la loi ni le gouvernement ne les autorisent. Ils n'ont sur nous qu'un avantage, la faculté d'accès par la baie d'Hudson, contrebalancé chez nous par une supériorité sur tout le reste. Mais leur volonté de nous chasser rend un accrochage inévitable. » William McGillivray exige un esprit d'économie, voire de restriction, dont il donnera l'exemple. À ce prix, la victoire sur ce « lord mesquin », sur ce « noble spéculateur » n'est pas douteuse. Nous laisser battre par lui serait déshonorant.

* * *

Le moment de porter leurs fourrures au rendez-vous de Fort William, se situe, pour les brigades du Nord-Ouest, entre la chute de Fort Gibraltar et la « bataille des Sept-Chênes ». Les brigades craignent une embuscade, ou simplement l'interception par une canonnière, qui leur interdirait le passage sur la rivière Assiniboine ou la rivière Rouge. Les chefs de poste se concertent. James Leith témoignera de leur résolution[1].

> Nous avons résolu de partir avec une force considérable, de voir si l'on nous empêcherait de faire du commerce ou non, et aussi de prendre des dispositions pour empêcher les déceptions à l'avenir. Nous n'avions aucune autre intention que d'aller tranquillement si nous n'étions pas molestés, mais nous étions déterminés à ne pas nous soumettre aux tentatives qui pourraient être faites pour nous empêcher de passer tranquillement. Nous espérions, en étant nombreux, les induire à ne pas nous molester. . .

Au Bas de la Rivière, deux canots chargent chacun une pièce de canon. Et, continue James Leith, « nous avons poursuivi notre chemin, souhaitant n'avoir à nous disputer avec personne, mais décidés à ne pas tolérer qu'on nous empêche de remonter la rivière, selon notre droit, car elle est considérée comme la grande route du pays.

---

1. Au procès d'octobre 1818 à York. (Confirmé par Misani.)

Nous étions résolus à défendre notre droit, en cas d'obstination, au risque de nos vies. »

William McGillivray vient au rendez-vous annuel un peu plus tôt que d'habitude. Il est accompagné d'Archibald Norman McLeod, des deux officiers et des deux sous-officiers du régiment de Meuron, auxquels il a bien recommandé de rester en uniforme, car leur présence doit attester, aux yeux des Indiens, le soutien officiel.

Des Indiens, probablement soudoyés par la Compagnie du Nord-Ouest, ont arrêté Jean-Baptiste Lagimodière, l'ont roué de coups et l'ont dépouillé des dépêches envoyées par lord Selkirk à la rivière Rouge. La Compagnie du Nord-Ouest n'a fait, sans le savoir, que répéter le geste de Colin Robertson, agent de lord Selkirk, faisant arrêter et saisir le courrier d'hiver adressé à Fort Qu'appelle. Les dépêches de lord Selkirk attendent les Bourgeois à Fort William.

En passant au Sault-Sainte-Marie — le 17 juin (1816), William McGillivray reçoit des dépêches annonçant la captivité de Duncan Cameron et la destruction de Fort Gibraltar, la saisie du courrier de la Compagnie à destination de Qu'appelle.

Le Fort Gibraltar ! Le poste-clef, au confluent de l'Assiniboine et de la rivière Rouge, pour le ravitaillement en pemmican ! C'est à n'en pas croire ses yeux. La catastrophe risque de s'aggraver si nos brigades sont interceptées sur la rivière Winnipeg ou au Grand Rapide. William McGillivray écrit aussitôt à ses associés :

> Dieu sait ce qui a pu se passer au printemps. Je tremble presque d'apprendre la vérité... À moins d'une intervention du gouvernement, des hostilités ouvertes sont inévitables, non seulement à la rivière Rouge, mais dans d'autres départements, et dans ce cas les indigènes s'en mêleront...

John Richardson, déjà membre du Conseil exécutif, vient d'entrer au Conseil législatif, où McGillivray siège aussi. Son projet de banque louvoie vers bon port, à travers les écueils parlementaires. William McGillivray demande spécialement à son associé, collègue et ami de se précipiter à Québec et d'y obtenir la nomination d'un commissaire-enquêteur, avec pleins pouvoirs pour maintenir la paix dans les « territoires indiens » : « On ne saurait exagérer la gravité de la situation. »

William McGillivray « tremble presque », mais plus de rage que de peur. Écrivant à John Johnston dès son arrivée à Fort William, il lui répète : « Je voudrais être sorti de ce commerce, mais je ne m'en laisserai pas chasser par un noble spéculateur. » Il prend des mesures immédiates.

Norman McLeod réunit, dans le grand hall, les Indiens campés autour de Fort William. Les quatre militaires en uniforme l'encadrent. Nous savons à quel point les Indiens sont admiratifs et friands de dorures et de chamarrures. Le Bourgeois de la Compagnie du Nord-Ouest explique que Colin Robertson s'est emparé de Fort Gibraltar par surprise, comme un voleur. Mais le gouvernement a envoyé ces militaires pour aider au rétablissement de la justice. McLeod invite les Indiens à leur prêter assistance.

Archibald Norman McLeod n'ira pas dans le district d'Athabasca, mais à la rivière Rouge, avec un autre associé, Robert Henry, et une force imposante. Un chef indien et vingt-quatre jeunes guerriers, recevant présents et munitions, partiront avec McLeod et sa brigade. Archibald Norman McLeod, comme Duncan Cameron et Alexander Macdonell, comme Miles Macdonell et Colin Robertson dans l'autre camp, est un batailleur, un acharné. Robert Henry écrit à un ami, la veille de son départ :

> ... Nous partons demain pour la rivière Rouge avec une cinquantaine de personnes. Je ne serai pas surpris si quelques-uns d'entre nous y laissent leurs os... Je crains fort que ce ne soit une affaire sérieuse, mais j'espère pour le mieux... Si je reviens de la rivière Rouge sain et sauf, j'aurai bien envie de quitter cette racaille de pays pour toujours.

McLeod et ses compagnons partent pour le Nord-Ouest, comme leurs camarades hivernants en descendent, « résolus, non pas à molester, mais à ne tolérer aucun empiétement »[2]. Les lieutenants Bumbry et Misani et les sergents de Reinhard et Heurter les accompagnent. Un peu avant d'arriver à Netley Creek, ils rencontrent un groupe de colons en fuite vers la baie d'Hudson. Les Nor'Westers poussent le cri de guerre à la manière indienne, par dérision. Ils demandent si cette fripouille de Robertson et cette canaille de Pritchard sont là, mais posent la question, pour le gouverneur Semple, sur un ton un peu moins méprisant. Ils apprennent alors l'affaire des Sept-Chênes et la nouvelle dispersion de la colonie. Les Nor'Westers font descendre les colons, fouillent leurs malles, et les laissent repartir à l'exception de quelques-uns : Pritchard, naturellement, mais aussi John Bourke, Louis Nolin, Michael Heden, Daniel McKay, Patrick Corcoran, considérés comme des animateurs sinon comme des chefs, et qu'ils envoient à Fort William.

Simon Fraser, qui commandait le district d'Athabasca, est descendu pour l'assemblée. La récolte de fourrures, dans le Nord-Ouest,

---

2. A. Amos : *Report of Trials in the Courts of Canada.*

a été bonne. John George McTavish et Joseph Larocque sont venus du district de Colombie, avec une cargaison. Mais il ne peut être question, ni du district d'Athabasca, ni du district de Colombie, ni du projet, virtuellement abandonné, de nouvelle route par York. Il ne peut être question que des événements de la rivière Rouge, qui jettent les associés à la fois dans la consternation et dans la fureur. Les dépêches saisies sur Lagimodière établissent, sinon la responsabilité directe de lord Selkirk, au moins son intention — ses ordres — de faire arrêter deux Bourgeois, Duncan Cameron et Alexander Macdonell !

... Lorsque arrivent Cuthbert Grant, Paul Brown et Firmin Boucher, encore tout chauds de l'affaire des Sept-Chênes, dont ils font le récit. Des prisonniers suivent : Chrisologue Pambrun, qu'Alexander Macdonell a fini par envoyer sous escorte, et le groupe de Pritchard et de ses compagnons, prélevés par Norman McLeod sur l'effectif des colons en fuite. Il arrive aussi des colons qui ont accepté l'offre de la Compagnie du Nord-Ouest. Cette fois, on exulte, on acclame les Métis, on boit et on chante dans le grand hall de Fort William. Le prisonnier Pambrun, invité à la table des Bourgeois se bouche les oreilles.

* * *

Lord Selkirk, de son côté, n'est pas inactif. Sa femme, dont on vante le charme, l'aide à faire sa percée dans une société tout acquise à ses adversaires. Selkirk représente aux milieux ultra-loyalistes dont John Richardson est le porte-parole habituel, mais où George Moffat s'avance aussi, que sa colonie de la rivière Rouge est le seul rempart contre une colonisation américaine, prélude à l'annexion du Nord-Ouest par les États-Unis. Il maintient, par l'intermédiaire de Miles Macdonell, le contact avec Mgr Plessis, auquel il a demandé un ou des missionnaires pour sa colonie. L'évêque de Québec doit naviguer entre les deux compagnies. La Compagnie du Nord-Ouest défraierait l'entretien d'un missionnaire à Fort William. La Compagnie de la Baie d'Hudson, ou tout au moins Selkirk, aiderait un missionnaire établi à la rivière Rouge, qui pourrait visiter le lac La Pluie et Fort William à la saison où de nombreux Voyageurs y sont rassemblés.

Mgr Plessis accomplit lui-même une courte visite pastorale dans le Haut-Canada, en mai 1816, mais sans pousser jusqu'au Grand Portage. Il charge l'abbé Pierre-Antoine Tabeau, aumônier de l'Hôpital Général de Québec, d'un voyage d'observation à la rivière Rouge, en lui recommandant la neutralité dans le conflit des compagnies. Mgr Plessis décrit l'abbé Tabeau comme intelligent, de bonne volonté, de bonne conduite et, ce qui n'est pas moins important en l'occurrence, de santé robuste. L'évêque jugera, d'après le rapport de l'abbé Tabeau, s'il convient d'établir une mission permanente à la rivière Rouge.

Miles Macdonell part de Lachine au mois de mai, avec l'abbé Tabeau pour passager, à destination de la rivière Rouge. L'abbé Tabeau compte revenir par Fort William en juillet, quand les Voyageurs y seront rassemblés. Miles Macdonell et son passager empruntent la voie du Saint-Laurent : le lac Ontario, la Yonge Street, le lac Simcoe, le long portage jusqu'à la baie Georgienne. Mais le mauvais temps, la préparation défectueuse du voyage et des erreurs du guide les retardent. Ils ne sont encore qu'au Sault-Sainte-Marie (où la nouvelle des Sept-Chênes n'est pas encore parvenue), c'est-à-dire à mi-chemin, le 3 juin, date prévue pour leur arrivée à la rivière Rouge. L'abbé Tabeau décide de rebrousser chemin, ce qui est, en l'occurrence, une fameuse inspiration puisque, sans préjudice de ce qui se prépare, il serait arrivé en pleine catastrophe. Après un rapide ministère au Sault-Sainte-Marie, l'abbé Tabeau se replie sur l'île Drummond, où vit un groupe de Canadiens et de Métis. Enfin le 25 juin il arrive au presbytère de Sandwich. Il y rencontre son évêque et revient avec lui. Mgr Plessis n'a trouvé que quatre prêtres, en tout, dans le Haut-Canada. Miles Macdonell et l'abbé Tabeau ont complètement manqué leur mission[3].

Lord Selkirk sait, comme William McGillivray, que les relations publiques sont un simple auxiliaire dans la campagne qui se réglera, en fin de compte, par la force.

Lord Selkirk, autorisé à entretenir un corps de garde, outrepasse largement cette tolérance en s'abritant derrière la charte qui, prétend-il, permet à la Compagnie de la Baie d'Hudson, non seulement d'armer son personnel, mais de lever un corps armé. Il engage trois officiers, les capitaines Frederick Matthey et Prothais d'Orsonnens — celui-ci descendant d'une famille patricienne du canton de Fribourg — et le lieutenant Fouché, et plus de cent soldats démobilisés des régiments de Meuron et de Watteville. Il promet, outre la solde, des terres à la rivière Rouge à ceux qui voudront s'y établir. Il exige qu'ils portent leur uniforme et leur procure des armes.

Les «Meurons» sont des mercenaires, ce qui n'implique rien de méprisable. Mercenaire et vénal sont deux. Les Suisses se sont ac-

---

3. Il ne semble pas que l'abbé Tabeau ait rédigé de rapport sur ce voyage de 1816. Le bureau d'archives de l'archidiocèse de Québec tient pour hypothétiques les allusions qui ont pu être faites à un tel rapport.

quis, comme mercenaires, un enviable renom. La garde personnelle des rois de France, jusqu'à la Révolution, leur était confiée. Soldats de métier, soldats de fortune, ils louent leurs services au chef qui leur inspire confiance et leur offre une bonne solde, régulièrement payée. Ils voient du pays, portent un uniforme seyant, se fient à l'intendance, vivent sur le pays quand elle manque et se battent loyalement, risquant leur vie, jusqu'à l'expiration de leur contrat. Des nations riches qui les emploient assurent une pension aux mercenaires invalides. Les mercenaires se battent courageusement, mais sans haine. Des mercenaires du régiment de Meuron, ou du régiment de Watteville, engagés les uns par lord Selkirk et les autres par William McGillivray, vont servir dans des camps opposés, en attendant peut-être de se retrouver côte à côte.

Les capitaines Matthey et d'Orsonnens et les lieutenants Fouché et von Graffenried conduisent une centaine de « Meurons » à Lachine où, sanglés dans leur tunique rouge à parements bleu clair, la boucle d'argent de leur ceinturon bien astiquée, ils paradent au son du tambour avant de monter en canot, le 4 juin, quelques jours après le départ du canot du maître transportant William McGillivray, Archibald Norman McLeod et deux autres officiers du régiment de Meuron. À Kingston, vingt hommes du régiment de Watteville et quelques-uns des Glengarry Fencibles renforcent cette troupe. Selkirk part lui-même le 18 juin, muni de sa commission de juge de paix pour les « territoires indiens », et son escorte, plus légère, rattrape le gros de l'expédition sur le lac Huron. Lord Selkirk est à la tête de quelque deux cents hommes armés — commis, Voyageurs et soldats — encadrés par des officiers et sous-officiers de métier. Sa destination est la rivière Rouge.

La guerre des fourrures nous ramène au temps des barons féodaux, levant leurs propres armées.

* * *

McLeod et Henry accélèrent leur marche. Ils se sentent des ailes. Les Métis, débordant d'enthousiasme, les accueillent en frères. McLeod félicite et remercie les Métis d'avoir défendu sa Compagnie en même temps que leur liberté. Il distribue des costumes en récompense, en s'excusant de ne pas en avoir pour tous. McLeod est magistrat. Les Métis le pressent de questions : lord Selkirk a-t-il légalement le droit de répartir des terres et d'établir des colons à la rivière Rouge ?

— Il n'en a pas le droit. Ces terres vous appartiennent, et vous êtes justifiés de les défendre.

Métis et Canadiens allument un feu de joie avec la goélette *Cuthullen*, avec laquelle Enner Holte devait arrêter les canots de la Compagnie du Nord-Ouest et « donner une bonne volée à ces coquins ».

La Compagnie du Nord-Ouest a subi de lourdes pertes. La détention de Cameron et la destruction de Fort Gibraltar l'ont un moment humiliée. Mais elle sort finalement victorieuse, sa situation et, ce qui est aussi important, son prestige, rétablis. La colonie de Selkirk est de nouveau dispersée. La Compagnie du Nord-Ouest, de la rivière Rouge à Montréal, doit être maintenant à l'abri.

55

Prise de Fort William

Arrestation de William McGillivray — Prise de Fort William par les « Meurons » de Selkirk.

Sir John Coape Sherbrooke, nouveau gouverneur du Canada, hérite d'une situation tendue. Les dissolutions répétées de la Chambre et de nouvelles élections générales n'y ont rien changé. Il faut entendre Louis-Joseph Papineau opposer l'arbitraire des gouverneurs et l'obstination des conseillers législatifs, dont John Richardson est le modèle, à la volonté du peuple, exprimée par ses représentants élus. C'est un tonnerre, un ouragan qu'il déchaîne sur la tête de ses adversaires.

Et là-dessus, peu après son arrivée, sir John Sherbrooke apprend « le massacre des Sept-Chênes », susceptible de déclencher un autre genre de guerre civile. Le gouverneur envoie aux deux compagnies un rappel des instructions ministérielles, qui lui recommandent de punir « avec la dernière sévérité toute personne qui trouble la tranquillité dans cette région ».

Mais comment les compagnies en tiendraient-elles compte puisque, pour chacune d'elles, c'est l'autre qui trouble la tranquillité ?

Miles Macdonell est parti en avant-garde pour la rivière Rouge, afin d'y préparer la venue de lord Selkirk et de sa troupe. En arrivant à l'embouchure de la rivière Winnipeg, il apprend la bataille, que les partisans de Selkirk préfèrent appeler le guet-apens ou le massacre des Sept-Chênes. Il retourne en toute hâte pour prévenir Selkirk, et le rencontre au Sault-Sainte-Marie le 24 juillet.

Selkirk comptait passer par le territoire américain, pour éviter les postes de la Compagnie du Nord-Ouest. Mais il change ses plans. Il prend une décision extraordinaire : la prise de Fort William et l'arrestation de William McGillivray et de ses principaux Bourgeois. Selkirk est juge de paix, mais il souhaite partager une si lourde responsabilité. Il demande le concours de John Askin, juge de paix à l'île Drummond, et de Charles Ermatinger, juge de paix au Sault. Askin et Ermatinger déclinent, poliment. Ils ne se soucient pas d'accompagner ces « colons » en uniforme, baïonnette au côté, commandés par des officiers, et d'être impliqués dans leurs éventuels exploits.

La flottille de Selkirk passe devant Fort William en ordre de bataille et s'arrête juste en face, sur l'autre rive de la Kaministiquia, où Selkirk établit son camp, le 12 août (1816). Il y a là quelques Voyageurs à la retraite, mariés à des femmes du pays et qui vivent en bohèmes, un peu de chasse, un peu de pêche, un peu de blé d'Inde et de pommes de terre qu'ils cultivent.

À ce moment, les brigades sont parties de Fort William pour le Nord-Ouest, mais les ballots de fourrures n'ont pas encore été expédiés à Montréal.

Selkirk fait demander, d'un ton exigeant mais courtois, la libération de John Pritchard et des autres prisonniers capturés à la rivière Rouge. McGillivray répond, dans la même forme. Il est pittoresque de constater la civilité, hautaine mais raffinée, que ces combattants, dans les deux camps, affectent dans les lettres, dans les sommations et dans les défis mêmes qu'ils échangent avec les adversaires que, dans leur correspondance avec d'autres personnes, ils traitent couramment de gredins, de racaille et de fripouilles. William McGillivray répond que M. Pritchard est déjà en route vers Montréal, pour témoigner dans un prochain procès ; d'autres, sous accusation criminelle, sont partis avec lui ; deux anciens employés de la Compagnie de la Baie d'Hudson sont ici de leur plein gré. McGillivray relâche les autres. Selkirk, en qualité de juge de paix, interroge les hommes libérés, sur la bataille des Sept-Chênes. Il tire d'eux ce qu'il lui faut et, fort de leur témoignage, envoie deux Meurons qui se présentent à la grille de Fort William et demandent à parler à l'honorable William McGillivray. Mis en présence du chef de la Compagnie du Nord-Ouest, les deux émissaires exhibent un mandat d'arrestation « pour trahison, conspiration et complicité d'assassinat ».

Simon McGillivray, si méfiant, depuis la première heure, de « l'être artificieux » qu'est Selkirk, aurait sans doute évité à son frère de commettre une imprudence ; mais il n'est pas là. William McGillivray décide d'aller voir Selkirk. Deux associés, Kenneth McKenzie et le Dr John McLoughlin, l'accompagnent ; ils se porteront caution, si nécessaire. Les trois Bourgeois montent en canot avec les deux soldats et sont bientôt devant Selkirk, dans sa tente.

— De quel droit, demande McGillivray, assumez-vous les pouvoirs d'un gouverneur du Canada ?

Selkirk, en guise de réponse, ordonne l'arrestation immédiate de McGillivray et de ses deux compagnons et leur refuse la liberté sous caution, sous prétexte qu'ils sont sous le coup d'une accusation trop grave.

Selkirk prétend compléter son coup de filet. Il signe d'autres mandats contre plusieurs associés de la Compagnie du Nord-Ouest et charge des constables de les exécuter. Les Bourgeois mis en cause — Simon Fraser, Alexander Mackenzie (l'homonyme du découvreur, surnommé L'Empereur), John McDonald et Hugh McGillis reçoivent les agents de Selkirk à la grille de leur fort, et refusent de les suivre tant que leur chef ne sera pas libéré. Mais le capitaine d'Orsonnens et un détachement de Meurons, toujours dans leur uniforme rouge, attendaient en silence, tapis dans un bateau dissimulé tout près, le long de la rive. Au signal convenu — au cri poussé par les constables — ils se précipitent sans laisser aux Nor'Westers le temps de fermer leur grille.

Là encore nous pourrions nous étonner de la facilité avec laquelle, en période de tension suraiguë, Fort Gibraltar puis Fort William se sont laissé surprendre, si nous ne savions comment le nom de fort, évoquant une citadelle avec ses casemates, ses remparts, ses chemins de ronde et ses guetteurs aux créneaux, est démesuré pour désigner les postes des compagnies de fourrures qu'une grille dans les meilleurs cas, une simple palissade le plus souvent, protège plus ou moins mal contre les manieurs de tomahawk.

Les Meurons ont bu la rasade d'alcool, traditionnelle dans toutes les armées avant l'assaut. Mousquet chargé, baïonnette au canon, ils font irruption dans le fort, au cri de « Aux armes ! Aux armes ! », la consigne de leurs officiers étant de s'emparer d'abord des armes. En un rien de temps, les Meurons sont maîtres du fort où se trouvent seize Bourgeois, dont John George McTavish, venu de la lointaine Colombie pour tomber dans ce guêpier. Des sentinelles gardent toutes les issues. Les commis de Selkirk ouvrent et fouillent tous les tiroirs, mettent partout les scellés, interdisent aux Nor'Westers de toucher à quoi que ce soit. D'Orsonnens réunit le personnel subalterne de la Compagnie du Nord-Ouest et offre le choix entre le passage au service de la Compagnie de la Baie d'Hudson aux mêmes conditions, et le transfert, un peu plus tard, à Montréal. Les gens de Selkirk cherchent à intimider et à débaucher les employés de la Compagnie du Nord-Ouest, comme les gens de la Compagnie du Nord-Ouest ont souvent fait auprès des employés de la Compagnie de la Baie d'Hudson.

Maître de Fort William, Selkirk autorise McGillivray à rentrer, sous bonne garde. Les Bourgeois, prisonniers, peuvent passer la nuit dans leur fort, à la condition « de ne mettre aucune obstruction à l'exécution de la loi ». William McGillivray couche dans sa chambre, mais avec des sentinelles à sa porte, surveillé, dans son propre fort, par les soldats suisses ou allemands de lord Selkirk.

Le lendemain de très bonne heure, lord Selkirk vient inspecter sa conquête. Dans le grand hall de Fort William, McGillivray, entourés d'associés et de commis, mais aussi de factionnaires meurons baïonnette au canon, donne lecture d'une protestation solennelle, rédigée pendant la nuit et signée par les associés, « contre les procédés violents employés envers nos personnes et nos biens par une troupe de cinquante à soixante soldats du régiment de Meuron, en état d'ivresse ».

Selkirk est visiblement fatigué et nerveux. Il est frêle, et cette lutte, malgré son courage, ébranle sa santé. Il ne s'attarde pas à contempler la grande carte de David Thompson, qu'il appelle « une pièce de charlatanisme ». Il fait arrêter Brown et Boucher. Il donnerait cher pour mettre aussi la main sur Cuthbert Grant, mais le chef des Métis a réussi à décamper, et détale quelque part dans les bois. Selkirk entre en fureur en apprenant que des associés ont réussi à faire cacher des armes et surtout à brûler des liasses de papiers. Car il cherche désespérément des preuves de préméditation, des preuves de culpabilité dans l'affaire des Sept-Chênes et la dispersion de sa colonie. Il doit bien exister un document, utilisable devant l'opinion, le gouvernement et les tribunaux, établissant que la Compagnie du Nord-Ouest a incité les Métis à massacrer Semple et à chasser les colons. Il faut à tout prix qu'on le lui trouve. Il fait tout défoncer, tout crocheter, tout fouiller. Il fait ramasser les papiers souillés dans les cabinets d'aisance. Il découvre des ballots de fourrures appartenant à sa Compagnie, confisqués lors de l'arrestation de Pambrun par Cuthbert Grant et expédiés par Alexander Macdonell à Fort William. Il trouve une liste de Métis récompensés par les Bourgeois pour leur dévouement, et la considère comme un commencement de preuve. Il trouve une note prévoyant l'interception de Lagimodière à son passage à Fond-du-Lac. Il trouve ses propres dépêches à Colin Robertson, ordonnant l'arrestation de Duncan Cameron, d'Alexander Macdonell et de quelques autres.

Selkirk fait transporter Bourgeois, commis et engagés de la Compagnie du Nord-Ouest à son camp, le 19 août, et envoie William McGillivray et tous les associés, sauf Daniel McKenzie qui paraît plus malléable, sous bonne garde à York, où il compte les faire passer en jugement. Il refuse à William McGillivray de le laisser accompagner par son domestique, retenu à Fort William pour un interrogatoire plus serré. Il empêche le départ des dernières brigades de la Compagnie du Nord-Ouest qui n'avaient pas encore quitté Fort William pour l'intérieur.

Le convoi transportant les Bourgeois est commandé par le lieutenant Fouché et par Jean-Baptiste de Lorimier, capitaine des Sauvages, qui s'est distingué à Beaver Dam sous les ordres de son beau-frère Dominique Ducharme, pendant la guerre contre les Américains. Les canots ne sont pas conduits, comme d'habitude, par des Voyageurs canadiens, mais par des Iroquois. William McGillivray observe qu'un des canots, celui qui doit porter le capitaine de Lorimier et deux des associés, Kenneth McKenzie et le Dr McLoughlin, est surchargé. Selkirk n'en tient pas compte et, pour l'heure, il est le maître. La petite population de Fort Wiliam, Blancs, Métis et Indiens, assiste, stupéfaite, au départ des puissants Bourgeois en équipage de prisonniers.

Au cours du trajet s'élève une tempête. Le canot surchargé chavire. Kenneth McKenzie et huit autres Nor'Westers sont noyés. Neuf noms de plus sur l'interminable liste des noyés ! Jean-Baptiste de Lorimier et le Dr McLoughlin, rejetés sur le rivage, se sauvent par miracle.

Lord Selkirk écrit au gouverneur Sherbrooke qu'il a envoyé à York, pour la faire juger, une bande de criminels « de plus fort calibre qu'il n'en a jamais paru devant la Cour de cette ville ». Il se vante en même temps d'avoir privé la Compagnie du Nord-Ouest « des ressources nécessaires pour continuer son régime de violence illégale contre moi ».

L'entourage de Selkirk représente la capture de Fort William comme une représaille de l'hécatombe des Sept-Chênes, qui pourrait être décrite elle-même comme une représaille de la prise de Fort Gibraltar, et ainsi de suite. Vouloir remonter la chaîne des responsabilités serait aussi vain pour cette guerre entre les compagnies de fourrures que pour la guerre entre les tribus indiennes, où chaque raid est la représaille d'un pillage, lui-même représaille d'un raid précédent. Selkirk, qui s'est renseigné sur l'histoire du commerce des fourrures, fait remonter les brigandages au geste de Joseph Frobisher, achetant aux Indiens des fourrures qu'ils portaient à la baie d'Hudson en paiement de leurs « crédits » — en 1772, il y a 44 ans !

56

Meurtre d'Owen Keveny

Réaction et polémiques à Montréal — Owen Keveny, la moins sympathique victime de cette guerre.

Vous imaginez l'explosion à Montréal. La Compagnie du Nord-Ouest ! La plus grande entreprise du pays ! Et la plus originale, la plus typique, la plus spécifiquement montréalaise ! Qui n'est allé à Lachine, par une journée d'arrière-printemps, saluer le départ, ou par un radieux début d'automne accueillir l'arrivée des Voyageurs ? Qui n'a entendu ces Voyageurs — gonflant peut-être un peu les choses, mais qui leur en voudrait ? — décrire les merveilles de Fort William, le grand entrepôt, la métropole de l'intérieur, où se déroulent, de la fin de mai à la fin d'août, en dédommagement des privations de l'hiver, des festivités qu'ils appellent le carnaval ? Les Bourgeois ! Les successeurs de ce Simon McTavish, entré dans la mythologie montréalaise, dont le château en ruine, au pied du mont Royal, abrite la nuit des revenants dont on menace encore les enfants désobéissants. Les animateurs de ce Beaver Club qui n'a pas son équivalent au monde et qui restera sûrement légendaire. Les Bourgeois, viendraient-ils de Londres ou d'Édimbourg, sont les Canadiens, et leurs ennemis de la baie d'Hudson sont les Anglais. L'honorable William McGillivray, membre du Conseil législatif, lié à tout ce qui compte au Canada ! Sir Isaac Brock a été le parrain d'une de ses filles, et sir Gordon Drummond le parrain d'un de ses fils. Sa résidence, Saint Antoine House ou Château Saint-Antoine, est une des plus belles de Montréal, au milieu d'une propriété admirablement entretenue et comprenant jusqu'à un étang artificiel. Ses réceptions réunissent une vingtaine de convives, personnages éminents du Canada, de Grande-Bretagne ou des États-Unis, autour de la table d'acajou de sa salle à manger.

La partialité de Montréal, malgré les prévenances de lady Sel-kirk, n'est pas douteuse.

Le retentissement est à peine moindre à York, le chef-lieu du Haut-Canada. Le procureur général John Beverley Robinson, dont l'autorité est grande, n'aime pas Selkirk et ne s'en cache guère. Les canots de la Compagnie du Nord-Ouest ont souvent — et gratuite-ment — transporté le pasteur John Strachan, qui sera le premier évê-que anglican du Haut-Canada, aussi bien que l'abbé Alexander Macdonell, qui en sera le premier évêque catholique. Le pasteur Strachan joue à York un rôle comparable à celui de Mgr Plessis à Québec. Il écrit au juge William Campbell, de York (6 septembre 1816). Il suggère de renvoyer la cause à Montréal,

> car il est évident qu'un crime commis en territoire de la Compa-gnie de la Baie d'Hudson ou en territoire indien ne peut être jugé dans aucune partie de cette province. Le sentiment général est ici qu'il s'agit d'une querelle commerciale, et les gens n'éprouvent pas de sympathie pour un pair d'Angleterre devenu marchand de four-rures et employant le pouvoir que son vaste héritage lui procure à détruire un commerce qui donne du pain à des milliers de person-nes depuis deux siècles. Il est clair que de grandes libertés ont été prises avec la justice, des deux côtés, mais surtout du côté de Sa Seigneurie, comme on pouvait l'attendre de ses talents.

Un pamphlet précédemment envoyé par Strachan paraît à Lon-dres sous le titre *A Letter to the Right Hon. the Earl of Selkirk on his Settlement of the Red River, near Hudson Bay*. Strachan y déve-loppe son argumentation. Il rappelle l'échec de Selkirk lors d'une tentative dans le Haut-Canada. Il fait ressortir l'impraticabilité, pour les colons, des routes aboutissant à Fort William et à York Factory. La route du Mississipi est beaucoup plus facile, de sorte que la colo-nie, si elle n'est pas abandonnée, trouvera son débouché aux États-Unis. Les titres sont discutables. Les promesses faites dans les pros-pectus sont illusoires. La colonisation doit se faire de proche en pro-che, en partant de zones déjà peuplées. Les provisions ne peuvent atteindre la rivière Rouge qu'après un transport qui en augmente outrancièrement le prix. Les colons ne peuvent attendre protection ou assistance des autres colonies britanniques. La colonie dépendra des États-Unis, dont elle serait la proie en cas de guerre. Elle risque fort aussi d'être massacrée par les Indiens dont les droits ont été dé-daignés. Le pasteur Strachan engage ses compatriotes qui sont tentés d'émigrer à éviter les « marchands de terre », leurs « pires ennemis », qui ne songent qu'à les exploiter. Qu'ils ne se laissent pas diriger vers les terres inhospitalières de la baie d'Hudson et de la rivière Rouge. Qu'ils viennent plutôt au Canada, sous la protection du gouvernement. Strachan publie en postface des témoignages de colons désabusés.

Le pamphlet du pasteur Strachan, sorte de réplique au *Sketch of the British Fur Trade* de lord Selkirk, fait du bruit à Londres.

Les réfutations qu'Henry McKenzie a fait préparer de la consultation juridique obtenue à Londres par lord Selkirk commencent à paraître dans le *Herald* de Montréal, sous le pseudonyme de Mercator, à la fin d'août 1816. Les lettres de Mercator contestent la validité de la charte de la Compagnie de la Baie d'Hudson. Elles présentent les traiteurs de la Compagnie du Nord-Ouest comme les continuateurs des explorateurs et des traiteurs français. Elles soulignent que la Compagnie de la Baie d'Hudson n'a fait aucune entreprise de découverte, n'a rendu aucun service au pays. Samuel Gale fait insérer, sous le pseudonyme de Manlius, des réponses qui fouettent la verve de l'accusateur : « Manlius est un disciple de lord Selkirk, qui cherche à intimider quand il ne peut terroriser. » Mercator, quittant le droit pour l'actualité, impute la responsabilité de l'affaire des Sept-Chênes à Semple, prenant l'offensive contre des gens qui, cherchant à établir une communication avec le lac Winnipeg, accomplissaient un détour pour éviter son fort.

John Johnston, surintendant des Indiens au Sault-Sainte-Marie, se rend à Fort William le 7 septembre, pour exiger la restitution du fort à la Compagnie du Nord-Ouest. Selkirk ne peut rudoyer Johnston, dont l'influence sur les Indiens est grande. Il répond qu'il ne rendra pas le fort sans une compensation convenable pour les dommages infligés à sa colonie.

Selkirk tient prisonnier Daniel McKenzie, sous garde armée. Le vœu du pasteur Strachan d'un transfert des accusés à Montréal est exaucé, non par une décision de la Cour, mais par la force des circonstances. Le convoi transportant les prisonniers arrive à York le 3 septembre (1816). La Cour de circuit se tient à Kingston. Le convoi descend le lac Ontario. À Kingston, les juges sont déjà partis. Le convoi continue sur Montréal où il arrive le 10 septembre. Le trajet depuis Fort William a pris trois semaines. William McGillivray et ses compagnons demandent leur mise en liberté sous caution, qui est immédiatement accordée. Ils se plaignent au gouverneur Sherbrooke, dont lady Selkirk, qui suit ces événements avec passion, a gagné l'amitié.

* * *

La Compagnie de la Baie d'Hudson, ignorant encore l'échec de John Clarke au début de l'été de 1816, a commandé à Montréal dix mille livres de tabac pour le district d'Athabasca. Cette marchandise ne sera pas perdue. John Clarke a juré de prendre sa revanche sur les « Sauvages blancs » de la Compagnie du Nord-Ouest. Il repart avec une brigade pour l'Athabasca.

Quand arrivent à York Factory les premières rumeurs des troubles de la rivière Rouge, Owen Keveny s'offre à conduire, par la rivière Albany, quelques volontaires de sa trempe pour rétablir l'ordre et rassurer les colons. Owen Keveny a conduit le deuxième contingent de colons aux Fourches de l'Assiniboine et de la rivière Rouge, en 1812. Il a imposé une discipline intolérable et s'est fait détester. Il est rentré en Angleterre, mais la Compagnie de la Baie d'Hudson l'a réengagé et renvoyé à York Factory sur l'*Eddystone,* en 1815. Owen Keveny est un « homme de Selkirk ». Le seigneur philanthrope a choisi, pour diriger sa colonie, des hommes — Miles Macdonell, Colin Robertson, Owen Keveny — à poigne. Owen Keveny nous rappelle le capitaine Thorn, du *Tonquin,* qui pouvait être un bon marin, mais qui, dans le maniement des hommes, tenait plutôt du gardechiourme. Il est parti, à l'ouverture de la navigation sur la rivière Albany, au printemps de 1816, avec huit hommes et quatre têtes de bétail — deux jeunes taureaux et deux jeunes vaches — dans un bateau, et deux familles de colons dans deux petits canots. Owen Keveny passe deux semaines à Fort Albany, pour les derniers préparatifs. Il en repart à la fin de mai. Des hommes, brutalement traités, désertent. Keveny les poursuit, les rattrape, les punit, fait mettre le plus compromis aux fers et continue sa route.

Les mêmes causes produisant les mêmes effets, les désertions se renouvellent. Deux déserteurs cherchent refuge au poste de la Compagnie du Nord-Ouest au Bas de la Rivière, le 14 août. Archibald McLellan commande ce poste qu'il met en état de défense, car il craint une attaque par Colin Robertson, dont on signale le départ de la baie d'Hudson, en route vers le sud, dans une intention inconnue. McLellan reçoit les déserteurs, bras ouverts. Archibald Norman McLeod, arrivé sur ces entrefaites, recueille, à titre de magistrat, leurs témoignages et signe un mandat d'arrestation contre Keveny. Les déserteurs sont autorisés à rentrer à la baie d'Hudson, mais plusieurs refusent.

McLeod décerne le titre de constables au sergent de Reinhard et à Thomas Costello, déserteur de l'équipe Keveny où il remplissait les mêmes fonctions. Il leur fait prêter serment et les charge d'arrêter Keveny. Une escouade de Métis leur donnera main-forte.

Reinhard et ses hommes appréhendent Keveny sous sa tente. Reinhard l'arrête, au nom du roi. Keveny saisit ses pistolets, mais Reinhard l'avertit que toute résistance entraînera sa mort. Keveny, son bétail confisqué, est conduit au Bas de la Rivière. Il est aussi malcommode comme prisonnier qu'il l'a été comme chef d'équipe. Il prétend se trouver sur le territoire de la Compagnie de la Baie d'Hudson, où la loi du Canada ne s'applique pas. La discussion tourne à l'altercation. Keveny est embarqué malgré ses protestations pour Fort William sous bonne garde de six Métis, le 17 août. Il se débat. On lui passe un moment les menottes.

À Pine Point, le cortège rencontre Alexander Macdonell, qui remplace la garde de Métis par deux Canadiens et un guide indien, Joseph fils de la Perdrix Blanche. Cette nouvelle escorte rencontre, au portage des Rats, Joseph Cadotte et d'autres employés de la Compagnie du Nord-Ouest, qui savent Fort William entre les mains de Selkirk. On tient conseil, à l'écart de Keveny devenu bien embarrassant. L'escorte, pour des raisons qu'elle ne lui communique pas, fait faire demi-tour à son prisonnier, à destination du Bas de la Rivière. L'Indien, en route, voudrait tuer son prisonnier. Les deux Canadiens s'y opposent. Keveny s'échappe à la faveur de leur querelle.

McLellan, en chemin du Bas de la Rivière au lac La Pluie, avec Reinhard et des Voyageurs, rencontre les deux Canadiens et le guide, sans leur prisonnier. Il se met à la recherche de Keveny, le trouve réfugié auprès d'une bande d'Indiens, l'arrête derechef et le confie au sergent Reinhard, au Métis François Mainville et au guide indien Joseph, qui le conduiront en canot au lac La Pluie. En cours de route, Keveny demande à descendre pour un court moment. Accordé. Quand Keveny, en rembarquant, fait un faux mouvement, peut-être mal interprété par les autres, Mainville lui tire un coup de fusil dans la nuque. Keveny tombe la tête en avant dans le canot. Reinhard l'achève en lui plongeant son sabre dans le dos, d'un coup qui traverse le cœur (11 septembre 1816)[1].

Colin Robertson, sur le point de s'embarquer pour l'Angleterre, ajourne son voyage en apprenant le nouveau désastre de la colonie, descend au-devant des colons en fuite, et les conduit au lac Winnipeg où il les remet entre les mains de James Bird, successeur temporaire de Semple. C'est ce voyage de Robertson qui a fait craindre à McLellan une attaque contre le Bas de la Rivière. Robertson revient à York Factory et s'embarque pour l'Angleterre, mais trop tard : le navire, pris dans les glaces, ne peut démarrer.

---

1. La Compagnie de la Baie d'Hudson a présumé que le meurtre de Keveny avait été décidé au conseil tenu lors de la rencontre de membres du personnel de la Compagnie du Nord-Ouest au courant du sort de Fort William. Cette hypothèse, plausible, n'est pas prouvée. Jean Crebassa, commis de la Compagnie du Nord-Ouest qui a participé à ce conseil, interrogé, l'a formellement niée.

57

Selkirk à l'offensive

Prise du fort du lac La Pluie par d'Orsonnens et ses Meurons — Reprise de Fort Douglas et pillage du « Bas de la Rivière » — Mais la Nord-Ouest gagne dans Athabasca.

Selkirk détient maintenant un avantage considérable sur ses adversaires. Il refuse la restitution de Fort William sans une très forte compensation pour les pertes subies par sa Compagnie et par sa colonie. Puis, par l'intermédiaire de deux commis de la Compagnie du Nord-Ouest qu'il a gardés à Fort William, il propose un arbitrage. Les deux compagnies se mettraient d'accord sur le choix d'arbitres londoniens. Ceux-ci feraient vendre les fourrures saisies à Fort William, se paieraient sur l'argent reçu, mais à la charge de la Compagnie du Nord-Ouest, et garderaient le reste jusqu'au règlement de l'affaire.

Selkirk agit sous sa seule et mince autorité de magistrat dans les territoires indiens, qui ne lui confère, en particulier, aucun droit de saisir des fourrures. Cette saisie, d'après la Compagnie du Nord-Ouest, prouve que le prétendu philanthrope recherche le contrôle du commerce des pelleteries. La Compagnie du Nord-Ouest refuse une solution qui désorganiserait son entreprise.

Or, Selkirk et Miles Macdonell qui est auprès de lui ont gardé prisonnier un des associés de la Compagnie du Nord-Ouest, Daniel McKenzie, plus enclin que les autres à un compromis. Daniel McKenzie est enfermé dans sa chambre, sous la garde d'une sentinelle. Selkirk le fait venir, le cuisine, le renvoie dans sa chambre. Un employé de Selkirk vient sermonner le prisonnier : « C'est folie de résister à lord Selkirk pour quelques personnes qui ne s'occupent pas de vous, et qui d'ailleurs sont ruinées. » Miles Macdonell, puis le Dr John Allan, médecin de Selkirk qui ne quitte pas son client, viennent à leur tour développer cette argumentation et observer ses effets[1]. Daniel McKenzie, sous cette pression depuis un mois, et quelques libations aidant, signe tout ce que Selkirk et Macdonell veulent lui faire signer, le 19 septembre 1816. Il vend au comte de Selkirk, « au nom des associés de la Compagnie du Nord-Ouest », les biens et marchandises de toute sorte appartenant à ladite Compagnie à son poste de Fort William à l'exception des fourrures emballées pour l'expédition. Le comte de Selkirk s'engage à payer « audit Daniel McKenzie au nom de ladite Compagnie, une somme d'argent égale à la valeur de ces biens et marchandises », soit cinquante livres sur livraison, deux mille livres payables à Londres le 1er février 1817, et le solde un an après la décision d'arbitres désignés par le juge en chef de la Cour du Banc du Roi à Westminster. Jusqu'à cet arbitrage, Selkirk garde les fourrures en gage.

Miles Macdonell, qui a dû le rédiger, John Pritchard, John Spencer, le lieutenant von Graffenried, le Dr John Allan et quelques autres témoins signent cet accord. Daniel McKenzie signe encore des lettres recommandant aux hivernants de se soumettre. Après quoi, libéré, il est autorisé à rentrer à Montréal.

Il va sans dire que William McGillivray et les autres associés désavouent le contrat signé par Daniel McKenzie, sans mandat, sous la double influence de la panique et de l'alcool. Privée des cent mille livres de fourrures immobilisées à Fort William, la Compagnie du Nord-Ouest n'aura pas de travail à donner à ses employés, pas de recettes à recouvrer en Angleterre. Et la saison est avancée. La prospérité même de Montréal peut s'en trouver compromise. McGillivray engage une troupe d'Iroquois et fait rassembler un convoi de bateaux et de canots au-dessus du Sault-Sainte-Marie. Une effroyable tempête disperse le convoi à peine formé. Samuel Gale applaudit à cet échec « irrémédiable pour la Compagnie du Nord-Ouest », et Lady Selkirk, écrivant à son mari, ridiculise les « Bourgeois » revenus déconfits.

* * *

Selkirk, poussé par Macdonell, exploite son avantage. Le capitaine d'Orsonnens, avec trente-six Meurons, l'interprète Louis Nolin libéré à Fort William, dix-huit Voyageurs canadiens, la goélette *Invincible* prise à la Compagnie du Nord-Ouest, six bateaux et deux canots, remonte la rivière Kaministiquia. Il doit reprendre Fort Douglas et emmène quelques colons prêts à recommencer leur expérience. Il doit aussi exécuter, en chemin, une autre mission.

---

1. D'après les déclarations de Daniel McKenzie, aux procès qui s'ensuivront.

D'Orsonnens et sa troupe se présentent devant le fort de la Compagnie du Nord-Ouest au lac La Pluie le 7 octobre. Ce fort, commandé par le commis Peter Warren Dease, est, après Fort William, le principal « dépôt » de la Compagnie du Nord-Ouest. Il compte en ce moment Charles de Reinhard parmi ses hôtes, et d'Orsonnens en est averti.

Le capitaine d'Orsonnens dépêche Louis Nolin avec une demi-douzaine de Meurons, pour enjoindre au sergent Reinhard de venir lui parler. C'est un ordre. Les Meurons le laissent bien comprendre. Ils semblent savourer leur revanche sur l'ancien sergent qui a dû plus d'une fois les punir : « C'est à nous, maintenant, de le faire obéir. » Ils l'avertissent qu'ils l'emmèneront de force s'il ne vient pas de bon gré.

Reinhard obtempère. Il est, devant son ancien capitaine, virtuellement captif. D'Orsonnens lui serre la main, mais le fait parler. Reinhard, terrifié à l'idée des conséquences de son geste, avoue le meurtre de Keveny dans l'espoir de comparaître, au procès éventuel, non comme accusé mais comme témoin à charge contre ses employeurs. Il reconnaît du même coup les sinistres desseins attribués aux dirigeants de la Compagnie du Nord-Ouest contre ceux de la Compagnie de la Baie d'Hudson.

D'Orsonnens envoie à Peter Warren Dease une sommation, rédigée en français :

> La sûreté personnelle des sujets de Sa Majesté exige, crainte de surprise ou accident, que vous me remettiez toutes les armes, ammunition, Poudre, Plomb, etc., etc., que vous possédez au fort et qui appartiennent à la Compagnie du Nord-Ouest. Les armes particulières seules seront respectées pour votre propre sécurité.

> Signé : Protais d'Orsonnens, commandant l'avant-garde des Voyageurs de la Compagnie de la Baie d'Hudson.

À la sommation est jointe une des lettres de Daniel McKenzie, recommandant l'obéissance.

Peter Warren Dease essaie de discuter. Les armes sont marchandises de traite. D'Orsonnens explique que la saisie des armes est une précaution contre d'éventuels excès de la part des Indiens. Il représente à Dease sa situation intolérable : les associés pris à Fort William, considérés comme rebelles au gouvernement, ont été envoyés à Montréal où ils seront condamnés.

Dease connaissait, par Reinhard, la chute de Fort William, coupant ses communications avec Montréal. Il ne dispose que d'une dizaine d'hommes, hors d'état de résister aux Meurons. Il capitule : il rend le fort et son contenu. Les Meurons se font indiquer les caches à provisions. D'Orsonnens fait au personnel l'offre traditionnelle, d'abandonner leurs Bourgeois — « qui d'ailleurs seront tous pendus » — pour passer à la Compagnie de la Baie d'Hudson, qui les traitera bien. Il interdit aux employés de la Nord-Ouest tout commerce avec les Indiens, toute sorte de chasse ou de pêche. « Si vous essayez de vous enfuir en canot, un premier coup de canon sera tiré en l'air pour vous avertir, et un deuxième sur votre canot pour le couler[2]. »

D'Orsonnens envoie Dease et Reinhard à Fort William avec son rapport. Il apparaît cependant que la Compagnie du Nord-Ouest s'est solidement armée et fortifiée à Fort Douglas. D'Orsonnens s'apprête à hiverner sur la position conquise, au lac La Pluie.

* * *

Selkirk apprend le meurtre de Keveny avec un mélange de colère et de consolation. Il y voit l'indice que ses ennemis, aux abois, sont prêts à employer tous les moyens et toutes les personnes. Il fait signer par Reinhard une longue confession et la fait contresigner par Dease, le capitaine Matthey et le Dr Allan comme témoins. Un document de plus pour gonfler le dossier de Samuel Gale !

Mais d'Orsonnens, si appréciée que soit la prise du lac La Pluie, n'a pas rempli et ne s'apprête pas à remplir sa mission. Selkirk n'aura pas de victoire complète tant que le fort qui porte son prénom ne sera pas repris et la colonie rétablie. Et Selkirk a sous la main l'homme au monde le mieux disposé à cette besogne. Miles Macdonell conduit à d'Orsonnens un renfort de quatre Meurons, seize Voyageurs canadiens et l'ordre d'exécuter sa mission. Il arrive au lac La Pluie le 6 septembre. Macdonell et d'Orsonnens préparent ensemble une expédition d'hiver contre Fort Douglas.

* * *

Dans les postes de la Compagnie du Nord-Ouest, la perte de Fort Gibraltar a jeté l'alarme, la victoire des Sept-Chênes a relevé l'enthousiasme, et la chute de Fort William sème la consternation. Certains postes attendaient du grand dépôt ou du lac La Pluie des articles indispensables : des filets de pêche, par exemple, Au fort du Bas de la Rivière Winnipeg, on dépêche des éclaireurs en canots, pour voir si des provisions peuvent venir.

---

2. D'Orsonnens prétendra, au procès de Reinhard en 1818, qu'il n'avait, au départ, ni dans ses instructions ni dans ses intentions de prendre le fort du lac La Pluie. La confession de Reinhard l'aurait décidé. Un témoin, qui l'aurait entendu, à Fort William, se vanter qu'il allait prendre ce fort, le contredira.

La capture d'Owen Keveny prouve que le personnel de la Compagnie du Nord-Ouest n'a pas perdu sa combativité. Colin Robertson, qui languit à la baie d'Hudson, rédige à l'adresse de Colvile des lettres alarmantes : la brutalité de nos gens à l'égard des indigènes a poussé « dans les bras des Canadiens » à Cumberland soixante des meilleurs chasseurs, qui fournissent cinquante ballots d'excellentes fourrures par an. John Stewart McFarlene, qui commandant le poste de Point Creek sur la Saskatchewan pour la Compagnie de la Baie d'Hudson, a retenu Peter Skene Ogden prisonnier l'année dernière, est maintenant stationné à Fort Wedderburn et prend part active à la lutte contre la Compagnie du Nord-Ouest. Celle-ci réussit à l'arrêter et l'interne au Fort Chippewean pendant deux jours, en octobre 1816. Dans la région de la rivière Rouge, Archibald Norman McLeod et Alexander Macdonell exhortent les Métis à ne jamais permettre le retour des « Anglais » ; Séraphin Lamarre, avec des escouades de Canadiens et de Métis, harcèle les établissements de la Compagnie de la Baie d'Hudson.

À Montréal, William McGillivray, déçu par la malchance de sa flottille, prépare d'autres ripostes. Et d'abord, Selkirk a commis l'imprudence de saisir deux postes de la Southwest Company, dont la Compagnie du Nord-Ouest partage la propriété avec John Jacob Astor, et de faire arrêter James Grant, agent de cette Compagnie à Fond-du-Lac — en territoire américain. Les marchandises marquées S.W.C. sont transportées à Fort William, et James Grant est conduit à York pour jugement. L'arrestation est illégale, et Grant, relâché aussitôt qu'arrivé, informe McGillivray, qui alerte John Jacob Astor : le gouvernement américain ne tolérera pas sans réagir pareil procédé sur son territoire. McGillivray a aussi obtenu des mandats d'arrestation.

La bataille judiciaire s'engage aussi. Les associés de la Compagnie du Nord-Ouest : William McGillivray, Simon McGillivray, Archibald Norman McLeod, Thomas Thain, John McTavish, Henry McKenzie, Daniel McKenzie, John McDonald, John Macdonell, Alexander W. Dougall, Alexander Fraser, Aeneas Cameron, Duncan Cameron, James Hughes, Hugh McGillis, John McGillivray, James McKenzie, Simon Fraser, David Thompson, John Duncan Campbell, John Thompson, Archibald McLellan, Ronald Cameron, Robert Henry, Alexander Stewart, John Dougald Cameron, John Stuart, George Keith, Angus Bethune, sir Alexander Mackenzie, John Inglis, Edward Ellice, John Bellingham Inglis, Thomas Forsyth, John Richardson, John Forsyth, John Mure, Pierre de Rocheblave, John McDonald, James Leith et John Aldane, demandent au juge

François Baby, de Sandwich — localité la plus voisine de Fort William — d'ordonner la restitution de leur fort.

William McGillivray a obtenu d'autre part des mandats d'arrestation contre lord Selkirk, le capitaine Matthey et quelques autres. Robert Mac Robb, chargé d'exécuter ces mandats, part de Montréal le 4 octobre. Le constable Robinson, venu de York, le rejoint au Sault-Sainte-Marie. Mac Robb et Robinson n'ont pas, avec la douzaine d'hommes qui constituent l'équipage de leur canot, la force voulue pour triompher d'une résistance. Mais ils ne manquent pas d'aplomb.

À Sandwich, le jury, comprenant une majorité de Canadiens et de Métis, rend un verdict favorable (19 octobre 1816). Les juges François Baby, Jean-Baptiste Baby et George Jacob émettent un bref de restitution. Le fort et ses dépendances doivent être rendus à leurs légitimes propriétaires, dans l'état où ils se trouvaient avant l'intrusion du 14 août.

À Fort William, pendant ce temps, Robert Mac Robb et son constable sont mis en présence du capitaine Matthey qui leur ordonne, au nom de lord Selkirk, de déguerpir. Toutefois, comme le soir tombe et qu'une tempête s'est déclarée, il leur permet de passer la nuit dans une « maison d'été » sans feu. Robinson répond qu'il ne sortira que par la force et que Matthey, « légalement prisonnier », n'a pas d'ordre à donner. Matthey sort de la pièce ; il y revient avec sept Meurons en uniforme, baïonnette au canon. Il fait garder Mac Robb et Robinson pendant deux jours et les renvoie[3].

Le shérif ordonne la réarrestation de lord Douglas Selkirk, Frederick Matthey et John Allan, qui, en état légal d'arrestation, se sont « évadés ».

La polémique de presse se poursuit en même temps. Mercator, dans le *Herald,* s'en prend à Miles Macdonell. Il signale aussi que Selkirk et ses amis ne peuvent, comme ils le prétendent, présenter la prise de Fort William comme une représaille de l'affaire des Sept-Chênes, car ils avaient commencé leurs préparatifs avant que cette affaire ne fût connue à Montréal et même à Fort William.

* * *

Selkirk hiverne à Fort William. Mais il ne s'endort pas. Il sait qu'il peut compter sur Miles Macdonell, à défaut de Colin Robert-

---

3. Le témoignage de Robert Mac Robb, sous serment (Archives de la province de Québec à Montréal. Dossier : Compagnie du Nord-Ouest).

son, qui ronge son frein à la baie d'Hudson. Il attend anxieusement les dépêches de ces deux collaborateurs.

Miles Macdonell et le capitaine d'Orsonnens, au lac La Pluie, se mettent en route le 10 décembre avec trente-huit soldats et deux canons. Leur guide est un Américain, capturé tout jeune par les Indiens et resté dans la région, où il s'est adapté à la vie sauvage. L'expédition arrive aux « Fourches » le 10 janvier 1817. Elle prend par surprise, en escaladant les palissades à l'aide d'échelles, le fort Douglas, beaucoup moins défendu qu'elle n'avait prévu. Il semble décidément qu'un peu d'audace suffise pour emporter les « forts » de la Compagnie du Nord-Ouest. Miles Macdonell retient prisonnier Archibald McLellan, l'un des inspirateurs présumés du meurtre d'Owen Keveny. Il attaque et pille ensuite le fort du Bas de la Rivière. Jean-Baptiste Lagimodière reprend son service comme chasseur et courrier de la colonie, confondue avec la Compagnie de la Baie d'Hudson.

Le sort de la guerre est tout contraire dans le district d'Athabasca. Les Nor'Westers, résolus à venger la prise de Fort William et sans doute à s'assurer, eux aussi, des gages, balaient les postes de leurs adversaires au lac Athabasca, à l'île à la Crosse, au lac des Prairies et au lac Vert. Benjamin Frobisher, qui est un homme de valeur, mais de tempérament violent, conduit l'opération, en défiant et narguant les « Anglais », à l'île à la Crosse, où les deux postes ne sont distants que d'un quart de mille. Il y capture vingt hommes, plus de cent vingt femmes et enfants et d'innombrables chiens. Il s'empare aussi du poste de la Compagnie de la Baie d'Hudson au lac du Caribou (Reindeer). Simon McGillivray, le fils métis du grand patron, prêt à tout pour la Compagnie du Nord-Ouest, prend part active à cette campagne. Les Nor'Westers arrêtent John Clarke, d'autant plus vexé qu'il est vaniteux, et l'emmènent captif de poste en poste jusqu'à la rivière La Paix. Quarante-neuf employés de la Compagnie de la Baie d'Hudson, emmenés au Fort Chippewean, y signent, après avoir prêté serment, la promesse de ne pas servir dans le district d'Athabasca pendant deux ans. Cette année encore, François Decoigne, au Petit lac des Esclaves, est le seul commis de la Compagnie de la Baie d'Hudson qui se tire d'affaires dans ce district.

La Compagnie de la Baie d'Hudson, par le truchement de lord Selkirk, de son agent Miles Macdonell et de son peloton de Meurons, contrôle tous les postes, y compris ceux de la Compagnie du Nord-Ouest, entre Fort William et la rivière Rouge. Elle retient un gros stock de fourrures de la Compagnie du Nord-Ouest à Fort

William. Elle se croit en chemin, sinon tout à fait sur le point, de ruiner sa rivale. Mais la Compagnie du Nord-Ouest domine le district d'Athabasca, et le double district de la Nouvelle-Calédonie et de la Colombie à l'ouest des Rocheuses ne lui est même pas disputé. La Compagnie de la Baie d'Hudson détient Archibald McLellan ; la Compagnie du Nord-Ouest détient John Clarke.

* * *

Lord Selkirk écorne sérieusement sa fortune personnelle. La Compagnie de la Baie d'Hudson, entraînée à d'énormes dépenses, doit augmenter ses emprunts à la Banque d'Angleterre. Colin Robertson, enthousiasmé par la prise de Fort William, y voit le signe que Selkirk, à défaut de toute la Compagnie de la Baie d'Hudson, suit enfin son conseil de frapper dur. Il refuse d'admettre que les échecs de John Clarke dans le district d'Athabasca infirment la justesse de ses plans. Mais les dirigeants de la Compagnie, plus objectifs, peuvent considérer l'argent dépensé sur ses conseils comme perdu. Et tout le monde, à York Factory ainsi que rue Fenchurch à Londres, n'approuve pas le système de représailles brutales, qui fournit à la Compagnie du Nord-Ouest « une excuse pour tous ses outrages » et donne au gouvernement et au public « l'impression que les deux parties sont également coupables ».

La Compagnie du Nord-Ouest, ses fourrures saisies à Fort William et donc sa vente de cette année manquée, est plus embarrassée encore. Ses fournisseurs réclament paiement. William McGillivray demande l'aide de son ami et ennemi, associé et concurrent Astor, administrateur de banques.

Mais le gouverneur Sherbrooke et le gouvernement britannique même se sont alarmés. Un soulèvement des Indiens, notoirement favorables à la Compagnie du Nord-Ouest et hostiles à la Compagnie de la Baie d'Hudson, déclencherait un drame d'envergure. Sherbrooke a retiré leurs commissions aux officiers de milice et aux majors et capitaines des Sauvages impliqués dans toutes ces bagarres. Ce qui frappe Pierre de Rocheblave, Séraphin Lamarre et d'une manière générale du personnel de la Compagnie du Nord-Ouest, plutôt que du personnel de la Compagnie de la Baie d'Hudson. Le gouverneur nomme aussi une commission d'enquête, comme William McGillivray, par l'intermédiaire de John Richardson, l'a demandé il y a déjà quelque temps.

Sherbrooke constate tout de suite la difficulté de trouver deux personnes impartiales à Montréal, où tout le monde, autant dire, prend parti pour la Compagnie du Nord-Ouest. Il désigne deux

Québécois, le négociant William Bachelor Coltman, membre du Conseil exécutif du Bas-Canada, promu lieutenant-colonel à cette occasion, et John Fletcher, magistrat de police, promu major. Coltman est un petit homme grassouillet et jovial, de bonne éducation, de commerce agréable et de tempérament conciliant. Mais il est le collègue de John Richardson au Conseil exécutif et entretient, comme tout le monde de cordiales relations avec plusieurs Bourgeois de la Compagnie du Nord-Ouest. Les amis de Selkirk, groupés autour de sa femme, se méfient un peu de Coltman et beaucoup de Fletcher, qui passe à leurs yeux pour préjugé.

Les deux commissaires devront faire enquête et rapport. Ils commencent à York, où les témoignages, en écrasante proportion, sont hostiles à Selkirk : on imagine celui du pasteur Strachan ! Puis ils rentrent à Montréal, en attendant la saison propice au voyage vers les lieux des crimes.

Les dirigeants de la Compagnie du Nord-Ouest ont parfois l'impression que la Compagnie de la Baie d'Hudson persévère dans le district d'Athabasca, où elle n'éprouve que des déboires, où elle n'a pas sérieusement pris pied, pour conserver une monnaie d'échange au cours d'éventuelles négociations. Edward Ellice et Simon McGillivray, à Londres, approchent de nouveau la Compagnie de la Baie d'Hudson, avec une offre de restitution mutuelle. Ils ne sont même pas reçus. La Compagnie de la Baie d'Hudson répond qu'elle n'a rien à rendre, n'ayant pris aucun bien qui ne lui appartenait pas, et qu'elle s'en remet à la justice. Colvile, qui a dû influencer cette décision, en fait part à sa sœur. John Halkett, autre beau-frère de Selkirk, publie à Londres un pamphlet : *Statement concerning the Earl of Selkirk Settlement... its destruction in the years 1815 and 1816 and the massacre of Governor Semple and his party.* La concorde entre les deux compagnies ferait pourtant bien l'affaire du gouvernement britannique, dont l'idéal, qui est celui de presque tous les gouvernements du monde, peut se résumer par la formule : « Pas d'histoires ! »

Les « histoires », hélas, pullulent. Lord Bathurst, secrétaire des Colonies, apprenant la prise de Fort William *manu militari* par lord Selkirk, ordonne au gouverneur général du Canada d'émettre, au nom du prince régent, une proclamation exigeant des deux compagnies la restitution réciproque de leurs biens. Cette dépêche est du 6 février 1817. Le surlendemain, Edward Ellice, agent de la Compagnie du Nord-Ouest à Londres, informe le ministre que lord Selkirk refuse d'obéir à un mandat d'arrestation. Lord Bathurst ordonne au gouverneur Sherbrooke de procéder à l'arrestation de Selkirk, s'il

existe des raisons suffisantes, par la force s'il le faut : « Le gouvernement veut assurer le respect de la loi par tous. »

Mercator, reprenant en février 1817 sa série d'articles interrom-
pue, traite de la vente frauduleuse de Fort William, extorquée à Daniel McKenzie par des procédés malhonnêtes. Samuel Gale, l'avocat
de Selkirk, s'arrache les cheveux devant l'illégalité de cette évidente,
de cette indéfendable extorsion, que Daniel McKenzie renie en annonçant des poursuites judiciaires. Colin Robertson, bloqué à Moose
Factory pour l'hiver, s'y dispute avec les employés « de la vieille école » qui parlent d'économies, sacrifieraient la colonie de la rivière
Rouge, renonceraient peut-être même au district d'Athabasca. Il se
bat avec le chef du poste. C'est dire que les vicissitudes ne l'ont pas
changé d'un trait. Il écrit à Selkirk en le mettant en garde contre
tout compromis avec les « bandits » de la Compagnie du Nord-
Ouest. Mais lady Selkirk, qui est pourtant une femme résolue, s'effraie, et conseille la prudence à son mari. Lady Selkirk confie sa dépêche à Jean-Baptiste de Lorimier, qui a conduit William McGillivray et ses compagnons prisonniers à Montréal et qui a bien failli se
noyer avec plusieurs d'entre eux.

On comprend les appréhensions de lady Selkirk, comme on
comprend la prudence de Mgr Plessis devant la requête pour l'envoi
de missionnaires à la rivière Rouge. Lord Selkirk, fort de ses succès
et des armes de ses Meurons, ne doute pas que Miles Macdonell ré-
tablisse sa colonie. Le lieutenant-colonel Georges Fleury d'Eschambault, qui s'est distingué pendant la guerre de 1812 et qui est devenu
l'un de ses rares amis à Montréal, appuie la requête, toujours pen-
dante à l'évêché de Québec. Mgr Plessis lui répond (23 janvier
1817) :

> Je suis parfaitement disposé à procurer à la rivière Rouge toute
> l'assistance spirituelle qui dépendra de moi, aussitôt que les trou-
> bles qui divisent actuellement les deux sociétés laisseront quelque
> espoir de le faire avec fruit. Ce n'est pas un, mais deux mission-
> naires qui y seront envoyés. Mes mesures sont prises à cet effet.
> Les événements décideront du temps où il faudra les faire partir.

58

Rétablissement de la Compagnie du Nord-Ouest

Récupération des postes de la Compagnie du Nord-Ouest — Proclamation du prince-régent — Mission Coltman-Fletcher.

Le sous-shérif William Smith, accompagné par John Duncan Campbell, associé de la Compagnie du Nord-Ouest, part du Sault-Sainte-Marie pour signifier à lord Selkirk, à Fort William, le bref de restitution émis par trois juges, à Sandwich, conformément au verdict d'un jury.

William Smith et John Duncan Campbell arrivent à Fort William le 14 mars 1817. Lord Selkirk est absent. Le sous-shérif demande restitution au capitaine Matthey, qui commande au fort. L'officier répond qu'il ne peut rien faire avant le retour, sans doute prochain, de lord Selkirk. Le sous-shérif lui remet sa sommation. Il en remet copie à un sergent du 37e Régiment, qui semble commander en second.

Lord Selkirk arrive au coucher du soleil. Il affirme à William Smith que la nomination d'une commission d'enquête a fait tomber les pouvoirs des shérifs.

William Smith néglige cette objection et déclare lord Selkirk en état d'arrestation.

— Vous n'en avez plus le droit, tranche Selkirk ; vous n'êtes plus qu'une personne privée.

Et il le prie de sortir. Smith refuse, Selkirk le prend par le bras et l'expulse. Il le fait escorter par le sergent et ses hommes. Smith ne se démonte pas. Il enjoint aux militaires de l'aider à remplir son mandat. Un soldat, en guise de réponse, charge son arme. Smith se retire. Des Meurons l'emmènent et le gardent prisonnier dans une chambre[1]. Campbell subit le même sort dans une autre chambre.

Lord Selkirk prépare son voyage à la rivière Rouge, pour le rétablissement solennel et définitif de la colonie. Miles Macdonell, en l'attendant, prépare une offensive générale pour le « nettoyage » du district. Il écrit à Selkirk, le 6 mars 1817 : « Nous aurons toujours du trouble tant que l'ennemi ne sera pas dépossédé de ses postes à La Souris et à Qu'appelle. »

Selkirk part le 10 mai avec Matthey et ses Meurons, ce qui libère William Smith et John Duncan Campbell.

William McGillivray a monté, avec Pierre de Rocheblave, une autre expédition, qu'il conduit lui-même, pour la reprise de Fort William. Il y arrive avec six canots le 27 mai. Selkirk est parti en laissant instructions de ne remettre les bâtiments et leur contenu à personne d'autre que les commissaires nommés par le gouvernement. Il n'y a plus au fort qu'une poignée de Meurons. McGillivray reprend possession ; à la porte de sa chambre est clouée une pancarte : « Chambre de McGillivray devenue la chambre de Sa Seigneurie. » Il reprend possession, mais il constate une situation pénible : Selkirk a réquisitionné les vivres pour son propre personnel, et n'a laissé au personnel de la Compagnie du Nord-Ouest ni armes ni munitions pour chasser. McGillivray fait afficher un avis offrant cinquante livres pour la capture de lord Selkirk.

* * *

Le gouverneur Sherbrooke émet, « au nom du prince régent », la proclamation demandée par le gouvernement de Londres (3 mai 1817). La proclamation exige des deux compagnies la cessation immédiate des hostilités et la restitution réciproque de leurs biens. Une impressionnante brigade de la Compagnie de la Baie d'Hudson, commandée par Jean-Baptiste Lemoine, traiteur expérimenté que la Compagnie vient d'engager, est en instance de départ à Lachine, à destination du Fort aux Brochets, débaptisé Norway House depuis que la Compagnie a fait frayer par une équipe de Norvégiens le chemin le reliant à York Factory. Elle comprend un grand canot, douze canots du Nord, trois commis, soixante et un engagés hivernants et quinze engagés pour la saison d'été. Elle doit rejoindre en route une autre brigade, commandée par Jacques Chastellain et surtout chargée de tabac. Les autorités retardent son départ de trois jours, pour lui donner lecture de la proclamation.

---

1. Le compte rendu de William Smith, aux Archives de la Province de Québec à Montréal.

Le gouverneur charge William Shaw, commis métis de la Compagnie du Nord-Ouest — classé par Robertson parmi les responsables de la destruction de la colonie de la rivière Rouge —, de transmettre la proclamation à Fort William. Shaw arrive au début de juin, pour constater que le fort et ses dépendances sont déjà repris, sinon restitués. Accompagné du sous-shérif Smith, il se rend au lac Winnipeg par voie d'eau. On ne résiste pas à une proclamation royale, sous peine de se trouver en état de rébellion. Shaw et Smith font restituer les postes du lac La Pluie et de la rivière Winnipeg. Mais Miles Macdonell et le capitaine d'Orsonnens ont emporté les provisions et les marchandises de traite. Smith, en représaille ou en compensation de ce prélèvement et de la saisie de fourrures à Fort William, saisit quarante ballots de fourrures au poste de la Compagnie de la Baie d'Hudson à la rivière Winnipeg. Puis il part pour la rivière Rouge. À Fort Douglas, Miles Macdonell, toujours en représaille, le met en geôle.

George Keith écrit du Fort Chippewean à Roderick McKenzie, dont il est un des plus fidèles correspondants (25 mai 1817) :

> Je vous ai écrit du lac La Pluie et aussi de Fort William l'été dernier, mais je suis persuadé que mes lettres n'ont pas échappé aux griffes rapaces du comte. Je ne rêvais pas alors d'une si perfide scélératesse. J'espère cependant que notre tour viendra et que nous ferons amèrement regretter son infamie à Sa Seigneurie (Comme ce titre est parfois prostitué !). Cette pensée nous aide à supporter nos lourdes pertes financières. Nous sommes principalement et profondément affectés par la perte de notre distingué ami M. Kenneth McKenzie. Aucune considération ne saurait effacer cette perte.
>
> Sa Seigneurie aura beaucoup à répondre dans ce monde et dans l'autre. S'il échappe impunément dans ce monde comme il le semble, il devrait penser à l'autre...
>
> Nous sommes anxieux d'apprendre le résultat des affaires à Fort William et ailleurs dans l'intérieur ainsi qu'à Montréal, car ce brigand semble avoir jeté le fourreau après avoir dégainé l'épée.

En fait, la Compagnie du Nord-Ouest a repris possession de ses principaux dépôts. La route entre le lac Supérieur et le district d'Athabasca est rouverte. La presse et l'opinion canadiennes sont aussi sévères que George Keith pour les illégalités de lord Selkirk. Le pasteur Strachan, dans ses lettres aux journaux, traite le lord en vil spéculateur, exploitant les colons auxquels il vend les terres à prix exorbitant. Tout de même, l'orgueilleuse Compagnie du Nord-Ouest a chancelé ; elle ne paraît plus invincible ; et son prestige, naguère si rayonnant, est terni.

*   *   *

Les commissaires Coltman et Fletcher partent de Montréal avec une escorte militaire, en mai 1817, pour exécuter leur mission à la rivière Rouge. Barthélémi Joliette, notaire à l'Assomption, qui s'est distingué comme officier pendant les campagnes de 1812 et 1813, est secrétaire de la Commission. Coltman et Fletcher ne sont pas de simples enquêteurs, car ils reçoivent des pouvoirs étendus. Ils exigeront l'obéissance à la proclamation du prince régent, c'est-à-dire qu'ils veilleront essentiellement à la restitution mutuelle des biens saisis. Les parties pourront se pourvoir ensuite devant les tribunaux. Les commissaires feront arrêter les présumés coupables et les enverront au Canada pour jugement. Ils prendront « toutes les mesures légales nécessaires pour prévenir la répétition de ces désordres ». Officiers et soldats devront quitter le service des compagnies.

Fletcher ne peut quitter Fort William cet été, car Selkirk a emmené tous les canots. Mais Coltman arrive à la rivière Rouge avec une petite brigade le 5 juillet.

Lord Selkirk s'y trouve déjà. Il a pris, en aussi grand apparat que possible, possession solennelle du territoire. Il a rassemblé les Indiens du voisinage, qui sont des Sauteux, pour leur faire reconnaître ses droits en échange d'une « rente » de cent livres de bon tabac, qui leur sera livrée au plus tard le 10 octobre de chaque année. Selkirk et les chefs indiens signent leur contrat. Louis Nolin, servant d'interprète, contresigne comme témoin. Selkirk réorganise sa colonie. Il distribue des terres dont une, sur la rive Est de la rivière Rouge, à Jean-Baptiste Lagimodière, et d'autres aux Meurons disposés à se fixer. Les Meurons protégeront l'établissement, mais les colons les trouvent paresseux, buveurs et querelleurs. Norway House doit servir de dépôt sur le lac Winnipeg ; mais le personnel de la Compagnie de la Baie d'Hudson s'accorde mal avec les Norvégiens qui auraient été, à leur départ d'Europe, plus ou moins en difficultés avec la justice de leur pays.

Selkirk reçoit bien le commissaire Coltman, le loge au fort, l'assure de ses intentions pacifiques et relate tous les actes de violence imputés à ses adversaires. Il remet au commissaire, comme pièces à conviction, les dépêches qu'il a envoyées à Colin Robertson, que des Indiens ont arrachées à Lagimodière et qu'il a trouvées à Fort William.

Selkirk engage même Colin Robertson à descendre de la baie d'Hudson, pour témoigner et pour se placer sous la protection du commissaire. Robertson s'y refuse. D'abord parce qu'il se méfie, comme tout le monde à la Compagnie de la Baie d'Hudson, un peu de Coltman et beaucoup de Fletcher, ensuite parce qu'il descend à Montréal où, sur plainte de la Compagnie du Nord-Ouest, il doit répondre à des accusations criminelles.

Archibald Norman McLeod et Alexander Macdonell reçoivent aussi bien Coltman, qu'ils connaissent de longue date. Les deux Bourgeois, à la tête d'une troupe armée, s'apprêtaient à la reconquête du Fort Douglas. Le commissaire les en dissuade. Il considère le rétablissement de la paix comme le but essentiel de sa mission. Il désire arranger plutôt qu'envenimer les choses. Il s'installe à mi-chemin des deux camps, remet à tous copie de la proclamation du prince régent, reçoit et enregistre des témoignages contradictoires. Il reconstitue sur les lieux les positions occupées par les combattants des Sept-Chênes et mesure les distances qui les séparaient, ce que Robertson ridiculisera dans sa correspondance. La conclusion de l'enquête, d'après Robertson est arrêtée d'avance.

Coltman, partageant le blâme, demande et obtient la restitution mutuelle exigée par la proclamation. Pareille décision, équitable en soi, avantage la Compagnie de la Baie d'Hudson dans le district d'Athabasca et la Compagnie du Nord-Ouest à la rivière Rouge. Lord Selkirk la discute. Il veut que la Compagnie du Nord-Ouest commence, en restituant les fourrures et les provisions prises dans le district d'Athabasca et les biens pris aux colons à la rivière Rouge. Quant aux biens de la Compagnie du Nord-Ouest à Fort William, il n'a rien pris : il a tout acheté, par contrat avec Daniel McKenzie, associé de la Compagnie du Nord-Ouest, à des conditions bien stipulées, devant plusieurs témoins qui ont contresigné. Mais Coltman, tout amène qu'il veuille être et qu'il soit, ne peut céder et ne cède pas sur ce point, clef de la proclamation qu'il est chargé d'exécuter. Les associés de la Compagnie du Nord-Ouest signent un document ordonnant à tous leurs postes la restitution des biens de la Compagnie de la Baie d'Hudson ou de lord Selkirk en leur possession.

La navigation est libérée sur les voies d'eau qui avaient été bloquées. Le commissaire Coltman autorise la Compagnie du Nord-Ouest à rétablir le Fort Gibraltar, malgré les protestations de Selkirk, aux yeux de qui ce fort, « qui a servi de base aux Métis pour leurs déprédations », est une menace pour la colonie.

Il y a aussi des mandats à exécuter. Et chacune des compagnies a visé son adversaire à la tête.

Lord Selkirk presse Coltman d'arrêter Archibald Norman McLeod, associé de la firme McTavish, McGillivrays and Company et qui apparaît, après William McGillivray, comme le premier des

Bourgeois, et Alexander Macdonell, le plus vigoureux, le plus opiniâtre et le plus heureux des adversaires de la Compagnie de la Baie d'Hudson dans le district de la rivière Rouge. Coltman se décide trop tard : Archibald Norman McLeod est parti pour Fort William et Alexander Macdonell pour le district d'Athabasca. Le commissaire envoie le mandat concernant McLeod à son collègue Fletcher, à Fort William, pour exécution. Un autre mandat, également pris à la requête de la Compagnie de la Baie d'Hudson, vise Cuthbert Grant pour sa responsabilité dans l'affaire des Sept-Chênes. Cuthbert Grant, qui a échappé à lord Selkirk à Fort William, se laisse appréhender par le représentant du gouvernement. Coltman le conduira dans son propre canot à Montréal.

La Compagnie du Nord-Ouest entend, elle aussi, frapper au sommet. Un mandat pris à sa requête vise lord Selkirk et son « complice » le Dr Allan. Selkirk et Allan sont mis en état d'arrestation, mais laissés libres sous les fortes cautions de 6000 livres pour l'un et 3000 livres pour l'autre.

Coltman entreprend son voyage de retour avec le prisonnier Cuthbert Grant, en septembre 1817.

Les Meurons, soldats mercenaires qui ont bourlingué à travers l'Europe sous divers drapeaux, n'ont pas des dispositions de sédentaires, écraseurs de glèbes. La plupart décident de rentrer au Canada, mais quelques-uns restent. Selkirk trace avec eux une sorte de plan d'urbanisme. Puis il rentre aussi, en faisant un détour par les États-Unis pour éviter Fort William et les postes de la Compagnie du Nord-Ouest. Le capitaine Matthey l'accompagne jusqu'à la frontière et poursuit son chemin par la voie normale. Mais Frederick Damien Heurter, ex-sergent au régiment de Meuron, engagé par la Compagnie du Nord-Ouest et venu à la rivière Rouge avec Archibald Norman McLeod, passe au service de Selkirk, où ses anciens camarades sont beaucoup plus nombreux, et accompagne son nouveau chef dans tout son voyage.

Selkirk doit passer par la Prairie-du-Chien, sur le territoire des Sioux, ennemis jurés des Sauteux avec lesquels il vient de traiter. L'entreprise, pour cette raison, est hasardeuse. Selkirk achète son droit de passage en comblant les Sioux de présents.

59

La guerre se transporte devant les tribunaux

Une cascade de procès — La cause de Selkirk impopulaire à Montréal — Démarche de Selkirk à Washington — Transaction commerciale avec John Jacob Astor.

Lord Selkirk, Miles Macdonell et les officiers de Meurons sont convoqués à York, sous accusation criminelle. William McGillivray et ses compagnons le sont aussi, de leur côté. Car la lutte, transformée en une cascade de procès, se transporte devant les tribunaux. Selkirk évalue à 60 000 livres les dommages subis par sa colonie. McGillivray évalue à 100 000 livres les fourrures saisies par Selkirk à Fort William.

John Halkett publie à Londres une réédition de son pamphlet *Statement respecting the Earl of Selkirk Settlement...*, augmenté de commentaires « sur une publication récente intitulée *A Narrative of occurences in the Indian Countries*. La question est de la plus haute importance, insiste Halkett.

> Il s'agit de savoir si de vastes et fertiles régions de l'Amérique britannique peuvent être ouvertes à la société civilisée, ou si des sujets britanniques dont la proportion augmente dans leur pays et qui, pour cette raison ou une autre, sont conduits à émigrer dans une autre partie de nos possessions, sont totalement privés de la protection de la mère-patrie et exclus du bénéfice des lois britanniques.

La Compagnie du Nord-Ouest, affirme Halkett, a conçu, à son assemblée générale de l'été 1814, un plan d'anéantissement de la colonie de la rivière Rouge. Elle en a confié l'exécution à Duncan Cameron, « pleinement qualifié pour ce rôle », avec Alexander Macdonell et Séraphin Lamarre pour auxiliaires. John Halkett harcèle en même temps lord Bathurst de lettres donnant la version de la Compagnie de la Baie d'Hudson et demandant l'intervention gouverne-

Maison MacTavish, érigée à la fin du XVIIIe siècle, rue Saint-Jean- Baptiste, à Montréal.

(Photo Armour Landry, tirée des « Vieux manoirs et vieilles maisons ».)

mentale en sa faveur. Le ministre maintient la détermination de s'en remettre aux tribunaux.

Le mandat émis par Coltman contre Archibald Norman McLeod et envoyé à Fletcher, à Fort William, est arrivé trop tard : McLeod était parti pour Montréal et de là pour l'Angleterre. Duncan Cameron et Jean-Baptiste Branconier ont été remis en liberté, faute de plainte formelle, dès leur arrivée en Angleterre. Cameron rentre au Canada. Branconier, moins heureux, se flétrit encore quelque temps au pays des brouillards.

William McGillivray et plusieurs de ses collègues doivent être jugés à York. Selkirk aussi. La Compagnie de la Baie d'Hudson a fait venir dans le Haut-Canada l'interprète Joseph Saint-Germain, ancien commis de la Compagnie du Nord-Ouest, et des Indiens à qui l'on veut faire témoigner que la Compagnie du Nord-Ouest les a incités à la guerre contre les colons. Charles de Reinhard, Archibald McLellan, Cuthbert Grant et Joseph Cadotte sont mis en accusation pour le meurtre d'Owen Keveny, à la Cour du Banc du Roi à Montréal. Colin Robertson et John Palmer Bourke doivent répondre devant la même Cour. Le sous-shérif Smith poursuit lord Selkirk, qui l'a retenu prisonnier à Fort Douglas, alors qu'il exerçait ses fonctions.

Le commissaire Coltman a conduit Cuthbert Grant dans son canot. Paul-J. Lacroix, traiteur indépendant sympathique à lord Selkirk, et John McLeod, qui fut un des lieutenants de Miles Macdonell et de Colin Robertson à la rivière Rouge, faisant office de constables, arrivent le 28 octobre à Montréal, où ils conduisent trois prisonniers : Archibald McLellan, Séraphin Lamarre et John Pangman. La Compagnie de la Baie d'Hudson a fait appréhender un autre groupe de Canadiens et de Métis chargés de responsabilités dans l'affaire des Sept-Chênes, mais la plupart de ces prisonniers se sont évanouis dans la nature, en cours de route, et Paul Brown et Firmin Boucher restent seuls pris. Daniel McKenzie poursuit lord Selkirk qui lui a soutiré un contrat frauduleux et l'a séquestré dans des conditions préjudiciables à sa santé.

*   *   *

Colin Robertson est arrivé à Montréal dès la fin d'août, en utilisant des ruses de Sioux, surtout aux approches de la ville, pour ne pas être reconnu par ses ennemis. Son avocat est James Stuart, associé de Samuel Gale et la plus brillante réputation du barreau, dont la dialectique étourdissante a décontenancé plus d'un juge. James

Stuart est député de Montréal. Il est, presqu'à l'égal de Papineau, l'une des grandes vedettes du parti réformiste. Il a été solliciteur général. Le poste de procureur général devenu vacant, il s'attendait à une promotion. Au lieu de quoi, il a perdu ses hautes fonctions, au profit du frère du juge en chef Jonathan Sewell, lui-même personnalité de tout premier plan, tory renforcé. James Stuart poursuit Jonathan Sewell d'une haine inexpiable, et leur querelle retentit jusqu'à Londres. Tout ce que James Stuart touche est ainsi doublement retentissant, par son talent et par son rôle politique.

Stuart commence par obtenir la liberté sous caution de son client. Thomas Thain, l'un des membres de la firme McTavish, McGillivrays and Company, première personne qui rencontre Colin Robertson dans les rues de Montréal, écarquille les yeux comme il ferait devant un fantôme. Colin Robertson voit au poste de police, pour la première fois, les lettres que lord Selkirk lui a envoyées par Lagimodière, en avril 1816, et qui lui ordonnaient l'arrestation de Duncan Cameron, d'Alexander Macdonell et de quelques autres.

James Stuart, avocat de Colin Robertson, c'est-à-dire, à peine indirectement, de lord Selkirk : la Compagnie du Nord-Ouest peut s'attendre à une grêle de coups. Le *Current* publie une liste de vingt-neuf accusations portées contre la Compagnie de la Baie d'Hudson et de cent cinquante accusations portées contre la Compagnie du Nord-Ouest.

Le juge Thomas McCord a déjà interrogé John Palmer Bourke, envoyé à Montréal par la Compagnie du Nord-Ouest quelques jours avant la prise de Fort William par lord Selkirk. Le juge en chef James Monk et les juges Isaac Ogden et James Reid doivent s'occuper de l'affaire Robertson. Mais les juges Ogden et Reid se récusent : Ogden a son fils hivernant de la Compagnie du Nord-Ouest, aspirant même au titre d'associé ; Reid est beau-frère de William McGillivray. Monk décide qu'un seul juge ne peut siéger dans cette affaire.

Robertson, son procès retardé, constate l'animosité générale de l'opinion et de la presse. Il s'entend quotidiennement reprocher l'attitude de lord Selkirk, dont les plus modérés observent qu'il pourrait employer son influence et ses talents « à de meilleures fins qu'à poursuivre la ruine d'une compagnie montréalaise aussi entreprenante ». Les Bourgeois, même si la prise de Fort William a un moment obscurci leur éclat, comptent encore parmi les tout premiers personnages de Montréal. William McGillivray et le juge James Reid, à titre d'exécuteurs testamentaires de Simon McTavish, ont vendu la seigneurie de Terrebonne à Roderick McKenzie, pour

28 400 livres, le 28 février. John Richardson est conseiller exécutif, donc très près du gouverneur. Et Roderick McKenzie entre au Conseil législatif le 10 mai, de sorte que trois Bourgeois : William McGillivray, John Richardson et Roderick McKenzie, siègent à la « Chambre haute ». Au Beaver Club, dont François-Antoine Larocque est le secrétaire cette année-là et qui a porté son effectif à cinquante-cinq membres, on ne parle plus d'autre chose que de la querelle des compagnies. Alexander Henry, qui a soixante-dix-huit ans et ne sort presque plus, fait exception pour ces réunions. William McGillivray y est très entouré, très encouragé. L'opinion courante, au Club, est que lord Selkirk cherche la ruine de la Compagnie du Nord-Ouest pour se tailler un monopole de fait. George Moffat n'ose plus s'y montrer. Partout, en société, les partisans de la Compagnie du Nord-Ouest et les partisans, beaucoup moins nombreux, de Selkirk se font grise mine ou même se disputent. Un maître de maison avisé ne les convie pas ensemble. Le gouverneur Sherbrooke a invité en même temps lady Selkirk et Angus Shaw, arrivé de l'Ouest en canot léger. Shaw a décrit l'état lamentable des colons de Selkirk, et Robertson en conçoit « des soupçons sur le sain jugement que nous pouvons attendre de ce gouverneur ». Robertson écrit à Colvile pour l'engager à obtenir, si possible, le transfert en Angleterre de toutes les causes pendantes (10 septembre 1817)[1].

* * *

Lord Selkirk, convoqué devant la Cour de Sandwich sous divers chefs d'accusation — depuis le « vol de fusils » à Fort William jusqu'à la détention du sous-shérif Smith à Fort Douglas, en passant par la résistance à un mandat d'arrestation — a prolongé son voyage aux États-Unis, avec un plan précis.

Il écrit de Baltimore à John Quincy Adams, secrétaire d'État à Washington, pour suggérer l'établissement de relations commerciales entre ses colons de la rivière Rouge et les groupements américains des territoires du Missouri et des Illinois (22 décembre 1817)[2]. Les colons de la rivière Rouge s'approvisionneraient plus facilement par la voie du Mississipi et du Minnesota qu'ils ne peuvent le faire au Canada ou en Europe. Selkirk fait ressortir l'avantage pour les Américains de ces régions éloignées des marchés :

> Dans les circonstances actuelles, il serait particulièrement désirable
> d'ouvrir ces relations sans retard, pour permettre à mes colons

---

1. La correspondance de Robertson de septembre 1817 à septembre 1822 a été publiée, avec une introduction de E.E. Rich, par la Champlain Society.

2. *Canadien Historical Review,* 1936.

d'obtenir le bétail et les moutons qui ont été détruits par les partisans sans foi ni loi de la Compagnie du Nord-Ouest...

Selkirk pousse jusqu'à Washington pour soutenir son plan. Il justifie ainsi le pasteur Strachan, qui a révoqué en doute son intention affichée d'établir dans l'Ouest une barrière à l'expansion américaine. Le pasteur, dans son pamphlet *A Letter to the Right Hon. the Earl of Selkirk,* prévoyait que, la route du Mississipi étant beaucoup plus facile pour elle que les routes aboutissant à Fort William ou à York Factory, la colonie de Selkirk trouverait ses fournisseurs et ses débouchés aux États-Unis. Le pasteur Strachan et Simon McGillivray, s'ils connaissaient la lettre de Selkirk au secrétaire d'État américain, y trouveraient une confirmation de leur soupçon, que Selkirk entreprenait une spéculation immobilière plutôt qu'une œuvre de patriotisme britannique.

Selkirk, par ce large crochet, se retarde. Il n'est pas arrivé à Sandwich, au jour dit, et le procès est ajourné. Le procès de William McGillivray et de ses coaccusés est ajourné du même coup.

À Montréal, dans l'affaire de Charles de Reinhard, Archibald McLellan, Cuthbert Grant et Joseph Cadotte, le grand jury trouve matière à procès. Les accusés sont gardés en prison, ainsi que le groupe de François Mainville, Jean-Baptiste Desmarais et Negamabines, plus connu sous le nom de Joseph fils de la Perdrix Blanche. D'après les lettres de Robertson, la prison où ces inculpés, « accusés de vol, incendie et meurtre », sont détenus est un lieu de villégiature, où ils reçoivent des visites, soupent en musique, donnent des bals et poussent l'effronterie jusqu'à réclamer une table de billard.

L'écheveau des procès est entré dans ce maquis de la procédure qui n'est pas une simple image de rhétorique.

Le commissaire Coltman, rentré au Canada, demande, pour guider son propre jugement, un rapport à chacune des parties : les agents de Selkirk, qui sont la firme d'avocats Stuart, Gale et O'Sullivan, et les agents de la Compagnie du Nord-Ouest.

Stuart, Gale et O'Sullivan rédigent un rapport essentiellement juridique, sur l'usage illégal de la force par la Compagnie du Nord-Ouest et les causes qui ont rendu impraticable, pour la Compagnie de la Baie d'Hudson, un appel à la loi.

William McGillivray envoie au commissaire un récit des événements, et souhaite que ce document soit communiqué au gouverneur général. McGillivray adopte l'interprétation de son frère Simon et du pasteur Strachan, interprétation courante au Beaver Club, qui attribue à lord Selkirk l'ambition d'édifier un monopole commercial sur les ruines de la Compagnie du Nord-Ouest. La fondation de la colonie de la rivière Rouge est partie intégrante de ce plan. L'affaire des Sept-Chênes a été, de la part de Semple, une agression téméraire et qui a mal tourné :

> Nous pouvons hardiment prédire que, plus l'enquête sera poursuivie, plus il apparaîtra que M. Semple et ceux qui ont péri avec lui sont tombés victimes de leur propre agression, illégale et irréfléchie.

McGillivray écrit au gouverneur lui-même pour demander la fixation d'une date de son procès. Le procureur général Norman Uniacke, personnage contesté et d'autant plus susceptible, est froissé, et le montre. McGillivray ne feutre pas sa réplique : « Les associés de la Compagnie du Nord-Ouest ont conscience que justice ne leur a pas été rendue », et la prétention du procureur général « de s'identifier avec le gouvernement de Sa Majesté » ne les empêchera pas de se plaindre.

* * *

Il n'y a pas seulement l'injustice morale, mais aussi la perte matérielle, à réparer. Une année de traite a été à demi manquée. Les dépôts de Fort William et du lac La Pluie, ravagés par Selkirk et ses Meurons, demandent un ravitaillement d'urgence en provisions et en marchandises. La Compagnie du Nord-Ouest a besoin d'argent liquide. La banque obstinément voulue par John Richardson ouvrira enfin ses portes, sous le nom de Banque de Montréal, le 13 novembre 1817, sans attendre sa charte, dans un immeuble qu'elle loue rue Saint-Paul. Le premier conseil d'administration comprend, sous la présidence de John Gray, qui a fait fortune dans la traite et vient de se retirer à la côte Sainte-Catherine (futur village d'Outremont), des hommes comme George Moffat et George Gardner, en relations avec Selkirk. La Banque de Montréal émet des billets payables sur le fonds social exclusivement. Mais le fâcheux souvenir de la monnaie de cartes persiste, et la méfiance devant les nouveaux billets ne se dissipera que peu à peu. La Banque de Montréal n'est pas encore à même d'assumer un financement d'envergure. William McGillivray, chef de la Compagnie du Nord-Ouest, lance un appel à John Jacob Astor, chef de l'American Fur Compagny.

Le Germano-Américain conserve l'habitude des voyages assez fréquents à Montréal. Il y visite toujours son vieil ami Alexander Henry et suppute les suites commerciales de l'immense querelle entre Selkirk, avec la Compagnie de la Baie d'Hudson derrière soi, et la Compagnie du Nord-Ouest. Mais il ne donne rien pour rien. Il achète à McTavish, McGillivrays and Company et à Forsyth, Richardson and Company leur part dans la South West Fur Company. Il achète à la Compagnie du Nord-Ouest, pour argent comptant mais à prix d'aubaine, les 40 000 peaux de martre normalement destinées au marché anglais. Ne le remerciez pas trop : sa bonne action se double, avoue-t-il, d'un calcul d'affaires : il veut éviter un effondrement des cours. Mais il écrit à un ami :

> J'ai racheté la part des Écossais à Montréal... Selkirk et ses compatriotes essaient mutuellement de se ruiner. Je leur souhaite du succès à tous, car je suis sûr qu'ils ne manquent pas d'envie de me ruiner. Comment leur lutte finira-t-elle, Dieu le sait...

* * *

Colin Robertson hait la Compagnie du Nord-Ouest, ce qui aiguise ses moyens d'information. Il apprend le marché conclu avec Astor, et l'écrit à Colvile dans une des fréquentes lettres par lesquelles il le pousse à l'intransigeance (23 septembre 1817) :

> ...La Compagnie du Nord-Ouest avait l'intention de détruire tous vos établissements au-delà du lac Winnipeg et de confiner vos employés à la Baie...

> Quelle aurait été la situation de vos affaires sans les énergiques mesures de lord Selkirk saisissant Fort William et reprenant possession de Fort Douglas, ouvrant ainsi la communication entre le lac Supérieur et Winnipeg et permettant, par ces heureux événements, l'entrée du commissaire en *homme libre,* où il a pu exercer son propre jugement et où toutes les catégories peuvent faire appel, ce qui est de la plus haute importance.

> J'aurais souhaité que le comte de Selkirk eût été laissé à lui-même ; il aurait bien rendu compte de McLeod, et les ballots de fourrures de ce monsieur auraient répondu de ses transactions dans l'Athabasca.

> Il n'y a pas de doute dans mon esprit qu'une décision judiciaire sera donnée en notre faveur, mais je crains qu'auparavant la loyale et patriotique Compagnie du Nord-Ouest ne s'abrite sous les ailes de l'aigle américain, pressée comme elle l'est par le besoin de fonds, au point d'avoir vendu à Astor, il y a quelque temps, pour trente mille livres d'argent comptant, des fourrures qui étaient destinées au marché anglais.

> La tournure favorable du rétablissement de la colonie a donné un coup terrible à la Compagnie du Nord-Ouest, et si le monsieur chargé de votre département du Nord utilise convenablement les ressources dont il dispose, en réengageant quelques-uns des hommes dont les contrats expirent en mai, vous n'aurez pas besoin de faire venir des hommes du Canada l'année prochaine, à l'exception d'un canot express qui retournera à l'automne. D'avoir ainsi

vos ressources *sur place* vous donne un avantage incalculable sur vos ennemis, qui ont besoin de faire venir un approvisionnement annuel par la route compliquée du Saint-Laurent...

La Compagnie du Nord-Ouest, dit Robertson, recourt à un stratagème : elle fait croire que des négociations en vue d'un accord se poursuivent à Londres et que le Comité est très mécontent de la conduite de lord Selkirk.

Je tire des conclusions favorables de ces rapports malicieux. Il faut qu'ils agissent bientôt, car leur arrangement expire en 1820. J'espère qu'il sera dissous bien avant ce temps, et sinon il ne sera jamais renouvelé...

* * *

Colin Robertson le répète à satiété : la Compagnie du Nord-Ouest est un colosse aux pieds d'argile, qu'on abattrait en exploitant, par exemple, la rivalité toujours latente entre les agents et les hivernants, le mécontentement toujours latent de certains hivernants.

En novembre 1817, William McGillivray part pour l'Angleterre, par New York où il reverra John Jacob Astor. La question d'Astoria reste à régler. Le travail de délimitation de la frontière se poursuit, et David Thompson y est employé, du côté anglais. L'attribution du bassin de la Columbia fait l'objet de négociations entre le gouvernement de Londres et celui de Washington. Et le sort d'Astoria, ou Fort George, en dépend. John Jacob Astor ne s'oppose pas à un compromis, sauvegardant pour lui les principes.

60

Un voyage de l'océan pacifique à Montréal

Nouvel échec de la Compagnie de la Baie d'Hudson dans le district d'Athabasca — En suivant le récit de voyage de Ross Cox — Accord sur la Colombie.

La belle, l'impressionnante brigade de la Compagnie de la Baie d'Hudson partie de Lachine au mois de mai 1817, sous le commandement de Jean-Baptiste Lemoine, n'arrive à Norway House, mourant presque de faim et totalement découragée, que le 13 septembre.

La Compagnie de la Baie d'Hudson n'envoie dans l'Athabasca, pour la campagne de 1817-1818, que François Decoigne, seul de ses commis qui ait réussi dans ce district l'année précédente. Encore Decoigne, qui s'est taillé une réputation, mécontent de s'être vu préférer James Bird comme chef après la mort de Semple, se fait-il beaucoup prier. Il faut porter ses appointements à 300 livres par an. François Decoigne hiverne au lac Athabasca. Mais la concurrence de la Compagnie du Nord-Ouest, son ancienne compagnie, devançant partout les « Anglais », est trop forte pour Decoigne lui-même, qui reviendra au printemps presque bredouille et renoncera du coup à la traite, pour rentrer à Montréal.

Les traiteurs de la Compagnie du Nord-Ouest libèrent John Clarke à l'île à la Crosse, en décembre 1817. Le personnel de la Compagnie de la Baie d'Hudson ne veut plus entendre parler de John Clarke, vantard, brutal, et qui accumule les échecs. James Bird lui demande sa démission. John Clarke a cependant un défenseur, Colin Robertson, qui poursuit de longues conversations avec lord Selkirk à Montréal, en attendant le procès qu'il ne cesse de réclamer. Lord Selkirk inclinerait à recommander l'abandon des tentatives dans l'Athabasca. Robertson, dont cet abandon renverserait la théorie, l'en dissuade : Notre concurrence dans ce district obligera la

Compagnie du Nord-Ouest à un surcroît de dépenses, qu'elle est peu en mesure de supporter.

Robertson ne doute pas de son acquittement. Et tout ce qu'il a touché jusqu'ici a réussi. Il se déclare prêt à renoncer au voyage en Angleterre, exigé par l'état de ses affaires à Liverpool et depuis longtemps projeté, pour conduire lui-même une expédition dans Athabasca. Au moins jusqu'au lac Winnipeg, d'où il pourrait partir pour l'Angleterre si James Bird trouvait un autre chef qualifié pour le remplacer. Il lui suffirait d'une vingtaine de Canadiens et d'une dizaine d'Iroquois. Robertson croit John Clarke utilisable, au second rang : l'homme est vaniteux, certes ; brutal, sans aucun doute ; mais énergique, opiniâtre, et animé par un sentiment que Robertson apprécie entre tous, la haine de la Compagnie du Nord-Ouest.

Un incident complique cependant ces plans : des dénonciations font savoir à Selkirk que plusieurs des lieutenants engagés par Robertson, et particulièrement Aulay McAulay, se sont distingués, si l'on peut dire, quand ils étaient au service de la Compagnie du Nord-Ouest, par leur cruauté, poussée jusqu'à la barbarie, envers le personnel de la Compagnie de la Baie d'Hudson. Ces dénonciations, en se propageant, créent un malaise.

* * *

La Compagnie de la Baie d'Hudson a renoncé à l'ouest des Rocheuses.

La Compagnie du Nord-Ouest y entretient des postes actifs, en Nouvelle-Calédonie et plus encore en Colombie, à Kamloops, Oakinagan, Spokane et Fort George. Des Indiens assurent entre ces postes un courrier assez régulier.

Ross Cox, au poste d'Oakinagan, traite avec les Coutenais, qui sont

> les restes d'une tribu jadis brave et puissante qui, comme les Têtes-Plates, s'est trouvée en guerre presque continuelle avec les Pieds-Noirs pour le droit de chasser sur le territoire fréquenté par les bisons.

Les Coutenais attribuent leurs infortunes aux fournitures d'armes et de munitions que la Compagnie du Nord-Ouest a livrées à leurs ennemis. Un Coutenai se sait destiné à mourir à la guerre. Aussi la tribu insiste-t-elle, en vendant le castor, pour obtenir en échange les armes qui lui permettront d'affronter ses ennemis à égalité de chances.

Cependant Ross Cox, au reçu de lettres de sa famille, a décidé de rentrer au pays. Il l'écrit à Fort George. James Keith, Angus Bethune et Donald McKenzie lui délivrent un certificat de grande appréciation de ses services. Donald McKenzie lui apporte lui-même cette lettre en essayant de le retenir — en lui laissant espérer une promotion. Ross Cox ne se laisse pas fléchir. Plusieurs hivernants du district de Colombie le rejoignent, au poste d'Oakinagan, pour faire avec lui ce qui sera sa dernière descente à Fort George, au printemps de 1817. Ils en repartent le 16 avril, pour leurs destinations respectives. Ils forment un groupe de quatre-vingt-six personnes, comprenant cinq Écossais, deux Anglais, un Irlandais, trente-six Canadiens, vingt Iroquois, deux Nipissings, un Cri, trois Métis et neuf Hawaiiens, avec deux femmes et des enfants. Ils s'embarquent sur deux barges, et sept coups de canon saluent leur départ. C'est la plus forte expédition qui ait encore remonté la Columbia.

Donald McKenzie, avec une équipe de vingt-deux hommes dans trois canots, se sépare du groupe, le 1er mai, au confluent de la rivière Walla-Walla et de la Columbia[1]. Il y établira, sur un promontoire, un fort, c'est-à-dire un comptoir de fourrures, mais avec doubles portes, épais murs de rondins cimentés par de la glaise durcie au soleil, et tout un système de défense. Le nom de Walla-Walla désigne, suivant la coutume, à la fois la rivière, la région, et la tribu qui les habite. Les Walla-Wallas passent pour particulièrement imprévisibles. Ils ne franchiront pas, en principe, le seuil de l'enceinte, et présenteront leurs fourrures par un étroit guichet.

D'autres équipes se détachent ensuite. L'une d'elles, à destination de Spokane House, son canot renversé par le courant, souffre au point que les hommes mangent le premier d'entre eux qui succombe, pour retarder leur propre mort. Un seul survivant, nommé Lapierre, est sauvé par les Indiens. D'après le récit d'un Indien, le corps du mort porterait des traces de coups. Lapierre, soupçonné, est envoyé dans l'Est pour subir un procès qui se terminera par son acquittement.

Ross Cox et Joseph McGillivray, avec une dizaine d'hommes, traversent les Rocheuses au prix d'extraordinaires fatigues, à l'aviron et plus encore dans les portages. Ils sont, sur un radeau de leur confection, entraînés à toute vitesse vers une cataracte. Ils sautent presqu'à la dernière seconde avant d'y arriver, en eau heureusement peu profonde, et réussissent à sauver leur radeau — et sa charge. Cox admire, non seulement la dextérité, mais l'endurance des Canadiens : « Peu d'hommes pourraient les surpasser en force, patience et persévérance. » Ils espèrent se reposer à Rocky Mountain House,

1. Dans l'État actuel de l'Oregon.

« misérable agglomération de cabanes, scrupuleusement propres à l'intérieur, confiée à un vieux commis, Jasper Hawes, avec deux Canadiens, deux Iroquois et trois chasseurs sous ses ordres ». Mais Hawes a juste assez de provisions pour son personnel. Le voyage se poursuit : descente de l'Athabasca, montée de la rivière La Biche, traversée du lac La Biche. On rattrape la brigade du Petit lac des Esclaves : huit canots et quarante-cinq hommes, commandés par Alexander Stewart, qui prend la tête de l'ensemble. Il faut parfois, le ventre un peu creux, porter les ballots de quatre-vingt-dix livres en terrain marécageux où le pied enfonce. Mais les chasseurs tuent des bisons, un ours et un orignal.

Le groupe rencontre trois « trappeurs libres », anciens engagés de la Compagnie du Nord-Ouest, qui mènent une vie errante, plus qu'à demi sauvage, avec leurs squaws. Ces trappeurs disent que des Cris, excités par les promesses de la Compagnie de la Baie d'Hudson, sont partis en expédition de guerre pour détruire l'établissement de la Compagnie du Nord-Ouest à l'île à la Crosse. La brigade redouble de précautions. En approchant du fort de l'île à la Crosse, elle a le plaisir d'y voir flotter, sur un des bastions, le pavillon de la Compagnie du Nord-Ouest. Les Voyageurs qui viennent d'endurer tant de misères annoncent leur arrivée en chantant : « C'est l'aviron qui nous mène, mène... » Ils trouvent au fort des employés de la Compagnie de la Baie d'Hudson, capturés dans leur poste l'hiver précédent. Ross Cox parle avec ces prisonniers, qui viennent des îles Orcades et y retourneraient volontiers. « Ils s'expriment en termes peu flatteurs sur le traitement que la Compagnie du Nord-Ouest leur a infligé, mais ils reconnaissent que les Nor'Westers faits prisonniers par leur compagnie ne sont pas mieux traités. »

Stewart, Cox et leurs compagnons repartent le 29 juin, en canots. Il descendent des rivières, portagent aux rapides, subissent des orages, endommagent leurs canots contre des roches, les réparent tant bien que mal, arrivent à Cumberland House le 11 juillet. Les deux compagnies y entretiennent chacune un poste ; les personnels n'ont pas fraternisé, mais ne se sont pas battus, pendant l'hiver. Départ le lendemain sur la Saskatchewan. Au pied du Grand Rapide du lac Winnipeg vivent quatre trappeurs canadiens avec leurs squaws ; ils régalent nos voyageurs d'esturgeon frit et de thé de cerisier. Arrive une autre brigade, avec John D. Campbell, Alexander Macdonell, Samuel Black et un ancien compagnon de Cox à la Colombie. Ces rencontres sont un des plaisirs, chèrement achetés, du voyage.

On entre dans le lac Winnipeg ; une bonne brise permet de mettre à la voile. Mais un ouragan s'élève et cloue les voyageurs à terre pendant vingt-quatre heures. Le groupe est au Fort Alexander, à l'extrémité du lac Winnipeg et à l'entrée de la rivière Winnipeg, le 22 juillet. Alexander Stewart ne va pas plus loin. La rivière Winnipeg est très encombrée de rapides. Mais dans les moins profonds, ou décharges, il suffit d'alléger les canots. Les Voyageurs font jusqu'à cinq, six et sept portages dans la même journée. On croise un associé, James Hughes, qui se rend au Fort des Prairies dont la direction lui est confiée. Puis un autre, James Leith, accompagné par un lieutenant et treize hommes du 37e Régiment d'infanterie et douze Iroquois bien armés qui, partis avant la proclamation du prince régent, se rendent à la rivière Rouge où ils doivent arrêter « tous les délinquants impliqués dans les récents outrages et qu'ils pourront attraper ». Un soldat irlandais, interrogé par Cox, donne ses impressions :

> Nous sommes entassés dans un canot, avec nos mousquets et nos havresacs, essayant de nous tenir propres. Nous n'avons vu aucun chrétien depuis deux ou trois mois ; pas une chapelle, pas une maison ou un jardin ; rien que des rochers, des rivières, des lacs, des chutes et de grandes forêts ; des ours qui rôdent toute la nuit et des loups qui hurlent le réveil tous les matins. Que diable ! Je préfère l'Inde ou l'Espagne, avec leurs durs combats, à ce pays infernal.

Le groupe rencontre Samuel Gale, de l'autre bord, en route lui aussi vers la rivière Rouge. Puis d'autres brigades de la Compagnie du Nord-Ouest, en route vers le district d'Athabasca. Le plus dur est fait. On chante de plus belle. « Aucun des Voyageurs des brigades que nous rencontrons ne pourrait être accusé de sobriété. » Le 31 juillet, arrivée au dépôt du lac La Pluie, sorte de gare de triage, siège d'un va-et-vient de Bourgeois, de guides, d'interprètes et d'engagés, anglais, français, indiens ou métis, allant les uns vers l'Est et les autres vers l'intérieur. Joseph Larocque est là, qui retourne dans le district de Colombie, avec un renfort de quarante hommes qui sont principalement des Iroquois. Car on engage de plus en plus des Iroquois pour ces services, malgré les préventions qui dressent parfois contre eux les tribus du Nord-Ouest. Il y a là aussi Ferdinand Wentzel, excellent traiteur qui a déjà passé seize ans en pays indien, principalement dans le district d'Athabasca, et connaît les dialectes et coutumes des Indiens. Wentzel, nous le savons déjà par sa correspondance avec Roderick McKenzie, attribue sa stagnation dans la Compagnie au manque d'appuis de famille et commence à s'aigrir. Il est décidé à « obtenir justice » ou à quitter la Compagnie. Il y a là encore un Irlandais pittoresque, Hector McNeill, ancien officier resté au Canada après son licenciement. C'est un soldat type, avec une large balafre, souvenir d'un coup de sabre, au-dessus de l'œil droit. La Compagnie du Nord-Ouest, ayant besoin de tempéraments combatifs, l'a engagé. Parti avec quelques hommes pour intercepter les convois d'Indiens portant leurs fourrures à la baie d'Hudson, McNeill a rencontré un de ces convois déjà en pourparlers avec un commis de la compagnie détestée. McNeill et le commis se sont défiés et battus en duel. McNeill a logé une balle dans le chapeau de son adversaire, à qui cet avertissement a suffi. Mais McNeill est turbulent, indiscipliné — ce qui donne un mauvais exemple — et se querelle avec des Bourgeois. La Compagnie le congédie avec un an de solde, et McNeill, pour l'heure, rentre « au Canada ».

Cox et ses compagnons restent sept jours au lac La Pluie. Le dépôt, de nouveau bien garni, dissipe le cauchemar de l'occupation par Miles Macdonell, le capitaine d'Orsonnens et leurs Meurons. Les équipes montantes et les équipes descendantes y festoient. Les violoneux font danser

> non pas de paresseux menuets, des quadrilles minaudants ou des valses languissantes, mais le vrai branle écossais ou la danse de campagne à l'ancienne mode, où les mouvements naturels des femmes du Nord-Ouest feraient rougir les disciples raffinés de Terpsichore.

Quant à la sobriété, vous pensez bien... Les Sauteux qui fréquentent le fort n'entament jamais une négociation sans distribution préalable de rhum.

Le 7 août 1817, Joseph Larocque part pour la rivière Columbia, Joseph McGillivray pour l'Athabasca et William Henry pour le Petit lac des Esclaves. Robert Henry et Alexander McTavish prennent place dans un canot léger et Ferdinand Wentzel, Hector McNeill et Ross Cox dans un autre, pour Fort William.

Le plus dur est fait. À la rivière des Français, on rencontre Joseph Paul, le Sorelois herculéen, « l'homme le plus fort du Nord-Ouest », qui est aussi un guide chevronné, à la tête d'une brigade de sept canots destinée à la rivière aux Anglais. Au portage de la Prairie, on rencontre John George McTavish, en route vers l'intérieur. Plus loin, la brigade est rattrapée par William Connolly, commis au service de la Compagnie depuis seize ans comme Wentzel, et qui compte sur une prochaine promotion au rang d'associé hivernant. On rencontre Duncan McDougall, l'ancien associé de la Pacific Fur Company. Le 16 août, on passe devant la pointe Meuron, ainsi nommée parce que Selkirk l'a fait construire par d'anciens soldats. L'endroit est splendide, mais l'établissement consiste en quelques cabanes éparses, « misérablement fournies des choses les plus nécessaires à la vie ».

Enfin, Fort William, à la mi-août.

* * *

Là aussi, on dissipe le cauchemar de l'occupation. Cox y arrive un peu tard, après le départ de plusieurs Bourgeois et commis. À table sont cependant réunis McDonald Le Borgne, James Grant, Alexander McTavish, le Dr John McLoughlin, associé de la Compagnie et médecin résidant au fort, Ferdinand Wentzel et d'autres commis qui, comme lui, comptant dix, quinze ou même vingt années de service en pays indien, aspirent à une promotion d'associé. Hector McNeil quitte le pays « parce qu'il n'y a rencontré personne avec qui se battre ». Un autre commis, nommé Crebassâ, vingt-cinq années au service de la Compagnie, est en route pour « le Canada » où il doit répondre à une accusation lancée par lord Selkirk contre lui. Quelques guides et interprètes, traités en employés supérieurs, sont aussi admis à la table des Bourgeois. Tous peuvent désigner sur la grande carte de David Thompson, si injustement dédaignée par Selkirk, les postes qu'ils ont occupés, dans l'immense territoire de la baie d'Hudson à l'océan Pacifique, du lac Supérieur à l'Athabasca et au Grand lac des Esclaves.

Miles Macdonell est en ce moment interné à Fort William sous la garde de l'agent Fitzpatrick, en attendant son transfert à Montréal pour jugement. Il y a là aussi le notaire Barthélémi Joliette, secrétaire de la commission Coltman-Fletcher, que Fletcher a congédié et qui rentre à l'Assomption. Il y a des soldats démobilisés du régiment de Meuron, « prêts à couper la gorge de toute personne opposée aux intérêts de leurs employeurs ». Il y a autour du camp des tentes de soldats, de Voyageurs, d'Indiens, de Métis. Il y a des gens provenant de France, d'Angleterre, d'Écosse, d'Irlande, de Suisse, d'Allemagne, d'Italie, de Suède, du Danemark, de Hollande, des États-Unis, des îles Sandwich, du Bengale, d'ailleurs et de plus loin encore. On voit tous les costumes, on entend tous les dialectes. Des bateaux apportent de Montréal provisions et marchandises ; d'autres y transportent les ballots de fourrure pour expédition en Angleterre. Fort William est encore beaucoup plus beau, plus animé, plus cosmopolite et plus gai que le dépôt du lac La Pluie. C'est bien la métropole de l'intérieur.

Comment les hommes réunis autour de cette table ne se sentiraient-ils pas fiers de leur existence singulière, fiers de leurs prouesses, fiers de la Compagnie dont ils ont promené le pavillon, au péril de leur vie, à travers ce continent ?

Ross Cox, quittant ces compagnons pour toujours, doit bien éprouver un pincement au cœur. Il repart le 18 août. Son canot rattrape celui du commissaire Fletcher, battant pavillon britannique. Fletcher rentre de la mission à laquelle il a pris une faible part. Le lac Huron, la rivière Ottawa, le village de Hull auquel l'esprit d'entreprise de l'Américain Philemon Wright, grand exploitant de bois, procure une certaine prospérité. Au bord du lac des Deux-Montagnes, un ancien de la Colombie, Benjamin Pillet, vit en gentleman farmer. À Sainte-Anne, Duncan Cameron et Donald McKenzie vivent en demi-clandestinité, pour échapper aux poursuites judiciaires lancées contre eux par lord Selkirk. À Lachine, le 15 septembre, Ross Cox loue une calèche. Il arrive à Montréal cinq mois et trois jours après avoir quitté les rives de l'océan Pacifique.

Les hommes qui accomplissent de pareilles randonnées, je ne vous dis pas que ce sont de petits anges, mais quel courage !

*   *   *

Sur la côte du Pacifique, d'où vient Ross Cox et vers laquelle Joseph Larocque retourne, s'active une communauté bigarrée d'Écossais, d'Anglais, d'Irlandais, de Canadiens, de Métis, d'Iroquois, d'Indiens de la région et d'Hawaiiens. Le *Columbia* fait la navette entre Fort George et les îles Sandwich, où le roi est toujours bien disposé. Mais le *Columbia* vieillit ; il a grand besoin de réparations, et la Compagnie décide de le vendre, aux îles Sandwich. Le commerce avec la Chine, sans prendre encore toute l'envergure escomptée, est devenu presque une routine. Les bateaux nolisés par la firme H.M. Perkins and Company, de Boston, partent de Portsmouth au printemps, arrivent à la côte du Nord-Ouest à l'automne, en repartent avec une cargaison de fourrures au printemps suivant. Le voyage vers la Chine comporte une escale aux îles Sandwich, puis une escale à Macao, vieille ville portugaise où l'on prend un pilote. À Canton, où règne toujours quelque méfiance envers les « diables étrangers », l'équipage n'est autorisé à descendre à terre qu'assez rarement, pour de courtes virées. La caution d'un négociant chinois est nécessaire pour faire un commerce qui doit passer par le monopole officiel.

L'incertitude qui planait sur le sort du Fort George et du commerce même de la Compagnie du Nord-Ouest dans ce district s'éclaircit enfin. L'Angleterre a pris l'habitude de céder aux États-Unis, avec lesquels elle ne veut plus de conflit, aux dépens du Canada. La Colombie, découverte et exploitée par la Compagnie du Nord-Ouest, devient américaine. Deux bateaux de guerre, l'un anglais, l'autre américain, viennent confraternellement présider au changement des couleurs. William McGillivray et ses associés ont tout de même travaillé à Londres. La Compagnie du Nord-Ouest conserve un droit d'occupation conjointe pour dix ans, à compter d'octobre 1818. Au nord du 49ᵉparallèle, à l'ouest des contreforts des Rocheuses — dans le district de la Nouvelle-Calédonie auquel elle a donné son nom et qui reste britannique —, la Compagnie du Nord-Ouest, dont les expéditions de découverte n'ont pas cessé, avec Kamloops, Spokane House ou Kootenay House pour base, se prétend propriétaire par droit d'exploration et d'occupation.

61

Départ de missionnaires

Le rapport Coltman — Influence de Colin Robertson sur lord Selkirk — Ajournement de procès — La Compagnie du Nord-Ouest et la Compagnie de la Baie d'Hudson se disputent les missionnaires.

Colin Robertson réclame de plus belle son procès, afin d'être libéré à temps pour conduire une expédition de la Compagnie de la Baie d'Hudson dans le district d'Athabasca et réussir, espère-t-il, comme il l'a toujours fait, là où John Clarke et tous les autres ont échoué. Il s'accroche à Selkirk, professe la plus immuable fidélité à son égard, se sert de son influence, mais aussi l'influence.

Les commissaires, qui se résument en fait à Coltman, homme de compromis, rentrés au Canada, remettent au gouverneur Sherbrooke un rapport préliminaire couvrant deux cents pages. Coltman ne considère pas le plan de Selkirk comme une simple entreprise de colonisation, mais aussi et peut-être surtout comme un moyen d'affirmer les droits de propriété de la Compagnie de la Baie d'Hudson sur un territoire « depuis longtemps occupé par d'autres » et, par là, d'établir un monopole commercial. Il considère le décret d'embargo de Miles Macdonell comme le premier acte d'agression, et la capture de Fort Gibraltar par Colin Robertson comme le second. Des actes de violence ont été commis des deux côtés, mais ceux de la Compagnie du Nord-Ouest ont été, de beaucoup, les plus nombreux.

Ce rapport, se voulant impartial et partageant également le blâme, ne satisfait personne. Il ne satisfait surtout pas Selkirk et la Compagnie de la Baie d'Hudson, pour qui, suivant la doctrine soufflée par Robertson, la Compagnie du Nord-Ouest est le mal intégral, le mal en soi, l'incarnation canadienne et commerciale du diable. Le rapport suscite les critiques des deux camps. Samuel Gale écrit à lady Selkirk que Coltman, cherchant à partager les responsabilités, doit « en bon sujet » refléter les désirs du gouvernement.

Ce qui n'est pas mal vu. L'idéal des milieux officiels serait bien une conciliation. Coltman sert d'intermédiaire à de nouvelles ouvertures faites, auprès de Selkirk cette fois, par les associés de la Compagnie du Nord-Ouest à Montréal. Robertson y voit un maléfice de ce commissaire. Selkirk fait part de ces approches à Colvile (14 février 1818) :

> Des ouvertures m'ont été faites dernièrement de la part de la Compagnie du Nord-Ouest, pour une reprise des négociations... Il me semble qu'après l'accumulation des preuves des principes diaboliques de cette association, il serait honteux d'entrer en compromis avec elle. J'espère que l'honneur de la Compagnie que vous représentez ne sera jamais souillé par un compromis avec ceux qui, sous prétexte de commerce, recherchent le gain par des actes d'une scélératesse systématique. Les temps sont proches où la véritable nature de cette association devra être exposée au public, et il est impossible de mettre en doute la justice du gouvernement britannique au point de supposer qu'il puisse tolérer plus longtemps un tel régime.

Pareille pensée et pareils termes sont du Colin Robertson à l'état pur.

À Londres, John Halkett, mettant maintenant le commissaire Coltman en cause, continue d'écrire à lord Bathurst, qui finit par dicter une réponse sèche. Le ministre,

> tout en considérant comme son devoir de recevoir tous les renseignements qui peuvent lui être fournis sur les malheureuses difficultés survenues entre la Compagnie du Nord-Ouest d'une part, la Compagnie de la Baie d'Hudson et lord Selkirk d'autre part, ne peut admettre qu'un individu, si respectable soit-il, soit autorisé à lui demander des explications sur les mesures adoptées par le gouvernement de Sa Majesté pour rétablir, si possible, une bonne compréhension entre les parties.

Halkett, envoyé promener de cette belle manière, récrit (10 mars 1818). Il n'a pas voulu demander, mais donner des explications. Sa nouvelle lettre est un long mémoire récapitulatif.

*　*　*

Lord Selkirk, accusé d'un vol de fusils accompli à Fort William en août 1816, se présente devant le tribunal de Sandwich. L'affaire n'a pas de suite. Selkirk est aussi accusé d'avoir résisté à un mandat d'arrestation. Le procès est envoyé de Sandwich à Montréal et de là renvoyé à Sandwich. Le grand jury acquitte lord Selkirk, mais ce n'est qu'un commencement. La Compagnie du Nord-Ouest accumule les accusations contre Selkirk, ne serait-ce que pour équilibrer celles qu'il a portées contre elle.

Le grand jury, dans l'affaire de Charles de Reinhard, Archibald McLellan, Cuthbert Grant et Joseph Cadotte, et la Cour d'Oyer et Terminer à Montréal dans l'affaire de François Mainville, Jean-Baptiste Desmarais et Joseph Fils de la Perdrix Blanche, ont trouvé matière à procès. Mainville s'échappe à la Pointe-au-Tonnerre, sur le lac Supérieur, pendant son transfert dans le Haut-Canada. Le cas de l'Indien Joseph est plutôt confus : le commissaire l'avait conduit à Montréal comme témoin et il se trouve accusé ; des malentendus s'ensuivent, et personne ne semble savoir ce qui en résulte. Le cas de Desmarais, dont on ne sait pas non plus très bien à quel titre il est là, est encore plus obscur. La Cour d'Oyer et Terminer s'ajourne sans que le procès se soit déroulé. Aux assises de mars, à la Cour du Banc du Roi, on constate que les esprits sont trop montés, à Montréal, pour ou contre l'une ou l'autre compagnie, pour qu'il soit possible d'y trouver un jury impartial dans ces causes. Les prisonniers sont envoyés à Québec. À la Cour du Banc du Roi de cette ville, le jury trouve matière à procès contre Reinhard et McLellan seulement. L'affaire est évoquée le 30 et le 31 mars 1818. Les accusés plaident non coupables. Mais le procès n'est pas terminé à la fin de la journée du 31 mars, quand la session de la Cour, d'après la loi, prend fin. Tout est à recommencer.

*   *   *

La préoccupation essentielle de Selkirk porte sur sa colonie. Samuel Gale allait à la rivière Rouge quand Ross Cox et ses compagnons l'ont rencontré sur la rivière Winnipeg pendant l'été de 1817. Il y a ramassé des signatures — ou des croix — sur une pétition de colons et de Métis catholiques demandant des prêtres. La pétition, rédigée ou mise en forme par John Pritchard, expose l'existence de « Canadiens libres » et de quelques centaines de Métis « presque tous bien disposés et d'un caractère doux et paisible », qui n'auraient pris part « aux malheureux événements de l'année dernière s'ils n'y avaient été poussés par leurs supérieurs » :

> Ayant été informés par des personnes mal disposées qu'ils étaient maîtres absolus du sol, que c'était de leur devoir de chasser les gens qu'on nomme ordinairement les Anglais, et ayant reçu la promesse d'être soutenus et récompensés, ils ont cru qu'en les expulsant du pays ils feraient un acte glorieux et méritoire. . .

> Que tout est à présent tranquille ici et que les soussignés croient fermement qu'avec le ministère d'un prêtre catholique rien ne leur manquera pour rendre cette tranquillité parfaite et durable et pour conserver à l'avenir le bonheur du pays.

L'inspiration de Miles Macdonell est, dans ce texte, à peu près évidente. La pétition n'a tout de même recueilli que vingt et une adhésions. Louis Nolin et quatre autres sont les seuls à ne pas signer d'une croix.

Samuel Gale brandit sa pétition comme si l'unanimité des Métis l'appuyait. Il écrit au commissaire Coltman qu'il a constaté à la rivière Rouge le désir des Blancs et des Métis de recevoir un prêtre catholique. Des messieurs de Montréal et de la province contribueraient volontiers aux frais. Samuel Gale demande si le représentant de Sa Majesté ne s'inscrirait pas le premier sur la liste.

Coltman transmet au gouverneur Sherbrooke, qui accepte. Mais le commissaire veut associer les chefs de la Compagnie du Nord-Ouest au mouvement. Il en parle à Henry McKenzie, associé de la firme McTavish, McGillivrays and Company. Henry McKenzie s'empresse : les Bourgeois ne sont pas les moins désireux d'encourager la propagation de la religion et de la moralité dans le Nord-Ouest. Mais la construction d'une église à la rivière Rouge n'apporterait que très peu d'amélioration, étant donné la faiblesse numérique de la population en cet endroit. Henry McKenzie suggère plutôt Fort William, le grand carrefour, le grand rendez-vous, le grand nœud de communications de l'intérieur. Fort William, où plus de deux mille Canadiens passent chaque année, est l'endroit tout désigné pour la construction d'une église. La Compagnie du Nord-Ouest ferait tout en son pouvoir...

Mais Samuel Gale et la Compagnie de la Baie d'Hudson ne travaillent pas pour les Voyageurs de la Compagnie du Nord-Ouest. Samuel Gale écrit à Mgr Plessis dans le sens où il a écrit à Coltman (24 janvier 1818). À la rivière Rouge, l'été dernier, on m'a prié de porter une pétition. Je l'ai remise à l'honorable Eustache-Gaspard-Alain Chartier de Lotbinière, qui vous la présentera. Des contributions très libérales sont assurées... Samuel Gale demande l'autorisation de faire une collecte de fonds dans toutes les paroisses du diocèse.

Mgr Plessis n'est pas dupe. Mais il prévoit le développement de la région. Il répond d'une manière encourageante, le 11 février. Puis il écrit à l'abbé Tabeau. Vous n'avez guère fait qu'aller et venir, sans grand résultat, en 1816. On nous demande maintenant un prêtre en résidence à la rivière Rouge. Il me paraît difficile de refuser.

> Si pour travailler au salut de ces pauvres chrétiens il faut attendre que les deux compagnies aient signé une paix que l'une et l'autre se croient peut-être intéressées à reculer, on ne fera rien avant dix ans et peut-être davantage...

L'abbé Tabeau, partisan et ami des Bourgeois de la Compagnie du Nord-Ouest, suggère l'envoi de deux prêtres, dont un à Fort William. L'évêque trouve du bon à cette idée : « Je ne serais pas fâché si vous trouvez l'occasion de faire parvenir à la connaissance des associés du Nord-Ouest que leurs postes ne sont pas exclus de mes projets. » Mgr Plessis offre à l'abbé Tabeau la mission de Fort William ou du lac La Pluie, si celle de la rivière Rouge ne lui convient pas. Il offre la mission de la rivière Rouge à l'abbé Norbert Provencher, qui s'excuse sur son incapacité spirituelle et physique, et sur les dettes qu'il lui faut payer, mais qui obéira « si vos raisons sont supérieures à mes objections ».

Mgr Plessis écrit à lord Selkirk (16 mars 1818) :

> Rien ne pourrait mieux entrer dans mes vues que la requête que M. Gale me fit parvenir au mois de janvier dernier, de la part des habitants de la rivière Rouge. Je suis rempli de consolation dans l'idée de l'établissement solide d'une mission catholique qui peut devenir d'une importance incalculable au vaste territoire qui l'environne. La protection de Votre Seigneurie, l'intérêt qu'y met Son Excellence le gouverneur en chef, le zèle des plus respectables citoyens de Montréal, les souscriptions déjà reçues, tout cela me persuade que la divine Providence veut favoriser cette entreprise...

Mgr Plessis projette d'envoyer deux prêtres et un jeune ecclésiastique. Il demande si lord Selkirk a des plans pour leur transport, puisqu'il faut, autant que possible, ménager le produit de la souscription pour construire une chapelle et le logement des prêtres.

Dans tous les presbytères de la province — on bavarde beaucoup dans les presbytères — on parle de la future mission de l'Ouest, et souvent pour critiquer le projet de Monseigneur : « Nous manquons de sujets dans la province ! » Mais Mgr Plessis, par circulaire à tous les curés, recommande la souscription « où des protestants ont devancé les catholiques » (29 mars 1818).

La Compagnie du Nord-Ouest se pique d'émulation. William McGillivray est rentré d'Europe. Il a fait l'acquisition — prévoit-il sa retraite ? — d'une magnifique propriété en Écosse, pour une vingtaine de milliers de livres. Il ne se contente pas d'écrire à Mgr Plessis. Il va le voir et lui offre le transport des missionnaires. L'abbé Tabeau propose un compromis : le transport de deux missionnaires par la Compagnie du Nord-Ouest et de deux autres par la Compagnie de la Baie d'Hudson, « pour mettre les missionnaires plus libres et plus indépendants ». Il prévoit des inconvénients au rattachement des missionnaires à l'une ou l'autre compagnie : « L'esprit de parti en serait peut-être la suite, soit parmi les commerçants et les engagés, soit parmi les prêtres eux-mêmes. » Pierre de Rocheblave sera cette année chargé de l'administration du dépôt, à Fort William. Il offre à l'abbé Tabeau de transporter les missionnaires :

> M. de Rocheblave m'a offert de monter avec lui dans les premiers jours de mai, ou de pourvoir à l'armement d'un canot pour tous les missionnaires ensemble ; il n'en excepte que les hommes, qu'il a voulu laisser à notre choix, par honnêteté...

Mgr Plessis décide de séparer les voyages des missionnaires : les uns avec la Compagnie du Nord-Ouest, les autres avec la Compagnie de la Baie d'Hudson. L'abbé Tabeau trouve que lord Selkirk, peut-être gêné par les grands frais que sa colonie lui occasionne, n'est pas très généreux dans ses propositions : d'autres souscrivent, et lui passera pour avoir tout fait pour la mission.

Mgr Plessis avertit l'abbé Joseph Crevier, missionnaire à Detroit, qui dessert aussi Sandwich, qu'il devra faire, sous la direction de l'abbé Tabeau, une mission à Fort William et au Sault-Sainte-Marie : « Votre absence sera de deux ou trois mois. » Il faut prévoir le cas embarrassant des Canadiens qui, « ayant été mariés en d'autres pays, prétendent que leur femme est morte et demandent à être joints en secondes noces ».

Selkirk écrit — en français — à Mgr Plessis (16 avril 1818) :

> J'ai eu le plaisir d'apprendre de M. Gale que M. Provencher et M. Dumoulin ont été nommés pour la mission de la rivière Rouge, et qu'ils doivent se rendre à Montréal vers le 1er mai pour prendre leurs arrangements pour le voyage. J'espère qu'alors j'aurai le plaisir de faire leur connaissance...

Il recommande de faire accompagner la mission « par un officier du département des Sauvages », ce qui produirait bon effet sur l'esprit des Voyageurs et des Indiens. Il propose le capitaine Jean-Baptiste-Chevalier de Lorimier, qui fut l'un de ses compagnons dans l'expédition contre Fort William :

> Il est connu et respecté des Sauvages aussi bien que des Canadiens du Nord, de manière qu'il pourrait déjouer les intrigues par lesquelles on pourrait tenter d'incommoder le voyage des missionnaires. Sa situation dans le service du gouvernement le met au-dessus des tracasseries des traitants. Ce qui s'accorde avec l'indépendance dans laquelle il convient de tenir la mission. Comme j'estime beaucoup son caractère et que je crois posséder son amitié personnelle, il n'a jamais pris aucune part dans les disputes qui ont eu lieu avec la Compagnie du Nord-Ouest, de manière que M. Coltman a trouvé occasion de faire un éloge non équivoque de sa conduite sage et impartiale...

Mgr Plessis annonce, le 20 avril, la nomination des missionnaires. « Encouragé à cette œuvre importante par le désir et le zèle de Son Excellence Sir John Sherbrooke, gouverneur en chef », il a nommé l'abbé Joseph-Norbert Provencher et l'abbé Joseph-Sévère Dumoulin missionnaires « dans la partie de l'Amérique septentrionale située au nord et à l'ouest des provinces du Haut et du Bas-Canada ». Mgr Plessis a désigné un séminariste, Guillaume-Étienne Edge, choisi entre plusieurs candidats, pour accompagner ses aînés. Leur principale résidence sera sur la rivière Rouge, « près du lac Winipic ». Il ne prendront « aucune part aux intérêts politiques qui peuvent diversement affecter certains esprits ». Les deux missionnaires devront particulièrement porter leurs soins « vers les mauvais chrétiens qui y ont adopté les mœurs des Sauvages et vivent dans la licence et l'oubli de leur devoir ». Ils prépareront au baptême « les femmes infidèles qui vivent en concubinage avec des chrétiens », afin « de substituer des mariages légitimes à ces unions irrégulières ». Ils feront connaître aux populations « l'avantage qu'elles ont de vivre sous le gouvernement de Sa Majesté britannique, leur enseignant de parole et d'exemple le respect et la fidélité qu'elles doivent au Souverain. . . » Ils fixeront leur demeure « près du fort Douglas, sur la rivière Rouge », y construiront une église, une école, etc., et

> quoique cette rivière ainsi que le lac Winipic où elle se décharge se trouvent dans le territoire réclamé par la Compagnie de la Baie d'Hudson, ils n'en seront pas moins ardents pour le salut des commis, engagés et Voyageurs qui sont au service de la Compagnie du Nord-Ouest, ayant soin de se porter partout où le besoin des âmes les appellera. . . [Si,] nonobstant la conduite la plus impartiale, ils se trouvaient troublés dans l'exercice de leurs fonctions, ils n'abandonneraient pas leur mission avant d'avoir reçu nos ordres.

Les instructions sur la préparation au baptême « des femmes infidèles qui vivent en concubinage avec des chrétiens » soulèvent un problème dans l'esprit de l'abbé Tabeau, qui en fait part à l'évêque : « Dans le cas où des Canadiens ont pris plusieurs femmes sauvagesses, laquelle devront-ils garder s'ils veulent contracter un mariage régulier ? L'opinion de Votre Grandeur sur ces matières me serait absolument nécessaire. »

Le gouverneur Sherbrooke émet des lettres de créance, engageant tous les sujets de Sa Majesté à respecter et protéger les missionnaires de la rivière Rouge. Il autorise le capitaine de Lorimier à faire le voyage « pour la protection des missionnaires ». Au dernier moment, Samuel Gale signale à Mgr Plessis l'hésitation de souscripteurs éventuels ou effectifs, craignant que la Compagnie du Nord-Ouest, dont ils savent que les intérêts sont incompatibles avec l'introduction de l'ordre dans le pays, ne cherche à contrecarrer les effets de la mission, en la représentant aux Indiens, à son quartier général de Fort William, comme suscitée par elle-même et destinée à servir ses fins.

Oh, Samuel Gale, personnellement, ne croit pas cette crainte fondée.

Si même la Compagnie du Nord-Ouest possède la malice et la duplicité que ces messieurs lui attribuent, aucune fausse représentation ne pourra empêcher les avantages attendus de la mission si elle doit durer. Mais les fausses représentations pourraient faire du mal si la mission n'était que temporaire.

À bien lire entre les lignes : la Compagnie de la Baie d'Hudson est disposée à soutenir des missionnaires pourvu que le personnel de la Compagnie du Nord-Ouest n'en profite pas, comme la Compagnie du Nord-Ouest est disposée à soutenir des missionnaires pourvu que les protégés de la Compagnie de la Baie d'Hudson n'en profitent pas. L'abbé Tabeau signale à son tour à Mgr Plessis le malaise entourant la souscription : chaque camp redoute un accaparement des missionnaires par son adversaire ; « l'esprit de parti joue tout son rôle des deux côtés. » Tabeau est allé voir lord Selkirk. Celui-ci insiste pour le faire voyager avec le capitaine de Lorimier, qu'il considère comme un homme à lui, plutôt qu'avec Pierre de Rocheblave, Bourgeois de la Compagnie du Nord-Ouest. Rocheblave laisse à l'abbé Tabeau, par délicatesse, le choix des Voyageurs, sans doute sur recommandation de leur curé. Les missionnaires auront moins les oreilles écorchées par les séries de blasphèmes dont les Voyageurs, en guise de juron, d'imprécation ou de simple exclamation, ont la malheureuse habitude. Mais Selkirk désire une sorte de regard sur ce choix. En serions-nous au point où un système de fiches classe les Voyageurs selon leur sympathie envers l'une ou l'autre Compagnie ? Selkirk semble craindre qu'un espion, un traître ne se glisse dans l'équipage. Mes ennemis, affirme-t-il, exercent partout leur influence.

L'abbé Tabeau rend compte à son évêque :

Le comte, tout dévoué qu'il paraît à l'établissement religieux, a insisté longuement pour m'empêcher de faire route avec M. de Rocheblave. ... Cependant je veux toujours aller mon train avec les Hudsoniens comme avec les Nor'Westers. Milord objecte à l'engagement de plusieurs hommes que je lui ai proposés ; il craint l'influence de ses ennemis, qui se fait sentir partout, et je suis arrêté dans plusieurs de mes arrangements. . .

Lord Selkirk a reçu l'abbé Tabeau. Il a invité l'abbé Provencher à déjeuner. Nuance. Lady Selkirk donne quelques vêtements et ornements pour la mission. Elle y met sa grâce habituelle. L'abbé Dumoulin, qui a 25 ans et n'a jamais vu si grande dame, est ébloui.

L'abbé Provencher est mieux disposé — pour Selkirk — que l'abbé Tabeau. Selkirk renouvelle auprès de lui ses objections au voyage des missionnaires en compagnie d'un Bourgeois, dans un canot de la Compagnie du Nord-Ouest. Il représente l'inutilité d'une mission au lac La Pluie, dépôt de la Compagnie du Nord-Ouest. À la rigueur, conseille-t-il, arrêtez-vous brièvement au lac La Pluie.

L'abbé Provencher prévient l'évêque :

> Lord Selkirk et M. Tabeau ne s'accordent pas. Lord Selkirk tient M. Tabeau pour acquis à la Compagnie du Nord-Ouest. M. Tabeau voulait nous faire partir dans un canot du maître, et un canot du Nord nous aurait été procuré à la pointe Meuron. Mais ce canot du Nord nous aurait nécessairement été procuré par la Compagnie du Nord-Ouest, ce qui ne plaisait pas du tout à lord Selkirk. Finalement nous partirons dans un canot du Nord. Lord Selkirk voudrait ajourner d'un an les plans d'une mission au lac La Pluie... Je sais qu'après les arrangements avec M. McGillivray Votre Grandeur sera embarrassée. Je crois qu'il conviendrait de donner des marques de préférence à Sa Seigneurie plutôt qu'à la Compagnie du Nord-Ouest, qui ne fait absolument rien pour nous. Je crois donc que je ferai mieux de m'arrêter brièvement au lac La Pluie...

Lord Selkirk intervient lui-même auprès de Mgr Plessis (9 mai 1818) :

> M. Provencher me dit qu'il doit s'arrêter une quinzaine de jours au lac La Pluie pour y établir une mission passagère à laquelle il reviendra chaque année. Je crains que ce délai en route ne soit d'un grand inconvénient, en retardant l'arrivée des missionnaires à l'endroit de leur destination ultérieure, où ils auront besoin de tout ce qui restera de la belle saison...

Lord Selkirk recommande à l'évêque d'ajourner d'un an l'établissement de cette « mission secondaire ».

Mgr Plessis doit commencer à se demander, s'il ne l'a fait plus tôt, si le salut des âmes est le seul mobile, ou même le mobile essentiel, de son noble correspondant, protestant si anxieux de procurer des missionnaires catholiques à ses colons et d'en priver le personnel de la Compagnie du Nord-Ouest. Il le rassure à demi :

> Les missionnaires n'ont ordre de s'arrêter au lac La Pluie qu'autant qu'il s'y trouverait quelqu'un qui ait besoin de leur ministère. Dans les circonstances, ils n'y feront qu'une légère pause. Mais s'ils ont occasion de s'y rendre utiles à quelques pauvres chrétiens ou de se montrer aux Sauvages, il n'entre assurément ni dans l'in-

tention de Votre Seigneurie ni dans la mienne que ces gens soient privés de leur secours... Je serais très affligé qu'ils perdissent de vue que le salut des âmes est leur premier objet et que toute considération temporelle doit être subordonnée à celle-là...

Avant de partir, l'abbé Provencher, qui a vu lord Selkirk plusieurs fois, va voir William McGillivray qui — d'ailleurs sur le point de se rendre à Québec où des procès vont se dérouler — ne l'invite pas à déjeuner.

Les missionnaires partent de Lachine le 19 mars 1818. L'abbé Dumoulin, quelques jours avant le départ, écrit à l'évêque :

> Milord Selkirk paraît toujours content des missionnaires et l'a témoigné bien souvent. Je n'ai encore jamais vu de dame aussi savante, spirituelle et prévenante que lady Selkirk. Elle a fait l'impossible pour nous procurer tout ce dont nous pouvions avoir besoin, et toujours de si bonne grâce qu'elle augmentait de moitié le prix de ses attentions. Il paraît que Milord ne fait rien sans la consulter, et je la crois plus capable, en quelque sorte, de voir bien des choses que Sa Seigneurie elle-même...

Le convoi qui transporte les abbés Provencher et Dumoulin, empruntant la rivière Ottawa, longe la seigneurie de la Petite Nation, que Joseph Papineau a cédée, quelques mois plus tôt, à son fils Louis-Joseph , Orateur (c'est-à-dire président) de la Chambre d'Assemblée et chef impétueux du parti réformiste. Louis-Joseph Papineau a fait acte de foi et hommage, comme seigneur de la Petite Nation, le 24 avril. Il s'est marié cinq jours plus tard, à Québec. Louis-Joseph Papineau ne croit ni ne pratique, mais respecte la religion de sa jeune femme, très dévote. Son frère Denis-Benjamin, qui administre la seigneurie, n'est pas plus religieux que son aîné, mais il met sa maison à la disposition du Sulpicien que Mgr Plessis a désigné pour desservir la seigneurie et de là rayonner, en canot d'écorce en été, en raquettes en hiver, dans la région. C'est dans la maison de Denis-Benjamin Papineau que l'abbé Jean-Baptiste Roupe réunit les fidèles pour choisir l'emplacement d'une chapelle. Les missionnaires de l'Ouest s'y arrêtent pour célébrer la messe. « Nous voilà rendus sans accident à la Petite Nation, chez M. Papineau, où nous avons dit la messe ce matin » (24 mai 1818).

L'abbé Tabeau part avec Pierre de Rocheblave, douze jours après ses confrères. Rocheblave a trié son équipage. L'abbé Dumoulin, arrivé au Sault-Sainte-Marie, s'émerveille : « Je n'ai pas entendu dix juriments dans tout le voyage. » Rocheblave multiplie, lui aussi, les prévenances. Il bourre les missionnaires de messages de recommandation pour les postes de la Compagnie du Nord-Ouest et se charge d'envoyer leur courrier à Montréal. L'abbé Tabeau et l'abbé

Crevier, qui le rejoint, font quelques jours de ministère à l'île Drummond, puisque les hivernants n'arriveront guère avant le 10 juillet.

Mgr Plessis écrit à M. Jean-Henri-Auguste Roux, supérieur de Saint-Sulpice et vicaire général à Montréal, où son influence est considérable. Il voudrait recevoir au plus tôt l'acte de concession à la mission, pour le remettre à sir John Sherbrooke avant son départ pour l'Angleterre, en le priant de le faire confirmer par lettres patentes ou autrement :

> Par ce moyen, l'établissement acquerrait une stabilité à l'épreuve de toutes les révolutions à venir, et se trouverait solidement garanti, soit des entreprises de la Société du Nord-Ouest, si ennemie de la colonie, soit même des prétentions américaines.

62

Deux procès palpitants

Acquittement de Robertson – Condamnation de Reinhard.

Colin Robertson, voyant les missionnaires partir avant lui, bout d'impatience. Robertson est devenu le conseiller intime de lord Selkirk. Il s'inquiète de voir John Jacob Astor, venu à Montréal en avril 1818, « fréquemment dans la société de nos adversaires ». Il écrit directement à Colvile, ce qui vexe les surintendants de la Compagnie de la Baie d'Hudson au Nord-Ouest. Il croit possible et recommande d'obtenir les services de Ross Cox, maintenant disponible, « qui a passé cinq ans dans la Colombie, connaît parfaitement l'état des affaires de la Compagnie du Nord-Ouest dans ce district, et possède d'ailleurs une connaissance générale des affaires de cette Compagnie ». Ross Cox est « particulièrement désigné pour traiter avec les Canadiens dont il comprend parfaitement la langue ». Robertson engage un Voyageur d'expérience, Ignace Giasson, au tempérament de coureur de bois, qui part de Montréal dès la fin d'avril en canot rapide, avec des dépêches pour la colonie de la rivière Rouge et pour James Bird à Norway House. Ignace Giasson emporte aussi, et peut-être surtout, des actes d'accusation que Selkirk a obtenus contre plusieurs hivernants de la Compagnie du Nord-Ouest, à la suggestion de Robertson qui espère paralyser ainsi des concurrents.

La Compagnie du Nord-Ouest, l'apprenant, envoie en hâte un canot léger prévenir les intéressés. Les deux canots se livrent une course épique sur les cours d'eau qui conduisent au Nord-Ouest.

Car la lutte se poursuit en même temps devant les tribunaux. Des associés et commis de la Compagnie du Nord-Ouest doivent être traduits devant la Cour d'assises dans le Haut-Canada. La plupart ont obtenu leur liberté sous caution, et plusieurs ont disparu. Colin Robertson et quelques-uns de ses compagnons attendent leur procès à Montréal. Charles de Reinhard et Archibald McLellan attendent leur procès à Québec. Lord Selkirk écrit à Beverley Robinson, procureur général du Haut-Canada (fin mars 1818). Les causes soumises à la justice, dit-il, « sont d'une magnitude et d'une importance exceptionnelles ». Il demande qu'elles ne soient pas conduites par les procureurs de la Couronne, mal au courant des faits, mais par les avocats des plaignants — ses avocats — qui les connaissent bien, ou tout au moins conjointement par les procureurs et les avocats. Selkirk envoie la même requête à l'administrateur de la province qui fait, en réponse, exprimer par un secrétaire sa pleine confiance au procureur général. Robinson, resté en excellents termes avec ses anciens clients de la Compagnie du Nord-Ouest, répond à Selkirk, le 18 avril, qu'il fera son devoir comme d'habitude, « sans autre considération d'intérêt que celui de la justice ».

Colin Robertson et ses coaccusés attendent toujours leur procès. On prête au procureur général du Bas-Canada un projet de *noli prosequi,* annulant les procédures. William McGillivray proteste, par lettre du 11 mai :

> Cette mesure assurerait l'impunité des coupables et les encouragerait à continuer le régime de rapines et d'agressions pratiqué par le comte de Selkirk avec tant de succès.

William McGillivray — comme Colin Robertson — demande au contraire l'accélération des procédures. Les accusés vont et viennent, vaquent à leurs affaires. L'un d'eux, Miles Macdonell, est déjà hors et loin de la province. Tout différent est le sort de Firmin Boucher et Paul Brown, poursuivis par le comte de Selkirk et qui, la mise en liberté sous caution leur ayant été refusée, sont en prison depuis près de deux ans. Moi-même, écrit McGillivray, j'ai dû verser de fortes cautions et renoncer à un voyage en Angleterre nécessité par les affaires de ma Compagnie. Et de conclure :

> Les méfaits de Colin Robertson sont de notoriété publique dans les territoires indiens. Son retour sans caution détruirait la confiance de la population dans les tribunaux de ce pays, et il n'y aurait plus de contrainte légale.

Chacune des deux compagnies trouve les autorités partiales en faveur de son adversaire.

*   *   *

Les démarches de William McGillivray y sont-elles pour quelque chose ? Robertson se laisse emprisonner pendant quatre jours et subit son procès, à la Cour d'Oyer et Terminer de Montréal[1], avec Michael Heden, John Palmer Bourke, Louis Nolin et Martin Jorden, sous l'inculpation de « riot », qui peut se traduire par attentat à l'ordre public[2]. James Monk, juge en chef du district de Montréal, préside, assisté du juge Edward Bowen, ancien député de William Henry (Sorel).

Le « riot » est la destruction du Fort Gibraltar, au printemps de 1816.

Roderick McKenzie, François Larocque et Pierre de Rocheblave précisent l'emplacement où les incidents ont eu lieu. Jean-Baptiste Roy, ancien employé de la Compagnie du Nord-Ouest devenu traiteur libre et qui a passé quarante-quatre ans dans le Nord-Ouest, décrit le « fort » que « les Anglais » ont détruit. Les Anglais ont pris le bois et démoli ce qu'ils ne pouvaient emporter. Jean-Baptiste Roy a vu Colin Robertson prendre possession du fort. François Taupier, au service de la Compagnie du Nord-Ouest depuis une quinzaine d'années, a vu Robertson, Bourke, Heden et d'autres, armés de baïonnettes, de pistolets et d'épées, s'emparer du fort Gibraltar. Bourke, braquant son pistolet, l'a menacé de mort s'il bougeait. Un autre assaillant l'a poussé dehors à coups de crosse. Taupier a vu par la suite des objets pris au Fort Gibraltar, qui avaient été transportés au Fort Douglas. Basile Bélanger, traiteur libre à la rivière Rouge depuis treize ans, a vu les Anglais transporter du matériel du Fort Gibraltar au Fort Douglas. Jean-Baptiste Mennie donne le même témoignage.

Miles Macdonell paraît en témoin. Il déclare qu'en 1814 il a entendu parler de complots ourdis à Fort Gibraltar contre la colonie. Un acte de violence ouverte a été commis en avril 1815, quand des gens de Fort Gibraltar ont pris des canons appartenant à la colonie. En mai, ils ont pris du bétail ; en juin, ils ont livré une attaque armée contre Fort Douglas ; ils ont tiré pendant trois quarts d'heure. Ces actes d'hostilité visaient à chasser les colons, ce qui s'est produit en juin. Les colons chassés, leurs demeures ont été brûlées (Macdonell ne peut préciser par qui). Contre-interrogé sur son arrêté interdisant la chasse à cheval, Miles Macdonell reconnaît l'impopularité

---

1. La Cour d'Oyer et Terminer était, plutôt qu'une Cour spéciale, une commission donnée à des juges par le Roi, ou au nom du Roi, pour enquêter sur des crimes commis dans certains comtés. Elle a été supprimée en 1873.

2. A. Amos : *Reports on Trials in the Courts of Canada, relative to the destruction of the Earl of Selkirk's Settlement in the Red River, with observations* (Londres, 1820). Les sténographes sont d'une compétence très restreinte et le recueil est préparé par des avocats de Selkirk.

de cet ordre, qui n'a pas été exécuté. Il prétend qu'il l'a émis « à la sollicitation des Messieurs du Nord-Ouest, qui le recommandaient comme utile à toutes les parties ».

Interrogé par la Cour :

> Je n'ai pas eu connaissance que Sa Majesté ait jamais confirmé ma nomination comme gouverneur. Je n'ai jamais prêté de serment à l'État ; on ne me l'a pas demandé.

John Pritchard donne le témoignage le plus long et le plus complet. Il a été l'un des colons à la rivière Rouge, alors florissante dit-il, au printemps de 1815. Mais des « machinations » ourdies dans le fort de la Compagnie du Nord-Ouest visaient à détruire la colonie. Les gens du Nord-Ouest persuadaient nos colons d'abandonner ; ils chassaient le bétail ; ils ont pris des canons au Fort Douglas. Des hommes armés, venus de Fort Gibraltar, ont attaqué les colons en mai et juin. Un commis de la Compagnie, nommé Warren, a perdu la vie dans un de ces incidents. On menaçait faussement les colons de l'hostilité des Indiens, qui nous ont toujours été sympathiques. Des colons renonçaient. Après leur départ, on brûlait leurs maisons. Je me suis moi-même éloigné. Mais M. Colin Robertson, venu de Montréal avec du renfort, m'a permis de revenir. La colonie a été rétablie et les maisons ont été reconstruites en septembre 1815. Les Indiens en étaient très contents. Mais les gens du Nord-Ouest ont recommencé les hostilités. Les Métis nous menaçaient. « Telle était la situation quand on a pris possession du Fort Gibraltar. » Je n'étais pas là, mais j'aurais jugé cette mesure nécessaire. Pritchard parle de l'affaire des Sept-Chênes, de juin 1816, et de la destruction de Brandon House. C'est le gouverneur Semple qui a pris la décision de détruire le Fort Gibraltar. Robertson, à ce moment, n'était pas là. Il était notoirement hostile à l'idée de détruire ce fort. M. Robertson, ni aucun des autres accusés, n'a participé, à ma connaissance, à la destruction du fort. Le gouverneur Semple s'en est occupé. Robertson est parti pour la baie d'Hudson au moment où Semple partait de Fort Douglas pour présider à la démolition de Fort Gibraltar. Pritchard, contre-interrogé, reconnaît que du matériel, pris à Fort Gibraltar, a été transporté et utilisé à Fort Douglas.

La défense a encore cité, comme témoins, Patrick Corcoran, colon de 1812 à juin 1815, qui a quitté quand les « gens du Nord-Ouest » harcelaient la colonie, et qui est revenu quand Robertson a rameuté et protégé les fuyards. Les colons ont reconstruit, mais dans l'appréhension d'une nouvelle attaque, que des rumeurs faisaient prévoir. Corcoran n'était pas là lors de la prise du fort ; il a cependant assisté à la démolition, ordonnée par Semple.

Aucun des accusés, d'après eux-mêmes et d'après les témoins, n'a participé à la démolition. Ceux qui l'ont fait ne sauraient en répondre, car ils ont été tués aux Sept-Chênes. Si un crime a été commis, Semple l'a seul accompli, avec une vingtaine de compagnons dont aucun des accusés. Haro sur Semple, qui n'est plus justiciable que devant l'Éternel. Ses complices, s'il en a eus, sont tous morts aux Sept-Chênes.

En quinze minutes de délibération, le jury acquitte les accusés (15 mai 1818).

* * *

Le procès de Charles Reinhard se déroule aussitôt après, à Québec, devant le juge en chef Sewell assisté du juge Bowen. Les avocats sont Andrew Stuart, frère de James dont il partage à la fois la grande réputation au barreau et les préventions politiques et personnelles, George Vanfelson et Joseph-Rémi Vallières de Saint-Réal, qui poursuivent tous deux d'importantes carrières politiques. Le jury de douze membres comprend une majorité de Canadiens français. C'est un grand procès, car Reinhard risque sa tête. Parmi les témoins paraissent Joseph Bouchette, arpenteur général adjoint, pour des questions de localisation géographique, et le commissaire Coltman, qui dépose brièvement.

La clé du procès est le témoignage du capitaine d'Orsonnens, qui a provoqué et reçu la première confession de Reinhard. D'autres témoignages le contredisent. Le procureur général Uniacke demande au commissaire Coltman si le capitaine d'Orsonnens lui a paru comme un homme digne de foi.

— Il agissait en homme fortement préjugé, mais sans forfaire à l'honneur tel qu'il le concevait.

Les procureurs de la Couronne cherchent à prouver l'existence d'une préméditation, d'une conspiration pour tuer Keveny, ce qui mettrait en cause toute la Compagnie du Nord-Ouest. Andrew Stuart fait une charge à fond contre le capitaine d'Orsonnens qui, en demi-solde, s'est mis à la tête de bandes armées au service d'une guerre privée, pour détruire un commerce. Des employés de la Compagnie du Nord-Ouest, qui étaient à Fort William lors de la prise de ce poste, taxent d'Orsonnens de brutalité. Louis Labissonnière l'aurait entendu se vanter qu'il allait prendre le poste du lac La Pluie, ce qui contredit le témoignage du capitaine, affirmant qu'il n'avait pas l'intention de prendre ce poste et ne s'y est décidé qu'après les confidences de Reinhard, l'avertissant des sinistres desseins de la Compagnie du Nord-Ouest. William Morrison aurait entendu le capitaine ordonner à ses hommes : « Faites-leur sauter la cervelle s'ils s'obstinent.»

Andrew Stuart, à la hauteur de sa réputation, s'efforce de montrer qu'il existait au Nord-Ouest un véritable état de guerre civile, et qu'il peut se passer dans cette situation, où les esprits sont affolés, des choses qui seraient inexcusables en temps de paix. Cette tension exerçait sur Reinhard la crainte qui a pu le porter à livrer la confession moralement extorquée, et donc non valable, dont le capitaine d'Orsonnens fait état. La confession signée à Fort William, sous une pression encore plus intimidante, irrésistible, n'est pas plus valable devant un tribunal britannique.

Un ancien lieutenant du régiment de Meuron, qui a eu le sergent Reinhard sous ses ordres pendant plusieurs années, témoigne que l'accusé ne manie pas assez la langue française pour avoir rédigé le texte qu'on lui a fait écrire et signer.

Le juge en chef Sewell résume la « charge » au jury. Thomas Lavallée, président du jury, rend le verdict : Reinhard est coupable d'avoir aidé au meurtre de Keveny, non coupable sur les sept autres chefs d'accusation.

Sewell n'en est pas satisfait :

> Si vous le trouvez coupable d'avoir aidé au meurtre, vous le trouvez coupable sous les autres chefs d'accusation. Autrement le verdict serait contradictoire.

Le jury, malgré l'insistance des juges, s'en tient à son verdict.

> Le juge Sewell. — Je ne permettrai certainement pas au jury de trouver le prisonnier coupable de tout autre crime que celui de meurtre, dont il est accusé. Mais je contresignerais avec plaisir un verdict de non coupable si le jury le veut.

Les juges obligent les jurés à recommencer leurs délibérations. Le jury rentre.

> Thomas Lavallée. — Mainville a commencé à commettre le crime, et de Reinhard était présent et l'a aidé. C'est mon verdict et celui de mes collègues, après les témoignages que nous avons entendus, et nous n'en donnerons pas d'autre.

Le juge en chef ordonne au greffier d'inscrire au procès-verbal un verdict de coupable sous deux chefs.

Jonathan Sewell est un fanatique du type gracieux. C'est un homme de belles manières et de grande culture, dont les artistes apprécient le mécénat, à Québec. Sewell est, par ses fonctions et par sa personnalité, la première notabilité du pays après le gouverneur.

Mais voilà qui n'intimide pas nos citoyens. Le juré Trahan se rebelle : « Non. Pas sous deux chefs. »

Stuart revendique avec émotion les droits du jury. D'interminables discussions sur des points de droit prolongent le procès pendant dix jours. Reinhard, un peu égaré, sort de son mutisme pour demander qu'on en finisse : « Je suis mortifié, très mortifié. »

> Le juré Lavallée. — Nous le trouvons coupable sous le huitième chef d'accusation.

> Le juge en chef Sewell. — Que dites-vous du quatrième qui le précède et qui est le même ?

Les avocats demandent que le verdict soit pris tel qu'il est rendu.

> Le juge en chef. — Messieurs, vous devez nous faire comprendre ce que vous voulez dire, avant l'enregistrement de votre verdict, qui doit être conforme à la loi.

> Thomas Lavallée. — Nous le trouvons coupable sous le huitième chef, d'avoir aidé.

> Le juge en chef. — Nous vous demandons de vous retirer. Votre verdict est contradictoire, et nous ne pouvons le recevoir.

> Un juré. — Je n'ai pas besoin de me retirer. C'est mon verdict, et je n'en donnerai pas d'autre, quand je devrais mourir de faim.

> Le juge en chef. — Écoutez-moi un moment.

Il recommence ses explications. Le jury se retire et revient bientôt.

> Le greffier. — Êtes-vous tombés d'accord sur un verdict ?

> — Oui, monsieur.

> — Qui va parler pour vous ?

> — Monsieur Roger Sasseville.

> — Regardez le prisonnier. Est-il coupable ou non coupable ?

> Roger Sassevile.— Il est coupable sous le quatrième et le huitième chefs d'accusation et non coupable sur les autres.

Jonathan Sewell triomphe enfin de ces obstinés.

Andrew Stuart proteste contre le refus d'enregistrer tel quel le verdict d'abord prononcé. George Vanfelson conteste la juridiction du tribunal — de la Cour d'Oyer et Terminer — à l'égard d'un crime commis en territoire indien. La loi de 1803, qui donne autorité aux Cours du Bas-Canada et du Haut-Canada pour juger les crimes commis en territoire indien, se réfère aux *juges* qui siègent à la Cour du Banc du Roi. « C'est à titre de *commissaires* non permanents que vous siégez à la Cour d'Oyer et Terminer, régie par des règles différentes. » Vanfelson conteste encore la validité de la confession signée devant Selkirk en sa qualité de magistrat, et pour laquelle les formalités exigées par la loi n'ont pas été remplies. Le avocats demandent un nouveau procès.

Avocats et procureurs discutent des heures et des heures sur des têtes d'épingle. Le 5 juin, le tribunal condamne l'accusé à la peine de mort. Charles de Reinhard, venu au Canada comme sergent au régiment de Meuron pour défendre comme mercenaire une possession britannique contre les Américains, au lieu de fabriquer du fromage ou des horloges dans sa Suisse natale, est pendu à Québec le 8 juin 1818.

Le procès d'Archibald McLellan, accusé de complicité, mais en liberté sous caution, vient aussitôt après devant le juge Sewell, avec les mêmes procureurs et les mêmes avocats, mais un jury différent — moins obstiné, peut-on présumer — dont cinq membres sur douze sont canadiens-français.

Le procès répète, en plus court, celui de Reinhard, mais se termine par un verdict de non-culpabilité.

* * *

L'épilogue dramatique de l'affaire Reinhard ne termine pas la série des procès, dont les dossiers s'entassent et dont les procédures s'éternisent. L'honorable William McGillivray, membre du Conseil législatif du Bas-Canada, proteste auprès de sir John Sherbrooke, gouverneur général, contre l'abus des procédures, dévorant du temps et de l'argent, auquel lord Selkirk se livre. Des procès sont intentés pour la même accusation, à la fois dans le Haut et dans le Bas-Canada. Paul Brown et Firmin Boucher, arrêtés par lord Selkirk en septembre 1816, attendent encore en prison à Montréal, où sont toutes les pièces justificatives, un procès qui doit se dérouler dans le Haut-Canada. McGillivray rappelle les procédés de lord Selkirk : l'attaque et l'occupation de Fort William par une force armée, l'arrestation des associés de la Compagnie du Nord-Ouest, la saisie des fourrures et des papiers. Les intérêts en jeu sont considérables, non seulement pour les parties, mais pour le public. Il ne nous reste plus d'autre moyen que de nous adresser à Votre Excellence.

Les avocats de lord Selkirk se plaignent aussi, mais dans un autre son de cloche. Les juges, à les entendre, ont fait, en faveur du personnel de la Compagnie du Nord-Ouest, « un usage sans précédent au Canada » du droit d'admettre des prisonniers à caution, ce qui procure à cette compagnie l'avantage « de ne subir de procès que dans les cas où elle croit avoir les meilleures chances de succès ».

Le gouverneur, répondant à William McGillivray, se retranche derrière le procureur général. Celui-ci se justifie dans un rapport que le chef de la Compagnie du Nord-Ouest discute en vain.

63

Invasion du district d'Athabasca

La Compagnie de la Baie d'Hudson envahit l'Athabasca — Colin Robertson change la face des choses — Capture de Colin Robertson.

Colin Robertson était, avant même son acquittement, prêt à partir.

Un convoi monté par lui et comprenant huit canots et soixante-dix Voyageurs, sous le commandement de John McLeod, quitte Lachine le 18 mai. Robertson le suit de près. Il part le 26, avec deux canots portant équipages d'Iroquois et chargés des marchandises habituelles, fournies par la firme Maitland, Garden and Auldjo. Robertson est contesté, au sein même de la Compagnie de la Baie d'Hudson. Les employés de la « vieille équipe » si souvent taxés par lui d'incompétence, brandissent le passé d'Aulay McAulay et les échecs de John Clarke — deux de ses recrues, enlevées à la Compagnie du Nord-Ouest. Samuel Gale s'est peu à peu persuadé que Miles Macdonell et Colin Robertson sont les mauvais génies dont les conseils entraînent lord Selkirk à des imprudences qui finiront mal. Il l'écrit à lady Selkirk.

Robertson, triomphant grâce à la protection de lord Selkirk, s'est fait accorder des pouvoirs discrétionnaires, particulièrement en ce qui concerne le choix de ses subordonnés. Il engagera ceux qu'il voudra. Personne de la « vieille équipe ». Mais John Clarke si bon lui semble. Lord Selkirk accompagne Robertson jusqu'à Lachine, ce qui est une façon très ostensible de lui manifester sa confiance.

Ignace Giasson est passé à la Pointe Meuron dans son canot léger le 24 mai. Il pagaie comme un possédé pour rattraper le canot léger de la Compagnie du Nord-Ouest, parti un peu avant lui mais qu'il dépassera sur le lac Supérieur. De Lorimier est passé à la Pointe Meuron avec les missionnaires en route pour la rivière Rouge le 20 juin. Colin Robertson y arrive le 24. Il y rencontre l'abbé Tabeau, Pierre de Rocheblave et le Dr John McLoughlin. Robertson, toujours à l'affût d'une faille dans l'édifice de la Compagnie du Nord-Ouest, recherche une conversation particulière avec McLoughlin, perpétuel mécontent, qu'il appelle « notre vieil ami ». Mais Rocheblave ne les laisse pas seuls. Robertson apprend au passage la désertion de deux hommes de John McLeod, et note simplement : « Je présume qu'ils sont dans le camp de la Compagnie du Nord-Ouest. » Robertson repart le 26. Au Sault-Sainte-Marie, il va voir John Johnston, lui parle de la Compagnie du Nord-Ouest dans les termes que vous devinez, et le trouve « exceptionnellement attentif ». Le bruit court que Robertson est « chargé de mandats d'arrestation ».

Les abbés Tabeau et Crevier sont reçus à Fort William « avec toute l'honnêteté ordinaire de la part de ces messieurs : une grande chambre et deux cabinets nous ont été donnés pour logement et un appartement assez vaste pour notre chapelle... » L'abbé Tabeau, bon vivant et amateur de musique, s'accorde de mieux en mieux avec les Bourgeois, protestants mais tolérants, de la Compagnie du Nord-Ouest. Il a toute latitude pour l'exercice des fonctions religieuses : « Tous les soirs, nous faisons la prière en commun avec les gens du fort ; nous les prêchons de temps en temps et catéchisons tous les jours, principalement les jeunes gens qui se disposent au baptême... La plupart de ceux qui restent dans ce pays sont, ou employés à la traite de la boisson avec les Sauvages, ou liés à des Sauvagesses infidèles... » Les parrains et marraines des nouveaux baptisés ne remplissent pas strictement toutes les conditions requises, mais nous sommes en pays sauvage, il faut s'y montrer indulgent. Il faudrait plusieurs années de missions régulières pour porter véritablement fruit.

Les brigades d'hivernement sont descendues, comme d'habitude. William McGillivray, malade, a dû s'arrêter à Sandwich et s'est forcé pour continuer sa route. Il y a là Simon McGillivray accompagnant son frère, John George McTavish, Angus Shaw, Pierre de Rocheblave, John McLoughlin, James Hughes, Thomas Dare, entre autres. On en attend encore, bien qu'une trentaine de canots soient déjà partis pour le lac La Pluie.

Le chiffre d'affaires a baissé. Moins qu'on aurait pu le craindre après tant de cahots, mais il a baissé, pour la première fois depuis nombre d'années. Il serait plus faible encore sans les beaux résultats continus du district d'Athabasca. Le chef est malade. Les procès coûtent cher et ne sont pas terminés : les plus importants doivent se dérouler devant la Cour d'assises du district Ouest du Haut-Canada, à Sandwich, en septembre. Les deux parties entretiennent des témoins qu'elles ont fait venir de l'Ouest. Ces procès et la prochaine invasion de l'Athabasca par Colin Robertson hantent toutes les pensées.

John George McTavish, qui a fait ses preuves, ira s'opposer à Robertson, avec des lieutenants comme Angus Shaw, John Duncan Campbell, Benjamin Frobisher — qui a expulsé les traiteurs de la Compagnie de la Baie d'Hudson de leur poste du lac Reindeer, Samuel Black et Simon McGillivray junior, dans le district d'Athabasca, qu'il connaît bien. Les Bourgeois régalent encore — de rhum, principalement — leurs engagés et les Indiens du voisinage. William McGillivray offre aux abbés Tabeau et Crevier « un voyage de promenade » sur le lac Supérieur. La cohésion du personnel paraît encore ferme, en face des provocations du mauvais démon qui a pris les traits d'un lord d'Angleterre. Mais ce n'est plus, à Fort William, le tralala des grands jours. Un des canots partis pour le lac La Pluie a fait naufrage dans un rapide et un homme s'est noyé. « J'ai profité de cet incident », écrit l'abbé Tabeau, « pour le salut des autres. »

* * *

Les abbés Provencher et Dumoulin et leur jeune compagnon Edge arrivent au lac La Pluie le 4 juillet. Le dépôt de la Compagnie du Nord-Ouest, pour lequel Rocheblave leur a donné des lettres de recommandation, les héberge gratuitement. Les prêtres en sont heureux, reconnaît l'abbé Provencher dans son compte rendu à Mgr Plessis, « car les provisions de la Compagnie de la Baie d'Hudson ne sont pas très abondantes ». Le poste inachevé de la Compagnie de la Baie d'Hudson, à quinze ou vingt arpents de son concurrent, est beaucoup moins actif. Les Sauvages préfèrent trafiquer avec la Compagnie du Nord-Ouest. C'est d'abord au poste de la Compagnie du Nord-Ouest que les missionnaires destinés à la rivière Rouge, et partis avec quelques préjugés, célèbrent la messe et baptisent des enfants. Ils procèdent aux mêmes cérémonies aux postes de la Compagnie de la Baie d'Hudson le lendemain.

Les missionnaires prennent ensuite la voie habituelle, par la rivière La Pluie, le lac des Bois, la rivière Winnipeg, le lac Winnipeg et la rivière Rouge. Ils voient les restes du squelette d'Owen Keveny. Partout sur leur passage les Bourgeois et les commis de la Compagnie du Nord-Ouest, décidément moins méchants que lord Selkirk ne l'a laissé entendre, « tiennent leurs promesses de nous protéger de toutes les manières possibles ». Chaque poste de la Compagnie du Nord-Ouest les ravitaille gratuitement. Mais à la rivière Rouge, la Compagnie de la Baie d'Hudson se fait gloire d'avoir obtenu l'envoi des missionnaires. L'abbé Provencher trouve la région splendide, mais pauvre en bon bois de construction. Les forts de la Compagnie du Nord-Ouest et de la Compagnie de la Baie d'Hudson sont à huit à dix arpents l'un de l'autre. Le bison abonde aux environs, mais la crainte des chasseurs tend à l'éloigner.

Colin Robertson, arrivé à la rivière Rouge à peu près en même temps que les missionnaires, rédige pour lord Selkirk un rapport optimiste :

> J'ai grand plaisir à faire connaître à Votre Seigneurie l'état prospère de ses affaires dans cette région. Le vieil établissement écossais de Paix et Abondance est enfin réalisé sur les plaines fertiles de l'Assiniboia. Les missionnaires sont charmés de la belle apparence des récoltes et de l'industrie des colons, particulièrement des Meurons. Les hommes ont construit des maisons et cultivé les terres comme par magie ; la rue Allemande semble habitée, non pas depuis dix mois, mais depuis dix ans...

Les Highlanders travaillent et grognent ;

> mais les belles récoltes font tomber nombre de plaintes et griefs, qui n'existent que dans leur regrettable disposition.

Des colons doivent venir du Canada :

> Les nombreux rapports malicieux mis en circulation par la Compagnie du Nord-Ouest m'ont induit à envoyer le capitaine de Lorimier plus tôt qu'il ne le prévoyait, pour encourager la brigade coloniale à gagner son lieu de destination, car je suis convaincu que cette Compagnie dressera des obstacles sur son chemin.

Robertson se plaint toujours des employés de la « vieille école », qui n'ont pas cru et ne croient pas encore en l'avenir de la colonie. Mais, arrivé à Norway House, il corrigera, en ce qui concerne les Meurons :

> J'ai traversé la colonie et j'ai trouvé les immigrants écossais activement employés à l'amélioration de leurs petites fermes. Les Meurons étaient plutôt agités et semblaient hors de leur élément. Ils ont rendu grand service pour la protection de Sa Seigneurie et sont maintenant la terreur des Métis, mais si l'on pouvait se dispenser de leurs services, je crois qu'il faudrait le faire.

La mission catholique, estime Robertson, fera du bien aux Meurons, « car ils ne professent aucune religion et se moquent de ceux qui le font ».

* * *

Colin Robertson arrive à Norway House le 26 juillet 1818. La prise de Fort William et le rétablissement de la colonie de la rivière

Rouge ont rehaussé son prestige parmi le personnel subalterne. Robertson affirme à qui veut l'entendre que lord Selkirk, à la moindre provocation, s'emparera de Fort William « aussi facilement que la première fois ». Il rallie les débris de la brigade Lemoine. Il doit cependant batailler contre le surintendant pour faire placer John Clarke, « avec une autorité réduite à la mesure de ses talents », à la rivière La Paix. John Clarke est toujours le malappris — et l'infatué — que Gabriel Franchère, à la Colombie, ne pouvait souffrir. Mais Robertson, qui se bat, a besoin de ce genre d'auxiliaires. Il écrit à George Moffat :

> Il n'y a qu'un McLeod (Archibald Norman McLeod) qui ait pu s'opposer à lui en 1817. Il n'essaierait pas de s'opposer à lui une deuxième fois. La première attaque de Clarke est irrésistible. Aucun serviteur n'essaie de désobéir à ses ordres, et peu d'Indiens résistent à ses prévenances. Il cajole et semble jouer de toutes les cordes qui peuvent toucher le cœur d'un Canadien ; mais sa vanité invétérée est telle que diriger Clarke est une tâche aussi ardue que de combattre la Compagnie du Nord-Ouest. Il faut surveiller tous ses mouvements, demander son avis et avoir l'air d'en tenir compte... Tel est l'homme que j'ai choisi comme mon collègue, et je confesse que sans lui je douterais du résultat de ma deuxième tentative pour établir Athabasca.

Avec tous ses défauts et toutes ses sottises, conclut Robertson, « Clarke est le seul homme capable de s'opposer aux Nor'Westers sur leurs principes ».

James Bird, gouverneur temporaire depuis la mort de Semple, est à ce moment remplacé par William Williams, jugé plus homme d'action et nommé gouverneur à titre définitif. Le Comité de la Compagnie de la Baie d'Hudson mentionne, dans ses instructions au nouveau gouverneur : « Nous considérons comme essentiel que la Compagnie se procure une part du commerce de l'Athabasca. »

W.F. Wentzel écrit du lac La Pluie à Roderick McKenzie, le 4 août 1818 :

> Vous apprendrez avec plaisir que les affaires de la Compagnie semblent en bien meilleur état qu'on aurait pu s'y attendre dans la fermentation actuelle du pays. Dans le département d'Athabasca, le rendement a été meilleur que l'année dernière. Le produit de l'année se monte à 430 ballots, en augmentation de près de 50 ballots sur l'année dernière. La Compagnie de la Baie d'Hudson ne peut pas se vanter d'un demi-ballot, bien que le célèbre M. Decoigne ait rempli pour elle les fonctions d'agent dans Athabasca. Cependant le département du lac La Pluie a perdu 32 ballots réalisés par la Compagnie de la Baie d'Hudson, alors que M. Dean n'en a réalisé que 40...

À la rivière Rouge, les colons semblent prendre racine ; leurs récoltes de blé paraissent bonnes. . .

L'approche de canots de la Compagnie de la Baie d'Hudson fait prévoir à Wentzel une dure lutte pour l'année suivante. Mais « nous les voyons apparaître avec un froid mépris, sans appréhension sur le résultat probable ». Wentzel se plaint cependant de Rocheblave qui, remplissant les fonctions d'agent à Fort William, n'a pas fait la diligence voulue pour garnir les postes en marchandises qui permettraient d'exploiter le découragement apparent de « l'opposition ».

« Nous les voyons apparaître avec un froid mépris. . . » L'esprit de corps, à la Compagnie du Nord-Ouest, est indestructible. Les désertions dans ses postes sont beaucoup plus rares que dans les postes de la Compagnie de la Baie d'Hudson. L'abbé Provencher constate une situation semblable à la rivière Rouge, où les personnels des deux compagnies vivent actuellement dans une paix sans cordialité. Il ne voit pas, parmi le personnel de la Compagnie de la Baie d'Hudson, le mordant si remarquable à la Compagnie du Nord-Ouest. Cela provient, pense-t-il, de ce que les chefs de la Compagnie de la Baie d'Hudson dirigent leurs affaires par l'intermédiaire de leurs commis, tandis que les Bourgeois de la Compagnie du Nord-Ouest les dirigent eux-mêmes « et sont partout ».

* * *

John George McTavish prend la direction du district d'Athabasca pour la Compagnie du Nord-Ouest. C'est un des Bourgeois les plus anciens et les plus respectés de la Compagnie à laquelle il est attaché depuis 1798. C'est lui qui a reçu la reddition d'Astoria en 1813. C'est aussi l'un des rares « Bourgeois » à qui Robertson, qui va s'opposer à lui, témoigne de l'estime.

Robertson a monté un imposant convoi de vingt-deux canots. Il arrive de Norway House à Cumberland le 20 août 1818. Il en repart le 22, s'arrête à l'île à la Crosse du 3 au 5 septembre et arrive en canot léger, avec John Clarke, au fort Wedderburn, sur le lac Athabasca, le 17 septembre. Il constate, particulièrement à l'île à la Crosse, une situation piteuse pour sa Compagnie, dont nul Indien n'ose ou ne veut se réclamer. Des filets de pêche de la Compagnie de la Baie d'Hudson ont été cisaillés, et l'on accuse de cette besogne Jean-Baptiste Durocher, l'un des fiers-à-bras de la Compagnie du Nord-Ouest. D'autres fendants viennent le soir jusqu'aux palissades de la Compagnie de la Baie d'Hudson pour défier leurs rivaux. Les canots laissés à la traîne risquent la destruction.

John Clarke continue jusqu'à la rivière La Paix. « Il ne s'embarrasse d'aucune difficulté, écrit Robertson, et les infortunes passées stimulent son ardeur plutôt qu'elles ne l'abattent. » « Il ne s'embarrasse d'aucune difficulté » est un euphémisme, gros de menaces. Hugh Leslie rétablit le poste du lac Reindeer, ou lac du Caribou, d'où Benjamin Frobisher l'a chassé l'année précédente.

John George McTavish et Colin Robertson ont pris la direction du district d'Athabasca, pour leurs compagnies respectives, à peu près en même temps. McTavish fait demander à son concurrent — à son adversaire — la livraison d'un transfuge, Peter Andrews, passé du service de la Compagnie du Nord-Ouest au service de la Compagnie de la Baie d'Hudson malgré son contrat. Robertson réplique en réclamant Baptiste Colin, passé du service de la Compagnie de la Baie d'Hudson au service de la Compagnie du Nord-Ouest malgré son contrat. La lutte est tout de suite engagée.

Colin Robertson remonte le moral de ses gens. Le retour en force de la Compagnie de la Baie d'Hudson impressionne les Indiens, auxquels Robertson rappelle sans cesse la prise de Fort Gibraltar et celle de Fort William, sans omettre que lord Selkirk et la Compagnie de la Baie d'Hudson renouvelleront aussi facilement ces exploits, s'ils le jugent nécessaire. Lui-même, à l'entendre, prendra le Fort Chippewean s'il le juge opportun.

Les Bourgeois et commis de la Compagnie du Nord-Ouest considèrent Colin Robertson comme leur plus mortel ennemi. Avec raison, car il poursuit moins la prospérité de la Compagnie de la Baie d'Hudson que la ruine de la Compagnie du Nord-Ouest. Colin Robertson a du mérite dans son obstination, car le lamentable état de ses affaires de famille et du commerce auquel il est associé à Liverpool taraude son esprit. Il est du modèle que l'on prête aux condottières du moyen âge. Son arrivée et son assurance changent la face des choses dans Athabasca, comme elle ont fait à la rivière Rouge. Simon McGillivray junior, écrivant à Angus Shaw, signale de l'agitation parmi les Montagnais, excités par l'opposition de la Compagnie de la Baie d'Hudson, et auxquels la Compagnie du Nord-Ouest n'en impose plus comme autrefois (4 octobre 1818). Il faudra, dit-il, faire quelque chose qui les impressionne, pour rétablir nos affaires. McTavish confirme ce renseignement un peu plus tard : « Il a fallu témoigner d'énergie pour empêcher que la moitié des Indiens ne prennent leurs crédits à la Compagnie de la Baie d'Hudson. »

Le commissaire Coltman, sans indulgence pour lord Selkirk, a cependant rétabli la colonie de la rivière Rouge. Colin Robertson, avec des lieutenants comme John Clarke et Aulay McAulay — tous transfuges de la Compagnie du Nord-Ouest où ils ont fait leurs classes — envahit de nouveau le district d'Athabasca. Et la Compagnie du Nord-Ouest se ruine en luttes et en procès.

Pis encore. On prête à Colin Robertson l'intention d'attaquer le Fort Chippewean, où John George McTavish a son quartier général. Le bruit court qu'il pousse les Indiens à massacrer des Nor'Westers. Les Voyageurs de la Compagnie du Nord-Ouest, à leur tour, sont nerveux. Ils font bonne garde. Simon McGillivray conduit des patrouilles. Colin Robertson se vante de l'avoir fait reculer alors qu'il rôdait, à la tête d'une bande armée, trop près de son fort. Simon McGillivray prépare-t-il « quelque chose qui impressionne les Montagnais, pour rétablir nos affaires » ?

Comment, dans ces conditions, Colin Robertson n'est-il pas plus prudent ? Le dimanche 11 octobre 1818, une bande tapie autour de son poste, sous le commandement de Samuel Black et Simon McGillivray, de la Compagnie du Nord-Ouest, le surprend au sortir de sa cabane, le jette dans un canot et l'emmène au Fort Chippewean. Le coup de force est exécuté avec une adresse foudroyante. Robertson exprime cependant du dépit, de ne pas avoir été secouru par ses gens.

64

Épilogue judiciaire de l'affaire des Sept-Chênes

Procès à Sandwich et à York — Acquittement de Brown et Boucher — Départ de lord Selkirk — La Compagnie du Nord-Ouest gagne sur tout le front judiciaire.

La guerre des compagnies a déclenché une mitraille de procès. Le pamphlet du pasteur Strachan contre lord Selkirk, publié à Londres, a été reproduit à Montréal à l'insu de l'auteur. On prête à Selkirk l'intention de poursuivre le pasteur du Haut-Canada. Strachan s'en inquiète, et l'écrit à William Gray, éditeur du *Herald* (8 septembre 1818) :

> Bien que ne craignant pas l'issue d'une pareille poursuite, je dois me préparer pour toute éventualité et, ne voulant pas vous occasionner de trouble superflu, j'aimerais avoir le plus tôt possible votre attestation, disant simplement que la publication s'est faite hors de ma connaissance ou de mon consentement, ce que vous savez vrai. La republication m'a effectivement déplu... car cette publication n'a jamais été destinée au Canada, où personne n'avait été trompé, mais à l'Angleterre.

Le pasteur Strachan a connu Miles Macdonell quand celui-ci, avant son engagement par lord Selkirk, habitait le Haut-Canada. Il a longtemps maintenu avec lui des relations cordiales. Il les rompt, en présumant que Miles Macdonell témoignera contre lui dans un procès éventuel.

La Cour d'assises siégeant à Sandwich, en septembre et octobre 1818, doit juger lord Selkirk sous divers chefs d'accusation. Les deux principaux adversaires, Selkirk et McGillivray, sont malades ; mais la maladie de McGillivray est passagère, tandis que Selkirk, avant d'atteindre la cinquantaine, est usé. Selkirk vient à York et rend visite au juge en chef William Dummer Powell, Bostonnais de naissance, qui a longtemps habité Montréal où il a cédé au juge en chef Monk sa propriété, désormais appelée Monkland. Le juge Powell retient Selkirk à dîner, en compagnie du juge Jacques-Duperron Baby, membre du Conseil exécutif du Haut-Canada. Powell conseille à Selkirk de se présenter, une seconde fois, aux assises de Sandwich.

Selkirk paraît à la Cour, visiblement affaibli et nerveux. McGillivray ne peut venir ; son frère Simon le représente. Le jury rejette l'accusation de résistance à des procédures légales d'arrestation. Il aborde ensuite l'accusation d'avoir tenté le sabotage, voire la destruction, du commerce de la Compagnie du Nord-Ouest. Les témoins, partisans de l'une ou l'autre compagnie, viennent déverser leur vieil arriéré d'acrimonie ou de rancœur. Simon McGillivray, qui est un peu soupe au lait, a du mal à se contenir. Lord Selkirk, rendu plus émotif par son état de santé, parle avec véhémence, semble faire la leçon à la Cour — et l'indispose[1]. Les jurés ne se mettent pas d'accord. Le juge Powell les congédie, ce qui ne satisfait personne.

Dans une poursuite reconventionnelle de la Compagnie de la Baie d'Hudson contre les associés de la Compagnie du Nord-Ouest, le jury renvoie la plainte.

Aux assises d'York, en novembre, se déroule le procès des accusés du meurtre de Robert Semple. Il ne reste que deux de ces accusés, Paul Brown et Firmin Boucher, entre les mains de la justice. Les autres accusés, tous Métis, admis à caution, se sont évanouis dans le vaste pays où il ne serait pas prudent de les poursuivre.

William McGillivray, au prix d'un effort, est venu témoigner. Mais Selkirk, cette fois, n'apparaît pas. Miné par les soucis que la colonie de la rivière Rouge lui cause, il est plus sérieusement détérioré que son adversaire. Il a, dans son voyage de retour de la rivière Rouge par le Mississipi, poussé jusqu'à Washington pour proposer un plan de relations commerciales entre les colons américains et les siens. Son esprit est allé plus loin dans le même sens. Il a constaté, dans ce voyage, la poussée de la colonisation américaine vers l'Ouest. Ce qui lui a suggéré l'idée, qu'il communique à Colvile, de ne pas réserver la rivière Rouge à la seule colonisation européenne, mais de l'ouvrir aux Américains[2]. Ce serait un changement singulier aux intentions premières, du temps où Selkirk, dans ses demandes d'aide au gouvernement, représentait sa colonie comme une barrière à l'invasion américaine. Et cela, complétant la lettre de Selkirk au

---

1. D'après le rapport du juge en chef Powell, du mois d'octobre 1819, dont nous parlerons plus loin.

2. *Robertson's Letters* (The Hudson Bay Record Society).

secrétaire d'État américain, justifierait le soupçon, jeté par la Compagnie du Nord-Ouest et partagé par le pasteur Strachan, entre autres, d'une spéculation gigantesque sous le couvert d'une entreprise philanthropique. Selkirk n'a pas fait venir seulement des compatriotes écossais réduits à l'émigration, mais des Irlandais, des Meurons en majorité d'origine germanique et même des Norvégiens aux antécédents un peu troubles. Il parle maintenant d'Américains. Il a bien pu combiner l'intention philanthropique avec une spéculation à l'échelle véritablement américaine, dont la mise en valeur de sa gigantesque concession serait la première et nécessaire étape. L'ampleur de ses pertes fortifierait l'aspect spéculatif, lui donnerait un caractère d'urgence.

Des nuages de sauterelles, s'abattant sur les récoltes si prometteuses à la rivière Rouge, n'ont pas laissé un brin d'herbe. Des colons se sont réfugiés à Pembina. Quelques-uns, revenant à Fort Douglas, vivent en partie du produit de la chasse, à la manière des Métis et des Indiens. Miles Macdonell a démissionné, et renonce pour toujours au Nord-Ouest. Colin Robertson est prisonnier de la Compagnie du Nord-Ouest au Fort Chippewean. Selkirk perd les deux collaborateurs qu'il pouvait considérer comme son bras droit et son bras gauche, bien que Samuel Gale les appelle ses mauvais génies. Il lui reste sa femme, que l'abbé Dumoulin jugeait « plus capable pour bien des choses que Sa Seigneurie elle-même ». Lord Selkirk, accablé par les mauvaises nouvelles, part pour l'Angleterre par New York. Reviendra-t-il dans ce Canada où la lutte est, plus qu'ailleurs, la loi universelle ? L'amazone écossaise armée de courage, d'intelligence et de charme reste, pour l'heure, à Montréal.

* * *

Le procès de Brown et Boucher, qui se déroule à York, était le plus anxieusement attendu, car on doit y évoquer le drame des Sept-Chênes.

Les avocats de Selkirk produisent leurs témoins. Michael Heden, forgeron de la colonie de la rivière Rouge, qui a comparu comme accusé à Montréal au mois de mai, avec Colin Robertson, prendrait volontiers sa revanche. Il a fait partie du groupe accompagnant Semple, quand le gouverneur a ordonné à ses gens d'arrêter Boucher. Celui-ci a sauté à bas de son cheval. Les Métis ont alors tiré, et Holte est tombé. Heden reconnaît cependant, sur une question du juge, qu'un coup de Holte est parti le premier, mais, affirme-t-il, par accident, quand les deux groupes s'approchaient l'un de l'autre. Pressé d'autres questions, Heden admet qu'il n'a vu ni Firmin Boucher, ni Paul Brown, ni Cuthbert Grant tirer. Il s'est sauvé jusqu'à la rivière, où il a sauté en canot avec un compagnon ; d'autres ont traversé à la nage. Heden affirme, très catégorique, que Semple et son groupe sont sortis sans intention hostile, pour voir ce que les Métis voulaient. Il reconnaît toutefois que les gens de Semple étaient armés de fusils chargés et de baïonnettes.

> — Si vous n'êtes pas sortis pour vous battre, pourquoi aviez-vous des baïonnettes ? Pour harponner les poissons ?

Et encore :

> — Les Métis avaient dépassé le fort quand vous les avez poursuivis. Qui vous permet d'affirmer qu'ils allaient faire demi-tour pour attaquer le fort ?

> — Je ne puis pas affirmer qu'ils seraient revenus contre le fort si nous n'étions pas sortis au-devant d'eux.

Donald McKay, pris et interné quelques jours au fort de Qu'appelle avant l'affaire des Sept-Chênes, donne le même témoignage. Il n'a pas vu Brown ni Boucher tirer. Lui aussi reconnaît que le fusil de Holte est parti le premier, « par accident ».

John Bourke, le « dur » que Semple avait envoyé chercher du canon et du renfort, refuse de reconnaître que les siens ont tiré les premiers.

Hugh McLean aidait Bourke au transport du canon. En voyant la confusion, et l'impossibilité d'utiliser le canon, Bourke lui a ordonné de rentrer.

Patrick Corcoran a été, comme Donald McKay, prisonnier à Qu'appelle. Il aurait entendu, pendant son court internement, les Métis manifester des intentions hostiles contre la colonie. Le 19 juin, il est resté au fort et n'a pas pris part à la bataille.

Pierre-Chrisologue Pambrun relate sa capture par Cuthbert Grant et son internement à Qu'appelle, avec McKay et Corcoran, en mai 1816. On lui a volé ses marchandises.

Levius Peter Sherwood, avocat des accusés :

> — Ne savez-vous pas qu'ils avaient été volés auparavant ; ne savez-vous pas que du pemmican leur avait été pris, sinon par vous, par de vos gens ?

Pambrun, d'une classe supérieure aux témoins précédents, a plus de défense :

> — Je n'ai jamais volé la Compagnie du Nord-Ouest et je n'ai pas connaissance qu'ils aient été volés. Je sais qu'ils m'ont volé.

L'avocat. — Ne vous ont-ils pas dit que ce qu'ils faisaient était en représailles d'une conduite analogue de Colin Robertson à leur égard ?

Pambrun en convient.

Sherwood. — Ne pensez-vous pas que la Compagnie de la Baie d'Hudson aurait agi de la même façon si on lui avait infligé un outrage aussi audacieux que celui qu'ils ont perpétré à Fort Gibraltar ? Si Fort Douglas avait été rasé jusqu'au sol et tous les biens de lord Selkirk et de la Compagnie enlevés, ne pensez-vous pas qu'ils se seraient livrés aux mêmes représailles ?

Pambrun. — Non, je ne le pense pas, car il n'a jamais été dans leurs intentions de tuer personne.

John Pritchard répète les précédents témoignages. « À Fort Douglas, prévenus par des rumeurs d'une attaque prochaine, nous étions jour et nuit sur nos gardes. » Pritchard relate l'incident Boucher ; la fusillade générale. Lui-même s'est adressé à un Canadien qu'il connaissait : « Lavigne, vous êtes Français ; vous êtes chrétien ; pour l'amour de Dieu, épargnez ma vie. Je me rends. Je suis votre prisonnier. » Lavigne s'est en effet interposé. Pritchard a été confié à la garde de Boucher, qui l'a conduit à Cuthbert Grant, le chef qui se répandait en imprécations. Grant a exigé la reddition immédiate du fort, sous peine de passer tout le monde, femmes et enfants compris, au fil de l'épée. Si le fort était livré, avec les armes et tout son contenu, les habitants pourraient s'en aller, sous la protection d'une escorte. Grant a permis à Pritchard, malgré la méfiance des Métis, d'aller porter cette proposition au fort — aux habitants traumatisés. Miles Macdonell a livré le fort, avec un inventaire contresigné par Grant au nom de la Compagnie du Nord-Ouest. Pritchard et un groupe sont partis sur la rivière, sans escorte, à destination de la baie d'Hudson. Ils ont rencontré Archibald Norman McLeod, qui les a fait descendre de canot et l'a envoyé à Fort William.

Pritchard n'a pas vu Brown, dans la journée du 19 juin. Boucher a fait ce qu'il a pu pour lui sauver la vie. Pritchard ne peut reconnaître personne, car les Métis contrairement à leur habitude, étaient maquillés et déguisés. Pritchard ne peut dire de quel côté est parti le premier coup de feu. Il prétend que, simple colon, il n'a jamais été à l'emploi de la Compagnie de la Baie d'Hudson, mais on établit, en produisant une lettre saisie sur lui à Qu'appelle, que Robert Semple lui adressait le 1er avril 1816, que cette Compagnie comptait sur lui comme sur un fidèle serviteur. Pritchard commandait un détachement de la Compagnie de la Baie d'Hudson quand les gens de la Compagnie du Nord-Ouest l'ont pris.

D'autres témoins, dont Louis Nolin resté au Fort Douglas pendant la bataille, répètent les dépositions précédentes. Aucun ne peut accuser formellement Brown ni Boucher. Plusieurs employés désenchantés de la Compagnie de la Baie d'Hudson, contredisant leurs collègues, reconnaissent la propension belliqueuse de leurs anciens patrons. Des employés de la Compagnie du Nord-Ouest qui ont chargé les chariots et assisté au départ des Métis, témoignent que leurs Bourgeois n'avaient donné aucun ordre d'attaque et expriment la conviction que les Métis auraient paisiblement poursuivi leur chemin — le seul qui ne fût pas obstrué — sans la sortie offensive de Semple.

> — Les Métis et les Indiens avaient le visage peint. N'était-ce pas le signe d'une intention guerrière ?

> — Non. Les Métis se peignent le visage en mainte occasion sans rapport avec la guerre.

Jean-Baptiste Branconnier, de la Compagnie du Nord-Ouest, a lui aussi un compte à régler. Il décrit la prise du Fort Gibraltar, accompagnée de brutalités « au delà de tout ce que j'avais vu jusqu'alors ». Robertson l'a envoyé — « Je ne sais pas encore pourquoi » — en Angleterre, où il n'a même pas été l'objet de poursuites.

Le commissaire William B. Coltman témoigne. Au cours de son enquête, il s'est rendu sur le champ de bataille des Sept-Chênes, accompagné par quelques Métis et aussi par Louis Nolin, de la Compagnie de la Baie d'Hudson, et par le capitaine de Lorimier, qui l'a rejoint au Fort Douglas. Il s'est efforcé de déterminer qui étaient les agresseurs, et quel degré de culpabilité on pouvait leur attribuer.

Sherwood a repris l'argument, utilisé par Andrew Stuart au procès de Reinhard, qu'il existait au Nord-Ouest un état de guerre civile et que certaines actions, inexcusables en temps de paix, sont admissibles en temps de guerre. Le procureur général conteste cette thèse. Interrogé à ce sujet, Coltman confirme que, d'après son enquête, il existait bien dans le Nord-Ouest, en 1816, un état de « guerre privée ».

On lui demande s'il connaît Cuthbert Grant.

> — Il s'est livré à moi pour être transféré dans le Bas-Canada et répondre des accusations portées contre lui.

> Sherwood. — Quelle était la réputation de M. Grant dans le pays ?

> Coltman. — C'était certainement un partisan zélé, comme il était sans doute inévitable dans sa situation. Quant aux malheureuses disputes en cours dans le pays, il était très préjugé. À d'autres égards, d'après l'opinion générale, il avait très bonne réputation.

Sherwood. — Avez-vous entendu parler de sa conduite le 19 juin, s'il a tué des gens ou s'il a cherché à sauver les survivants ?

Coltman. — J'ai entendu parler de son humanité, de ses efforts pour empêcher des morts après la bataille. Je l'ai entendu louanger par les deux partis.

Michel Martin, l'un des assistants à la bataille du 19 juin, venait de Portage-la-Prairie. Les Bourgeois n'ont donné, ni à lui ni aux autres, aucune consigne d'agression. Martin et ses compagnons ont, en route, rencontré des Indiens. Ils ont palabré, comme d'habitude en pareil cas.

Sherwood. — Était-ce pour leur demander de se joindre à un parti de guerre ?

Martin. — Je n'ai pas entendu parler de guerre. J'allais avec des provisions au-devant des canots. On nous a dit que nous ne pouvions pas emprunter la voie d'eau parce que des canons avaient été placés sur les rives pour nous en empêcher. C'est pourquoi nous avons, de Portage-la-Prairie, pris la voie de terre.

Sherwood. — À quelle distance êtes-vous passés du Fort Douglas ?

Martin. — Une bonne distance. Nous ne pouvions pas distinguer les personnes qui en sortaient.

Sherwood. — Aviez-vous quelque intention de faire du mal aux colons ?

Martin. — Pas le moins du monde.

Martin décrit la rencontre. Semple et son groupe « nous ont poursuivis. Les Anglais ont tiré les premiers ».

Le procureur général. — Comment le savez-vous ?

Martin. — La fumée et le bruit venaient des Anglais ; j'en suis sûr. La fusillade s'est répandue. C'est un Indien, nommé Fils de la Corneille, qui a tiré le coup atteignant le gouverneur Semple.

— Vous dites que les Bourgeois n'ont pas harangué la troupe avant son départ parce que vous ne les avez pas entendus.

— Si un discours avait été prononcé, je l'aurais entendu.

Joseph Lorrain rend le même témoignage : « Nous sommes passés aussi loin du fort que possible. Des marécages empêchaient de passer plus loin. Nous n'avions aucune intention hostile contre les colons... Paul Brown était tout à fait en dehors du champ de bataille. »

Une dame Winnifred McNolty, femme d'un colon, avait eu l'occasion, peu avant l'affaire, de parler avec Holte, qui prévoyait le passage des Métis et aurait prédit : « Nous aurons leur pemmican ou leur vie. » Elle aurait entendu Michael Heden et Michael Kilkenny dire, après la bataille : « Nous ne pouvons pas blâmer les Métis ; nous avons tiré les premiers, et si nous avions pu nous aurions fait aux Métis ce qu'ils nous ont fait. »

Hugh Bannerman, ancien colon de Selkirk, confirme. À lui aussi, Heden aurait confié : « Nous avons tiré les premiers. ».

William McGillivray témoigne. Il affirme la bonne conduite et la bonne réputation de Brown et de Boucher, employés de la Nord-Ouest, le premier depuis plusieurs années, l'autre depuis peu. Le père de Boucher est un homme respecté à Montréal, propriétaire de sa maison.

Le juge en chef Powell résume — longuement — pour le jury : Brown et Boucher sont poursuivis pour le meurtre de Robert Semple. On a évoqué, au cours du procès, des faits qui ne sont pas normalement évoqués devant les tribunaux ; mais c'était inévitable, dans cette cause sortant de l'ordinaire. Deux compagnies se sont trouvées en présence. L'une d'elles avait, à longueur d'années, acquis une possession sans partage, qu'elle considérait comme un droit exclusif. Une autre compagnie survint, invoquant elle aussi un droit exclusif. L'hostilité fatale a dégénéré en actes de violence. Le 19 juin 1816, les occupants du Fort Douglas, alarmés par certaines rumeurs, appréhendaient une attaque armée des Métis. Ceux-ci sont venus, mais non pas au fort. Ils sont passés au large et ont continué vers la rivière. M. Semple est sorti avec une vingtaine d'hommes armés. Les Métis, faisant halte et se retournant, les ont presque encerclés. L'un d'eux, Firmin Boucher, s'est avancé vers Semple. — Que voulez-vous ? — Que voulez-vous vous-mêmes ? — Nous voulons notre fort... Le gouverneur saisit la bride du cheval de Boucher et — le juge en chef insiste — ordonne à ses gens d'arrêter Boucher. Celui-ci se glisse à terre. On entend une détonation, un coup de feu qui, dit Michael Heden, est tiré par les Indiens et, presque aussitôt, un deuxième provenant de la même direction. M. Holte est tué. M. Semple tombe. On admet que le fusil de Holte est parti « par accident » avant la rencontre. Aucun témoin n'a vu Brown ou Boucher tirer.

Le juge en chef résume les témoignages suivants. Un fait important : qui ont tiré les premiers ? Les uns jurent que ce sont les Métis. Les autres jurent que ce sont « les Anglais ». L'avocat de la défense a soutenu qu'il ne peut s'agir d'un meurtre, le pays étant dans un état de guerre civile, analogue aux luttes des barons aux temps féodaux. Ces temps sont heureusement passés. Des gens ont été tués. Il s'agit de savoir par qui. Il n'y a que le témoignage de Heden contre

Brown, que plusieurs témoins on vu hors du champ de bataille. Les témoignages n'établissement aucun acte de violence de la part de Boucher. Les jurés évalueront si, dans les circonstances, il était normal, de la part de la Compagnie du Nord-Ouest, de donner une escorte armée aux indispensables provisions qu'elle envoyait aux canots, ou si cette escorte armée prouve la préméditation d'une attaque. « Si vous estimez que cette précaution était normale dans les circonstances, et que les gens de la Baie d'Hudson ont tiré les premiers, les Métis étaient justifiés d'utiliser leurs armes pour se protéger, et Boucher, pas plus que Brown, n'est coupable. » Le juge en chef conseille l'acquittement de Brown, sans hésiter. Quant à Boucher, si l'homicide, au lieu d'être le résultat d'une appréhension soudaine dans l'esprit de gens demi-sauvages qui se sont crus en danger, est un meurtre, et si vous êtes convaincus qu'il y avait intention criminelle de sa part ou de la part de ceux qui l'ont envoyé, il est coupable d'avoir aidé le meurtrier.

> Le greffier des Assises. — Déclarez-vous que Paul Brown est coupable ou non coupable du meurtre dont il est accusé ?

> Le président du jury. — Non coupable.

> Le greffier. — Déclarez-vous que François-Firmin Boucher est coupable ou non coupable du meurtre dont il est accusé ?

> Le président du jury. — Non coupable.

La témérité de Semple, dans la journée fatale, paraît bien établie. Le juge en chef précise qu'il n'y a pas l'ombre d'une preuve contre les accusés.

* * *

Boucher est immédiatement libéré. Brown doit encore répondre d'une accusation portée par Michael Heden, auquel il aurait volé une couverture et un fusil, le 21 juin, au Fort Douglas dont les Métis avaient alors pris possession. Des témoins affirment qu'un autre Métis, nommé ou surnommé Caribou, et ressemblant à Brown, a pris la couverture et le fusil. Ils jettent un doute sur la crédibilité de Michael Heden. D'après cet accusateur, Brown aurait exprimé ses exigences et proféré ses menaces en cri ; or, il ne sait pas assez de cri pour une pareille conversation.

Brown est acquitté et libéré.

Un dernier procès s'ouvre à York, le 3 novembre 1818. C'est celui de John Cooper et Hugh Bannerman, deux ex-colons de la rivière Rouge qui ont participé à l'enlèvement des canons le 3 avril 1815.

Le procès tourne mal pour lord Selkirk et pour la réputation de sa colonie, car la défense produit force témoins, anciens colons mécontents qui vivent maintenant dans le Haut-Canada. Tous se plaignent des traitements reçus et justifient l'émeute, à laquelle plusieurs d'entre eux ont participé, et s'en vantent.

On demande au témoin Robert Gunn s'il a quitté la colonie volontairement.

— Je suis venu de moi-même à York et je m'en trouve bien.

Hector McLean. — Nous étions tous mécontents ; nous voulions tous nous en aller.

James McKay. — Nous avons trouvé tout, à la rivière Rouge, bien différent de ce qu'on nous avait représenté.

— Êtes-vous partis de votre gré, ou forcés par la Compagnie du Nord-Ouest ?

— Nous n'avons pas été forcés ; nous sommes partis de notre plein gré, et nous étions très contents de pouvoir le faire.

William Bannerman, simple homonyme et non parent de l'un des accusés, confirme.

Haman Sutherland. — Nous étions mécontents, mais on ne nous permettait pas de le dire.

— Avez-vous exprimé le désir de vous en aller ?

— Oui, nous l'avons fait, mais les chefs ne voulaient pas nous laisser partir.

— Comment avez-vous réussi finalement à partir ?

— Nous avons demandé à M. Cameron un passage dans les canots de la Compagnie du Nord-Ouest. Et il nous l'a accordé.

Cela suffit, sans doute. Les avocats de la défense arrêtent le défilé des témoins qu'ils tenaient en réserve. Et le jury décide :

— Non coupables.

Tous les procès tenus à York se sont donc terminés à la satisfaction de la Compagnie du Nord-Ouest.

Le pasteur Strachan reçoit confirmation publique de ses dénonciations d'une tentative de colonisation « aberrante ». Il commente principalement l'issue du procès de Brown et Boucher, dans une lettre à sir Francis Gore, lieutenant-gouverneur du Haut-Canada :

Il apparaît bien décidément que les gens de lord Selkirk ont été les premiers agresseurs et que le pauvre Semple est sorti dans l'intention d'attaquer le groupe par lequel lui et ses gens ont été tués.

Six Bourgeois de la Compagnie du Nord-Ouest, avec Alexander Macdonell en tête de liste, sont poursuivis comme complices par instigation et par assistance. C'est de la part des accusés un acte volontaire que de se soumettre au jugement après l'acquittement des accusés « principaux ». Ils ont insisté pour subir un procès. Le juge Boulton préside. Huit des douze jurés ont siégé dans le procès de Brown et Boucher, et les témoignages se répètent à peu près. L'Allemand Frederick Damien Heurter, ancien sergent du régiment de Meuron, donne un témoignage hostile à la Compagnie du Nord-Ouest, qu'il a servie. James Tooney, Hugh Swords et James Pinkman donnent des témoignages hostiles à la Compagnie de la Baie d'Hudson, qu'ils ont servie : ils ont, sous les ordres de Miles Macdonell, participé, les armes à la main, à la saisie de sacs de pemmican appartenant à la Compagnie du Nord-Ouest. Pierre-Chrisologue Pambrun, témoin-vedette de la Compagnie de la Baie d'Hudson, déclare que lorsqu'il était son prisonnier au Fort Qu'appelle, il a entendu Alexander Macdonell, recevant la nouvelle des Sept-Chênes, la transmettre à ses hommes en criant, en français : « Sacré nom de Dieu, bonne nouvelle : vingt-deux Anglais de tués ! » Bostonnais Pangman, apprenant que le seul tué du côté métis était un de ses cousins, avait juré de le venger. Alexander Macdonell aurait, en haranguant le groupe partant pour le voyage qui devait aboutir au drame des Sept-Chênes, parlé « d'inonder la terre du sang des colons ». Mais d'autres témoins démentent Pambrun : Alexander Macdonell aurait au contraire bien recommandé d'éviter le Fort Douglas, de s'en éloigner le plus possible. Firmin Boucher, cette fois témoin, ajoute : « Ces instructions ont été strictement exécutées. » Boucher réaffirme que les gens de Semple ont tiré les premiers.

Le plaisir qu'Alexander Macdonell a pu exprimer à la nouvelle des Sept-Chênes ne prouve pas qu'il ait été l'instigateur de cette tragédie. Les six Bourgeois poursuivis étaient à l'embouchure de la rivière Rouge, à cent milles de Fort Douglas, quand le combat s'est allumé aux Sept-Chênes.

Reste un amoncellement de causes. La Compagnie du Nord-Ouest voudrait faire transférer dans le Bas-Canada sa poursuite contre Selkirk, abruptement suspendue par le juge Powell à Sandwich ; il y faut une loi spéciale. Il reste aussi des poursuites de Selkirk contre William McGillivray et ses associés, une poursuite du sous-shérif Smith contre Selkirk pour arrestation illégale ; une poursuite de Daniel McKenzie contre Selkirk pour séquestration et extorsion de signature. Entre autres. . .

Le gouverneur, accédant à la requête des associés de la Compagnie du Nord-Ouest, décide la convocation d'une Cour spéciale d'Oyer et Terminer, mais pour novembre 1819.

Les adversaires de Selkirk décrivent son départ comme une fuite. Le pasteur Strachan, un peu moins inquiet pour son compte personnel, salue avec plaisir l'issue des procès qui se sont jusqu'ici déroulés. Il écrit au Révérend James Brown, en Écosse (1er décembre 1818) :

> J'attendais pour vous écrire l'issue de quelques procès entre lord Selkirk et ses adversaires, qui devait, avec les témoignages, établir la culpabilité ou l'innocence des parties en cause. Les artifices de lord Selkirk pour obstruer et contaminer le cours de la justice et pour transformer les procédures judiciaires en une machine d'oppression ont témoigné d'un talent et de ressources extraordinaires, qui auraient pu produire beaucoup de bien au service d'une meilleure cause, mais comme vous êtes en relations d'amitié avec sa famille je me bornerai sur ce sujet à dire qu'il est clairement démontré que la responsabilité de tous les malheurs qui sont arrivés à l'intérieur de ce continent et de la mort du gouverneur Semple et de ses partisans incombe à Sa Seigneurie — que ses instructions étaient encore plus violentes que leur exécution. Sa Seigneurie, voyant tous ses artifices découverts et voyant qu'il lui faudrait bientôt rendre compte de sa conduite sans qu'aucun subterfuge puisse lui servir, s'est hâtivement enfui en Angleterre.

> Je dois toutefois faire remarquer que ma controverse avec Sa Seigneurie ne concernait que la colonie et la tromperie qu'il exerçait sur les pauvres gens d'Écosse. Mon motif était entièrement désintéressé et n'avait aucun rapport avec la rivalité avec la Compagnie du Nord-Ouest et le commerce des fourrures. Resté neutre dans cette contestation, je n'ai pris parti pour aucun côté, tout en sachant que Sa Seigneurie était d'un bout à l'autre l'agresseur.

> J'ai envoyé ma brochure à mon frère à Aberdeen en lui disant de la soumettre à votre lecture et à vos observations, mais il a désobéi à mes instructions et la brochure a été publiée sans cette communication préalable. Les faits, cependant, peuvent être prouvés. Mon but était de permettre à mes pauvres compatriotes de décider, après avoir entendu les deux côtés de la question. À ce point de vue, ma brochure a fait du bien, ce qui me console de la haine et des incessantes calomnies de Sa Seigneurie, auxquelles je n'attribue pas d'importance. La brochure a été envoyée en Angleterre avant ma nomination à un poste public ; autrement, je ne m'en serais pas mêlé, parce que je savais que ces querelles s'envenimeraient et attireraient tôt ou tard l'attention du gouvernement. Je pourrais m'étendre longuement sur ce sujet, et j'ai confiance que si l'affaire vous était expliquée, vous seriez avec moi dans tous les détails, mais je ne veux pas troubler votre tranquillité. J'ai lu la narration et les documents qui vous ont été envoyés. Ils sont pleins des plus fausses et grossières représentations, et suppriment tous les faits contraires à leur thèse. Je puis également vous assurer que

le gouvernement n'a pas abandonné lord Selkirk avant qu'il ait lui-même abandonné toute justice et humanité. Je veux bien croire qu'en commençant son entreprise il n'avait pas l'intention de faire bien des choses qu'il a faites ensuite, mais je crois qu'il y a eu dès le début un sombre projet de ruiner le commerce de la Compagnie du Nord-Ouest.

*   *   *

Les procès de Daniel McKenzie et de William Smith contre lord Selkirk sont évoqués le 19 mars 1819.

Daniel McKenzie, représenté comme « l'associé le plus faible de la Compagnie du Nord-Ouest à cause de son intempérance », et pour cette raison le plus influençable, « le dernier homme avec qui l'on pouvait traiter de grandes affaires », a paru très déprimé depuis son arrestation. Il sort du procès, non pas glorieux, mais vainqueur : le jury lui accorde 1500 livres de dommages.

Pierre Le Blond, « habitant de Fort William depuis douze ans », qui a témoigné au procès intenté par Daniel McKenzie, témoigne de nouveau au procès intenté par William Smith. Il décrit les Meurons qui ont pris et occupé Fort William pour le compte de lord Selkirk comme « quelquefois sobres et quelquefois ivres ». Le Meuron Rudolf Hatter, qui a été sentinelle à la porte du sous-shérif, témoigne que le capitaine Matthey lui avait donné l'ordre de ne laisser personne entrer dans la pièce ou en sortir. William McGillivray témoigne aussi. Verdict : 500 livres de dommages.

Lord Selkirk est particulièrement déçu par l'acquittement de Brown et de Boucher, qui touche de près sa colonie si souffreteuse et peut y avoir des répercussions. Son beau-frère Halkett récrit au ministre des Colonies, le 11 février 1819. En vain. Lord Selkirk publie ou fait publier à Londres un libelle où il s'en prend au procureur général et au juge en chef du Haut-Canada. Il rédige aussi un mémoire, adressé au comte de Liverpool, premier ministre, daté du 19 mars 1819. Il veut lui parler d'une question dans laquelle « la protection de droits privés importants n'est pas la seule considération, mais dans laquelle l'honneur du gouvernement britannique est profondément engagé ».

Selkirk ne peut plus rien espérer, affirme-t-il, du département des Colonies, que l'affaire regarde au premier chef. Il joint copie de la correspondance échangée entre son beau-frère Halkett et le Colonial Office. Et il dénonce « la perversion de la justice au Canada ».

Selkirk recommence le procès de la Compagnie du Nord-Ouest « dont le seul but est de conserver un monopole de traite ». Cette

Compagnie recourt à une violence systématique pour empêcher toute concurrence. Elle entretient les Indiens dans un état de sujétion misérable. Elle prétend faussement les avoir maintenus dans la fidélité pendant la guerre. Son influence à cet étard a été et reste nulle. Ses postes, qu'elle énumère avec complaisance, sont disséminés de loin en loin à travers le continent américain. La plupart consistent en une minable cabane de rondins, pas toujours entourée de palissades. Son volume d'affaires ne remplit jamais qu'un bateau par année. Les crimes commis au Nord-Ouest ont été prémédités, calculés, dirigés par les associés de cette Compagnie. Les commissaires nommés par le gouverneur ont entravé plutôt que servi la justice. À Montréal, ils se sont tenus constamment en contact avec les associés de la Compagnie du Nord-Ouest, et n'ont pas consulté mon personnel. *Ils sont partis pour le Haut-Canada dans un canot de cette Compagnie.* À York, ils ont encore fréquenté le personnel de la Compagnie du Nord-Ouest. Ils n'ont pas interrogé John Pritchard, échappé au massacre du 19 juin et témoin de tout ce qui s'est passé à Fort William. Les commissaires, arrêtés par les glaces, sont revenus de York à Montréal. Ils ont repris leur enquête au printemps suivant. Sur la rivière Winnipeg, M. Coltman a rencontré Archibald Norman McLeod, Alexander Macdonell et John Duncan Campbell, associés de la Compagnie du Nord-Ouest qu'il aurait dû arrêter. Il leur a rendu visite et a continué son chemin. À la rivière Rouge, il a rencontré Angus Shaw, entouré de Métis qui avaient pris part au massacre du 18 juin. Il a visité les lieux de ce crime. Il aurait pu et dû arrêter la moitié des Métis qui ont participé à cet holocauste. Il n'a pris aucune mesure pour arrêter les auteurs du meurtre d'Owen Keveny, « dont le notoire Cuthbert Grant peut être considéré comme le principal responsable ». Cuthbert Grant, objet d'un mandat d'arrêt, s'est rendu à lui volontairement, et Coltman l'a conduit au Canada « plutôt comme un compagnon de voyage que comme un prisonnier ». Ils ont dîné à la même table et couché sous la même tente.

Selkirk demande une enquête royale devant le Conseil privé. Lord Bathurst demande au duc de Richmond, nouveau gouverneur du Canada, des renseignements sur les procédures judiciaires relatives aux différends entre la Compagnie du Nord-Ouest et la Compagnie de la Baie d'Hudson.

65

Le Grand Rapide

Saison satisfaisante pour la Compagnie du Nord-Ouest — Évasion de Colin Robertson, manquant à sa parole — Coup de filet sensationnel de la Compagnie de la Baie d'Hudson au Grand Rapide.

La Compagnie du Nord-Ouest ne gagne pas seulement sur le front judiciaire.

À la rivière Rouge, Robert Logan — encore un ancien commis de la Compagnie du Nord-Ouest, débauché par Colin Robertson — succède à Miles Macdonell à la tête de la colonie.

Une convention signée entre la Grande-Bretagne et les États-Unis le 20 décembre 1818 donne ou confirme le 49e parallèle comme frontière entre le Canada et les « États ». Mgr Plessis s'inquiète de savoir si la concession accordée par lord Selkirk à la mission « ne se trouverait pas comprise dans le terrain cédé ». Il consulte la gracieuse et omnisciente lady Selkirk, à défaut de son mari parti pour l'Europe. Lady Selkirk le rassure :

> Je ne puis pas dire exactement où la ligne 49 doit tomber, si Pembina se trouvera du côté des Américains ou de notre côté, mais je sais que le terrain en question est situé sur les Fourches de la rivière Rouge, dans le voisinage du Fort Douglas, au moins un degré au nord de la ligne quarante-neuvième.

Pembina, où des colons de Selkirk sont établis, au confluent de la rivière Pembina et de la rivière Rouge, tombe effectivement aux États-Unis (Dakota du Nord).

L'abbé Provencher, promu vicaire général, a construit son presbytère en face du Fort Douglas, au bord du ruisseau Allemand, ainsi nommé en raison de l'origine germanique et de la langue allemande de la plupart des anciens Meurons qui s'y sont agglomérés. Il appelle sa résidence — et sa mission — Saint-Boniface, en l'honneur de l'apôtre de la Germanie. Les Meurons, en particulier, sont cependant bien réfractaires à son apostolat. L'abbé Provencher constate, et écrit à Mgr Plessis, que les gens de la Compagnie du Nord-Ouest sont plus obligeants que ceux de la Compagnie de la Baie d'Hudson et comprennent mieux les conditions du commerce dans le pays. L'abbé Dumoulin écrit de son côté :

> Il ne faut pas parler des Meurons et de ceux qui sont à la tête de la colonie qui, excepté M. Macdonell, n'ont pas plus de religion que les Sauvages qui nous environnent.

Le grand problème, pour les missionnaires, est celui de l'alcool. L'abbé Dumoulin écrit à Mgr Plessis (5 janvier 1819) :

> Le grand et presque l'unique obstacle que nous ayons trouvé et qui empêchera toujours l'instruction et la civilisation même des Sauvages, c'est cette malheureuse coutume établie dans ce pays d'enivrer les naturels lorsque l'on veut obtenir quelque chose d'eux. La colonie le fait avec aussi peu de scrupules que les compagnies.

Le problème numéro 2 est le concubinage des Blancs avec des femmes indiennes qu'ils quittent, parfois en les passant à d'autres, assez facilement. Mais les enfants métis, ou Bois-Brûlés, nés de ces « mariages » sont intelligents. « Ils apprennent facilement la lecture, les prières et le catéchisme. »

* * *

Dans le district d'Athabasca, les postes de la Compagnie du Nord-Ouest, débarrassés de Colin Robertson, respirent à l'aise. John Clarke, tentant de pénétrer par effraction dans les magasins de Fort Vermillion, est repoussé. Aulay McAulay et ses dix-neuf hommes passent l'hiver sans recevoir la visite d'un Indien, et vivotent chichement de la pêche. Ferdinand Wentzel pourra écrire du Grand lac des Esclaves à Roderick McKenzie, au sortir de l'hiver : « Nos concurrents n'ont pas pris solidement pied dans le district d'Athabasca. »

Le district du Mackenzie produit « 96 ballots d'excellentes fourrures ». Sans la persistance tardive des glaces, qui gêne le transport sur Fort William au printemps, le rendement serait supérieur à celui des années précédentes. Mais la concurrence de la Compagnie de la Baie d'Hudson, qui a porté certains commis à 300 livres sterling, oblige à augmenter les salaires : un « milieu » touche maintenant 1000 livres, monnaie de Halifax ; un « bout », 1400 ; un interprète, de 1600 cents à 2000 livres.

Les districts de la Nouvelle-Calédonie et de la Colombie, sans concurrence, fournissent un bon rendement en castor. Mais la Compagnie de la Baie d'Hudson caresse un projet de sondage, sinon encore d'invasion, en Nouvelle-Calédonie. Elle charge Ignace Giasson, qui a porté les dépêches de Colin Robertson à la rivière Rouge et à Norway House en canot léger avec une dextérité remarquable, d'un voyage préparatoire. Giasson, parti de Norway House au mois d'août 1818, est arrivé à la rivière La Paix le 3 octobre. Il a ensuite gagné le poste de Dunvegan, « pour avertir les Indiens du Castor de notre arrivée et les inviter à la traite ». Il en revient avec une bande d'« Iroquois libres », qui ont naguère traité avec la Compagnie du Nord-Ouest et qui sont susceptibles de l'aider dans une expédition en Nouvelle-Calédonie. C'est cependant José Gaubin qui part avec ces Iroquois le 10 février 1819. Il en revient le 15 mai. Il a « préparé les Indiens à notre arrivée ».

Ce n'a été qu'un apprêt. L'invasion de la Nouvelle-Calédonie n'est encore, cette année, pour la Compagnie de la Baie d'Hudson, qu'un projet.

Alexander Mackenzie, qui continue, bien qu'en demi-retraite, de s'intéresser à la Compagnie dont il est un des associés, écrit de sa propriété d'Avock à son cousin Roderick, le 14 janvier 1819 :

> Dans l'ensemble, le conflit avec lord Selkirk et la Compagnie de la Baie d'Hudson n'aura pas, pour la Compagnie du Nord-Ouest, des conséquences aussi désastreuses que l'on pourrait l'appréhender. Les pertes subies dans le pays, bien que graves, ont été dans une bonne mesure compensées par le prix élevé des fourrures dont la vente a été habilement dirigée à Londres.

* * *

Le gouvernement britannique organise une expédition par voie de terre, de la baie d'Hudson à l'océan Arctique. Il en confie le commandement à John Franklin qui, passionné des choses de la mer, s'est engagé de bonne heure dans la marine royale et a pris part à la bataille de Trafalgar. Franklin part, muni de lettres de recommandation pour le haut personnel de la Compagnie de la Baie d'Hudson et pour les Bourgeois de la Compagnie du Nord-Ouest. Encore faut-il prévoir la méfiance des commis, dans les postes. Simon McGillivray envoie de Londres une circulaire « aux agents, propriétaires ou personnes agissant pour la Compagnie du Nord-Ouest dans tout le pays du Nord-Ouest », le 21 mai 1819 :

> Le lieutenant Franklin, de la marine royale, étant sur le point d'effectuer, sur les ordres du gouvernement de Sa Majesté, une expédition des rives de la baie d'Hudson à l'embouchure de la rivière

Coppermine, en vue d'explorer les limites nord et nord-est du continent nord-américain, je vous informe que, à la requête du gouvernement de Sa Majesté, j'ai promis au nom de la Compagnie du Nord-Ouest que le lieutenant et ses compagnons seraient bien reçus par vous et que vous leur donneriez tout le concours en votre pouvoir.

Le but du lieutenant Franklin est d'une nature purement publique et scientifique et n'a aucun rapport avec toute dispute ou réclamation territoriales entre nous et la Compagnie de la Baie d'Hudson. Il part dans un bateau de cette Compagnie parce que c'est la route la plus directe et la plus courte, et cette Compagnie s'est engagée à lui fournir des provisions et moyens de transport à travers l'intérieur. Il voudra probablement atteindre Fort Chippewean cet automne, et de là se rendre à la rivière Coppermine au début du printemps.

Au cours de son voyage, il est possible que le lieutenant Franklin constate que la Compagnie de la Baie d'Hudson n'a pas les moyens de lui fournir les provisions requises. En ce cas, j'ai promis, au nom de la Compagnie du Nord-Ouest, que vous fourniriez, dans toute la mesure de votre possible, des canots, des hommes et des provisions pour le voyage.

Son groupe comprend deux jeunes officiers de marine, un médecin et deux marins, et il engagera probablement deux hommes des îles Orcades, habitués à vivre parmi les Esquimaux.

Mon idée était qu'il leur faudrait deux canots du Nord, mais sir Alexander Mackenzie a suggéré qu'un canot du Nord avec des Voyageurs canadiens et six petits canots indiens conviendraient mieux pour la route de Fort Chippewean à la rivière Coppermine.

Pour décider de pareilles questions, j'ai confiance que vous procurerez au lieutenant Franklin toute l'information et l'aide en votre pouvoir.

Le gouvernement paiera les suppléments de salaire ainsi que les équipements et fournitures que vous procurerez au lieutenant Franklin ; vous prendrez ses reçus, et transmettrez les comptes aux agents à Fort William.

Le lieutenant Franklin devra aussi compter sur le secours des Indiens. Sir Alexander Mackenzie recommande de faire accompagner les Indiens par leurs femmes, en choisissant celles qui ne sont pas trop chargées d'enfants. Ce n'est pas seulement une mesure de sécurité, pour garder plus sûrement les Indiens : les femmes travailleront à la préparation des peaux, à la confection des souliers et des vêtements pendant l'hiver que l'expédition devra passer en quelque endroit près de la côte.

La Compagnie du Nord-Ouest, faisant bien les choses, mettra Ferdinand Wentzel à la disposition de l'expédition britannique. Le

lieutenant Franklin devra sans doute, comme le commissaire Coltman et comme les missionnaires catholiques, louvoyer entre les deux
compagnies, éviter l'accaparement par l'une ou par l'autre.

* * *

Colin Robertson, prisonnier au Fort Chippewean de la Compagnie du Nord-Ouest, est, au témoignage de Wentzel passant à ce
fort, surveillé certes, mais « aussi bien traité qu'il pouvait l'espérer
dans les circonstances ». Il n'a rien perdu de sa superbe. Il demande
à voir le mandat en vertu duquel les « sbires » de la Compagnie du
Nord-Ouest l'ont arrêté. Il se plaint d'avoir été pris en traître. George Keith lui répond : « C'est comme cela que vous avez pris Duncan
Cameron à la rivière Rouge. » Robertson, ouvrant les yeux et les
oreilles, s'applique à percevoir des signes de mécontentement parmi
les hivernants de la Compagnie du Nord-Ouest. Prend-il ses désirs
pour des réalités ? Il croit en découvrir assez pour justifier et renforcer sa vieille théorie que les dissentiments entre agents et hivernants
minent la Compagnie dont la ruine est devenue le but de sa vie. Il
croit même discerner un commencement de sympathie envers sa
Compagnie parmi les Indiens qui fréquentent le poste de ses adversaires et geôliers. Il en grave les symptômes dans sa mémoire, pour
les exploiter quand il aura recouvré sa liberté.

Au début de juin 1819, le prisonnier Robertson est transféré,
sous la surveillance de Peter Fraser et de neuf employés, à l'île à la
Crosse. Les deux Bourgeois chargés du poste de la Compagnie du
Nord-Ouest sont John Duncan Campbell et Benjamin Frobisher.
Mais il y a là aussi John George McTavish, chef de tout le district,
Alexander Stuart, Alexander Macdonell et William McIntosh, tous
associés qui préparent leur descente pour l'assemblée de Fort
William. John George McTavish autorise le prisonnier à visiter ses
camarades du poste de la Compagnie de la Baie d'Hudson, sur sa
parole d'honneur qu'il reviendra dans un court délai. Au poste de sa
Compagnie, Robertson rédige une lettre pour George Moffat. Il reconnaît que John George McTavish se conduit bien envers lui, et
souhaiterait un geôlier moins sympathique, pour atténuer ses re-
mords, car il a l'intention de s'évader.

L'occasion propice ne se présente pas. Robertson, de bon ou de
mauvais gré, tient sa parole. Il est transféré au Fort Cumberland,
sous la surveillance de Simon McGillivray (junior), dans un petit
convoi transportant plusieurs associés de la Compagnie du Nord-
Ouest. John George McTavish a offert de le prendre dans son canot,
mais Robertson a refusé, pour éviter le contact d'Angus Shaw, objet
de sa détestation particulière, qui voyage aussi dans ce canot. Au

portage du Pas, les occupants de la plupart des canots mettent pied à terre. Le canot transportant Simon McGillivray et Colin Robertson et le canot transportant John George McTavish et Angus Shaw, plus légers, tentent le saut du rapide. Le premier de ces deux canots se brise sur des rochers. Deux hommes se noient. Les occupants du canot suivant sauvent les autres, y compris Robertson, de justesse. C'est Angus Shaw qui a le plus contribué au sauvetage de Robertson. Celui-ci termine le voyage dans le canot des associés, entre John George McTavish, le plus bienveillant des geôliers, et Angus Shaw, le sauveteur envers lequel les paroles de reconnaissance se nouent dans sa gorge.

À Cumberland House, les postes des deux compagnies sont voisins — autant qu'on l'est dans le Nord-Ouest, où l'unité de mesure est dilatée. Robertson demande à John George McTavish l'autorisation d'aller visiter ses camarades, comme il l'a fait à l'île à la Crosse. McTavish pose la même condition : l'engagement d'honneur de revenir à bref délai. Robertson répond d'un signe de tête qui, par restriction mentale, le dispense — plus ou moins — d'un acquiescement verbal, plus formel.

Au Cumberland House de la Compagnie de la Baie d'Hudson, Alexander Kennedy, originaire des îles Orcades et vétéran de l'opposition à la Compagnie du Nord-Ouest, commande dix hommes en tout et pour tout. Robertson fait fermer les grilles et armer les hommes. Il envoie une note à John George McTavish, demandant quelles accusations sont portées contre lui et quand il sera jugé. Il ne retournera pas au fort de la Compagnie du Nord-Ouest avant d'être satisfait sur ces points. McTavish fait répondre verbalement qu'il l'attendra, conformément à sa parole, le lendemain matin à six heures.

Robertson décide qu'il n'a pas donné sa parole. Mais comme il se pique de bonnes manières, il écrit à Moffat, le 20 juin :

> Je ne regrette qu'à cause de M. McTavish, et même si mes amis m'applaudissent, ma conscience me dit que j'ai mal agi. Mais c'est fait, maintenant.

Colin Robertson reste une semaine, le temps de s'assurer que le convoi de la Compagnie du Nord-Ouest a poursuivi sa route. Il gagne ensuite, libre, le Rocky Depot où il reprend ses fonctions.

* * *

William Williams, gouverneur en chef pour la Compagnie de la Baie d'Hudson, en apprenant l'arrestation de Colin Robertson, s'est juré d'organiser des représailles, suivant le principe : pour un œil, les deux yeux ; pour une dent, toute la mâchoire. Il lui faut simplement attendre la saison et guetter l'occasion propice. La Compagnie de la Baie d'Hudson se procure, à Montréal, quelques mandats d'arrestation.

La saison et l'occasion propices sont, au mois de juin, la descente des brigades de la Compagnie du Nord-Ouest portant leurs fourrures comme tous les ans à Fort William. L'endroit idéal, pour une embuscade, est le Grand Rapide, où la Saskatchewan se déverse dans le lac Winnipeg. Le Grand Rapide, infranchissable aux canots chargés, oblige les Voyageurs à un long portage. La possession du Grand Rapide permettrait de contrôler — d'intercepter — les communications de la Compagnie du Nord-Ouest en provenance ou à destination du district d'Athabasca.

William Williams a gardé des Meurons en service paramilitaire, la plupart en uniforme, à la rivière Rouge, en dépit de la proclamation du prince régent. Il leur donne un dollar par jour, avec abondance de provisions et surtout de tabac et d'alcool. Williams envoie d'abord un canot transportant un canon léger à James Bird, commandant à Norway House, avec instructions de préparer l'expédition. Il arrive lui-même à Norway House avec le capitaine Matthey, une vingtaine de Meurons et deux commis qu'il a promus constables après leur avoir fait prêter serment, le 14 juin. Cette troupe s'embarque trois jours plus tard pour le Grand Rapide[1]. Elle rencontre John Clarke, venant de la rivière La Paix avec deux canots et qui la renforce. John Clarke annonce le prochain passage de deux canots de la Compagnie du Nord-Ouest, venant de Cumberland House et portant des Bourgeois. Williams tend son embuscade.

Les deux canots arrivent en effet le 18 juin. Au moment où ils abordent la rive, pour le portage, les Meurons sautent sur les Nor'Westers, s'emparent de deux commis, Louis Mongeau, l'un des accusés du meurtre de Semple, et Pierre Boucher, et mieux encore : de deux Bourgeois, John Duncan Campbell, « complice » du meurtre de Semple, et Benjamin Frobisher, qui n'était pas compris dans les mandats d'arrestation. Campbell se rendait à Montréal pour répondre à la convocation judiciaire. Un homme le saisit au collet en criant : « Coquin, vaurien, vous êtes mon prisonnier ; marchez devant moi et le gouverneur Williams, au nom du Roi. » Frobisher, qui est solidement bâti, tente une résistance. Il écarte du bras les ca-

---

1. Plusieurs acteurs ou victimes ont relaté les incidents du Grand Rapide. William Williams a lui-même rédigé : *Report of the Capture of the North West Partners at the Grand Rapid,* daté du 20 septembre 1819.

nons des fusils, mais des Meurons lui assènent sur la tête des coups de crosse qui le blessent et l'étourdissent. Campbell et Frobisher demandent vainement — comme a fait Colin Robertson — à voir le document en vertu duquel on les arrête, en dépit de la proclamation du prince régent. Williams n'est pas d'humeur à parlementer :

> — Je me f... de la proclamation. Je tiens de la Compagnie de la Baie d'Hudson une autorité suffisante pour agir comme bon me semble.

Les deux Bourgeois — Frobisher très souffrant de sa blessure — et leurs deux commis sont internés dans la loge d'un vieux trappeur indépendant, Pierre Racette, sur une petite île au pied des rapides. Des Meurons, baïonnette au canon, les gardent.

William Williams et sa troupe restent à l'affût.

Le 20 juin, arrive la brigade de la rivière aux Anglais : sept canots, sous la direction de Joseph Paul, l'Hercule sorelois devenu guide et timonier, réputé « l'homme le plus fort du Nord-Ouest » et qui a traversé les montagnes Rocheuses avec John McDonald et John George McTavish. L'homme le plus fort du Nord-Ouest ne peut rien contre des baïonnettes et des fusils. Il est pris, avec son fils Pierre. Williams demande à Joseph Paul quels hommes sont, à son défaut, le mieux capables de conduire la brigade. Le guide désigne Amable Turcotte et Joseph Lépine. Le gouverneur fait arrêter Amable Turcotte et Joseph Lépine, dans l'espoir de paralyser la brigade et d'assurer la perte des fourrures sans prendre la responsabilité d'une confiscation.

John Duncan Campbell, Benjamin Frobisher, Louis Mongeau, Pierre Boucher, Joseph Paul, Pierre Paul, Amable Turcotte et Joseph Lépine sont envoyés, sous une forte escorte, à York Factory. Mais ce n'est pas tout.

Deux autres canots de la Compagnie du Nord-Ouest, portant trois associés, John George McTavish, Angus Shaw et William McIntosh, arrivent le 23 juin. Les trois Bourgeois sont aussitôt, sur les ordres de Williams, arrêtés et internés sur l'île où Campbell et Frobisher les ont précédés. William Williams n'a pas de mandat contre John George McTavish, mais s'estime « amplement justifié » de l'arrêter, en représailles de l'arrestation de Colin Robertson. Il fait ouvrir les malles des Bourgeois, saisir leurs papiers, briser les sceaux, toujours en quête de quelque indice de préméditation d'un mauvais coup passé ou à venir. Les prisonniers restent huit jours sur l'île avec Racette, sa femme indienne et ses enfants. Une alerte au camp de Williams, qui craint une attaque d'Indiens, les fait déplacer. William McIntosh s'échappe pendant le transfert. Une battue des Meurons ne trouve qu'un papier sur lequel McIntosh annonce qu'il va se noyer volontairement. William Williams promet une récompense à des Indiens s'ils le rattrapent.

Colin Robertson, libéré par son manque de parole, traverse en canot le lac Bourbon quand un « devant » s'écrie : « Canot en avant ! » Robertson peste à l'idée de reperdre si vite une liberté si audacieusement retrouvée. Il arme son pistolet. Ses compagnons l'imitent. Dans le canot qui s'approche, un homme debout agite son chapeau en criant : « Glorieuses nouvelles ! Le gouverneur Williams a pris tous les associés de la Nord-Ouest au Grand Rapide ! » Robertson se hâte vers le Grand Rapide. Il y trouve le gouverneur Williams, son « vieil ami » John Clarke « dressé dans toute sa gloire », les Meurons et John George McTavish et Angus Shaw, ses gardiens de naguère, dans des rôles renversés.

Colin Robertson félicite Williams, qui lui remet une lettre du Comité de Londres, datée du 3 février :

> Nous avons appris avec grande satisfaction que vous décidiez de prendre la direction du département d'Athabasca, et nous espérons qu'enfin nous obtiendrons un rendement convenable pour les lourdes dépenses que ce district nous a occasionnées.

Le Comité prévoit cependant « une lutte ». Il y faudra de l'esprit d'entreprise ; « autrement, les Indiens croiront que nous ne sommes pas capables de protéger ceux qui traiteront avec nous ». Le Comité espère que Robertson restera dans ce district « jusqu'à ce que de jeunes hommes soient capables de le diriger ».

Robertson doit hausser les épaules : Comme s'il ne savait pas ce qu'il faut faire, mieux que le Comité de Londres !

D'autres canots de la Nord-Ouest, transportant en particulier Simon McGillivray junior, le « maudit petit Métis » que Colin Robertson aimerait bien tenir entre ses mains, devraient normalement passer par le Grand Rapide, mais des Indiens ont prévenu les Nor'Westers, qui prennent un chemin plus long mais, en l'occurrence, plus sûr. Quand il est clair qu'ils ne viendront pas, Williams lève le camp. Toute la troupe, Williams, Clarke, Robertson, Matthey, ses Meurons et ses prisonniers, gagne Norway House. Les seigneurs des lacs et forêts parcourent en captifs des cours d'eau qu'ils ont souvent sillonnés en chefs. Mais Angus Shaw avertit Williams : « Vos procédés entraîneront une effusion de sang, un carnage dans tout le pays. »

James Bird, qui les reçoit, exprime un scrupule sur le procédé et craint les effroyables représailles dont la menace d'Angus Shaw est grosse. Il n'approuve pas ce qui vient de se passer. Robertson le reprend. D'abord : « C'est folie de parler de loi quand l'influence de la Compagnie du Nord-Ouest bloque toutes les avenues de la loi. » Ensuite, les Nor'Westers peuvent essayer de se venger, mais l'impression produite sur l'esprit des Sauvages ne s'effacera pas. Robertson conseille d'envoyer John Clarke à l'île à la Crosse, séance tenante, pour exploiter le succès et « libérer les Chippeouais de la domination de la Compagnie du Nord-Ouest ». Il ne faut pas hésiter à dépenser dans ce but.

John George McTavish et Angus Shaw sont envoyés à York Factory, où ils rejoignent John Ducan Campbell et Benjamin Frobisher, au secret et si mal traités que l'athlétique Frobisher, très endolori de sa blessure, devient squelettique.

66

Nouveau plan d'attaque de Robertson

Malaise à Fort William — Transfert de J.G. McTavish et Angus Shaw en Angleterre — Évasion de Benjamin Frobisher — Colin Robertson organise son offensive.

Mgr Plessis part pour Rome, où il sollicitera la création d'un diocèse de Montréal et d'un diocèse du Nord-Ouest.

L'abbé Provencher, vicaire général à la rivière Rouge, écrit à lady Selkirk, en juillet 1819 :

> Nous avons passé l'hiver tranquilles et le sommes encore. La prise de plusieurs Bourgeois et engagés du Nord-Ouest échauffe un peu les esprits de ceux qui pensent à leur parti. Mais je présume que cela ne tournera à rien de sérieux. D'ailleurs, je pense qu'on ne ferait pas faire aux Bois-Brûlés et autres à présent ce qu'on leur a fait faire ces années dernières. Au moins dans ces postes, où nous travaillons toujours pour le maintien du bon ordre.
>
> M. Dumoulin est en ce moment au lac La Pluie, occupé à faire une mission aux engagés du Nord-Ouest sortis de l'Athabasca. Cette mission, en éclairant un peu les gens et leur rappelant les principes religieux ne peut que faire du bien à ces hommes dont on se sert parfois pour faire bien du mal. . .

Lady Selkirk ne recevra pas cette lettre au Canada. Elle vient de partir pour rejoindre en Angleterre son mari malade et découragé, qui s'aigrit un peu contre tout le monde et surtout contre les tribunaux et les autorités du Canada. Il se meurt de chagrin, disent ses amis. Mgr Plessis craint les répercussions de sa mort, si elle est prochaine, sur la colonie et sur la mission de la rivière Rouge. Il écrit à l'abbé Provencher, avant de s'embarquer :

> Il ne faudrait qu'un accident pour paralyser le commerce tout net, et quelque honnêtes que soient envers vous les associés du Nord-Ouest, il n'est pas à présumer qu'ils transporteront des effets à cet-

te distance pour l'encouragement d'une mission qui leur semble déplacée...

L'abbé Tableau, curé de Boucherville, souffre de rhumatismes. Mais si la lettre de l'abbé Provencher à lady Selkirk, bienfaitrice de sa mission, trahit un parti pris en faveur de la Compagnie de la Baie d'Hudson, les sympathies de l'abbé Tableau sont encore plus notoires dans l'autre sens. Les Bourgeois l'ont adopté comme l'aumônier — sans titre — de la Compagnie, et tiennent à lui. William McGillivray partant en juin 1819 — sans attendre l'*Everetta,* qui doit apporter des lettres de son frère Simon et qui est en retard — pour le rendez-vous de Fort William, emmène le missionnaire.

L'abbé Tableau pousse jusqu'au lac La Pluie, où les engagés sont presque aussi nombreux qu'à Fort William en cette saison. Il y trouve son confrère Dumoulin, venu de la rivière Rouge. L'abbé Dumoulin, saturé des versions de la Compagnie de la Baie d'Hudson et qui confesse au lac La Pluie des engagés de la Compagnie du Nord-Ouest, écrit à Mgr Plessis pour lui demander :

> Quelle restitution faut-il exiger des gens qui se sont trouvés dans l'affaire du 19 juin 1816 et qui avouent avoir tué quelques personnes dans l'action, quoique le plus grand nombre assure y avoir été de bonne foi et parce qu'il pensait qu'on avait droit de les y contraindre ; il peut cependant s'en trouver qui aient eu assez connaissance des affaires pour s'être rendus bien coupables.

L'abbé Tableau, pour qui les Métis ont agi en légitime défense, ne contresignerait pas.

* * *

La situation de la Compagnie du Nord-Ouest, entre les coups portés par Astor et les coups portés par Selkirk, devient franchement mauvaise. Le monopole de fait dans le district d'Athabasca est compromis. Les procès, par leur heureuse terminaison, font du bien à la Compagnie dans l'esprit public, mais ils coûtent cher, très cher. Le capital manque. Des associés hivernants n'ont pas touché de part de bénéfice depuis plusieurs années. Ils expriment leur malaise, leur inquiétude. Daniel Harmon est venu de la Nouvelle-Calédonie — plus de trois mille milles ! — et Angus Bethune de plus loin encore : de la Colombie, où il a passé cinq ans, coupés par un voyage en Chine.

Harmon a obtenu un congé. Beaucoup de liaisons avec une femme indienne ou métisse, conçues comme temporaires, survivent à l'engagement du commis ou du Voyageur et deviennent permanentes. Lorsque, faiblissant après une courageuse résistance aux tentations, Daniel Harmon prit une femme indienne, il confia honnêtement à son journal — avec honte, mais franchise — l'intention de l'abandonner, à la fin de son contrat, à quelque brave garçon, commis ou Voyageur, qui ne la dépayserait pas. Mais nous le savons scrupuleux, et ce trait de conscience ne s'est pas trop émoussé dans le Nord-Ouest. Et surtout, Harmon s'est, comme d'autres en même temps que lui, attaché à la mère des enfants auxquels il a donné son nom et dont il veut faire des hommes estimables. Il l'a convertie. Daniel Harmon, endossant ses responsabilités, est descendu avec sa femme.

Harmon n'est pas de tendance à fomenter la révolte. Mais Angus Bethune et John McLoughlin intriguent, semblent prêts à conduire une sédition. William McGillivray ne se laisse pas facilement réduire aux abois, mais il doit faire face de tous côtés, et sa santé s'en ressent.

Là-dessus arrive Simon McGillivray junior, échappé à l'attentat du Grand Rapide et descendu par des voies détournées. Simon McGillivray rend compte à son père, qu'il n'avait pas vu depuis cinq ans. William McIntosh, sauvé par un Indien, arrive à son tour, et confirme.

C'est le plus dur coup encaissé depuis la prise de Fort William par Selkirk. Il risque, dans ce climat défaitiste, d'égaler en importance et en retentissement la prise de Fort Gibraltar et celle même de Fort William. McTavish et Shaw ne sont pas seulement des Bourgeois de la Compagnie du Nord-Ouest, mais des associés de la firme McTavish, McGillivrays and Company. Deux autres, John Forsyth et John Richardson, sont absorbés par la fondation de la Banque de Montréal. Le neveu et successeur de Simon McTavish devra lutter seul, en ce moment crucial, pour redresser la situation de la Compagnie qui est sa raison de vivre.

Des hivernants sentent leur courage faiblir. Ils ont physiquement et moralement souffert. Ils peuvent être tentés de mettre la direction en cause : William McGillivray et ses associés ont-ils bien mené la barque ? Ont-ils fait tout en leur pouvoir ? Faudra-t-il renouveler l'accord de 1804, qui expire en 1822 ? William McGillivray s'arc-boute. Il persuade, non sans peine, la plupart des hivernants d'envoyer leur procuration s'ils ne peuvent venir à l'assemblée qui, d'ici trois ans, devra discuter du renouvellement. Autour de Bethune et de McLoughlin se groupent quelques dissidents.

Les agents s'adressent immédiatement au duc de Richmond, gouverneur général, pour dénoncer le rapt du Grand Rapide et demander l'intervention des autorités. Le gouverneur est dans le Haut-Canada. Il dépêche le major McLeod et sir Charles Santon, qui viennent se renseigner à Fort William et se dirigent ensuite vers le Grand Rapide. Mais les envoyés du gouverneur apprennent en route que William Williams s'est retiré vers la baie d'Hudson avec ses soldats et ses prisonniers. La baie d'Hudson ! McLeod et Santon sont des fonctionnaires, non des explorateurs. La saison est trop avancée et les provisions des émissaires et de leur escorte sont trop restreintes pour continuer jusqu'à la baie d'Hudson.

L'assemblée de Fort William choisit George Keith, qui a bien servi dans le district de Colombie, pour remplacer les chefs enlevés à la tête du district d'Athabasca. Il aura pour adjoints Simon McGillivray junior et Samuel Black — deux bagarreurs : Samuel Black a été le ravisseur de Colin Robertson. Angus Bethune est mis au commandement de l'île à la Crosse pour la saison de 1819-1820, et McLoughlin reçoit la gérance de Fort William, poste entre tous recherché. Daniel Harmon, son congé expiré, confiera son journal au révérend Daniel Haskel pour publication[1] et prendra charge du poste du lac La Pluie, avec rang d'associé hivernant.

Angus Bethune et John McLoughlin, avant de prendre leurs postes, descendent à Montréal et s'abouchent avec George Moffat, qui transmet leur message à Samuel Gale, l'avocat de lord Selkirk. Ils lui demandent si la Compagnie de la Baie d'Hudson, advenant leur rupture avec la Compagnie du Nord-Ouest, ou le simple non-renouvellement de leur contrat, leur accorderait les conditions dont ils jouissent actuellement. C'est une démarche secrète, bien entendu, un simple sondage, pour l'heure. Samuel Gale tient à ce que Robertson, auquel il attribue, entre autres défauts, un manque de discrétion, ne soit pas au courant.

* * *

Le lieutenant Franklin et ses compagnons, en mission purement scientifique, arrivent à York Factory le 30 août 1819, sur le *Prince of Wales*. Simon McGillivray leur a donné des lettres d'introduction auprès des Bourgeois de la Compagnie du Nord-Ouest, dont ils ont entendu vanter l'influence, l'opulence et l'hospitalité. Les Bourgeois, dit-on à Londres, sont les seigneurs des lacs et forêts, et c'est un honneur recherché, en même temps qu'une initiation pittoresque à la vie canadienne, qu'une invitation à leur Beaver Club de Montréal. L'expédition devra compter sur leur concours pour réussir.

---

1. Haskel l'a publié en 1820, en apportant des corrections sous couleur de mise en forme littéraire. Kay Lamb a publié le texte original, dont une photocopie est aux Archives publiques du Canada.

Franklin et ses compagnons ont été mis au courant, dans les grandes lignes, de l'état d'hostilité régnant entre les deux compagnies. Ils sont tout de même stupéfaits de trouver prisonniers ces Bourgeois mirifiques. Ils leur rendent visite et leur témoignent autant d'égards qu'aux dirigeants locaux de la Compagnie de la Baie d'Hudson. Les Bourgeois prisonniers n'ont rien perdu de leur assurance. Ils savent l'importance de ne jamais perdre la face. Ils font honneur à la devise du Beaver Club : Fortitude in Distress. Ils parlent comme s'ils étaient toujours au commandement de la plus puissante entreprise du Canada. « Nous recevons d'eux », écrit l'explorateur, « la plus cordiale et la plus complète assurance que les hivernants de leur Compagnie ne négligeront rien pour aider l'expédition[2].» La promesse de John George McTavish, d'Angus Shaw et de leurs amis est « réconfortante », puisque le personnel de la Compagnie du Nord-Ouest est le plus expérimenté. John Franklin « juge opportun » d'interdire par écrit à ses subordonnés « de se mêler des querelles existantes ou pouvant survenir entre les deux compagnies ». Il soumet son texte aux dirigeants des deux camps, qui expriment « leur entière satisfaction ».

L'officier britannique a traité les Bourgeois prisonniers au moins sur le même pied que leurs geôliers. Les facteurs de la Compagnie de la Baie d'Hudson, impressionnés, adoucissent le régime de leurs concurrents détenus. John George McTavish, Angus Shaw, John Duncan Campbell et Benjamin Frobisher demandent à être envoyés en Angleterre. C'est peut-être par l'entremise de John Franklin que McTavish et Shaw obtiennent cette permission, moyennant la promesse de McTavish de se tenir à la disposition de la justice. Les deux Bourgeois s'embarquent comme passagers sur le *Prince of Wales,* entreprenant son voyage de retour.

John Duncan Campbell, Joseph Paul, Pierre Paul, Louis Mongeau et Pierre Boucher sont envoyés par voie d'eau à Moose Factory, où ils arrivent le 26 septembre. Mais les « Anglais » de la Compagnie de la Baie d'Hudson ont un vieux compte à régler avec les Frobisher — un compte qui remonte aux gestes de Joseph Frobisher achetant aux Indiens des fourrures qu'ils devaient et portaient à la baie d'Hudson et empêchant un peu plus tard, au lac des Castors, Robert Longmoor de lui rendre la monnaie de sa pièce. C'est Benjamin Frobisher qui, après la prise de Fort William et du lac La Pluie par les Meurons, a conduit l'expédition de représailles à l'île à la

---

2. John Franklin a laissé un récit de son voyage, avec des notes scientifiques, en un fort volume.

Crosse et au lac du Caribou. Enfin Benjamin Frobisher, confiant en sa force physique, a tenté une résistance au Grand Rapide. Il reste prisonnier, en punition, avec Amable Turcotte et Joseph Lépine, les deux Voyageurs désignés par Joseph Paul comme les plus capables, après lui, de conduire une brigade.

Frobisher, affaibli par la dysenterie, affolé par sa blessure, est à mille milles — mille six cents kilomètres — de ses amis. Il n'en médite pas moins une évasion. Les trois Nor'Westers économisent sur leur maigre ration quotidienne de pemmican, pour se constituer une réserve. À l'approche de l'hiver, toute tentative d'évasion devenant improbable, la surveillance se relâche. Frobisher, Turcotte et Lépine s'emparent d'un canot et d'un vieux filet et partent le 30 septembre 1819 à la tombée de la nuit. Une battue les recherche en vain. Les trois fugitifs portagent dans les rapides, dorment enveloppés dans leurs couvertures, perdent leur route, la retrouvent, subissent des tempêtes de neige. Des Indiens rencontrés leur fournissent un guide, mais sur une courte distance. Frobisher, Turcotte et Lépine[3] souffrent au point de détacher, pour les manger, des lambeaux de peaux de buffle suspendus aux branches d'arbre par des Indiens, en guise de signal ou de repère.

* * *

La haine, qui peut aveugler, peut aussi aiguiser la clairvoyance. Colin Robertson ne sait pas ce qui se passe à Fort Wiliam, mais on dirait qu'il le pressent. Il ne cesse de prédire que l'acte d'association de la Compagnie du Nord-Ouest ne sera pas renouvelé à son expiration. Le contrat sera même, affirme-t-il, déchiré avant ce terme. Il écrit à George Moffat en juillet 1819 :

> Nous avons au moins pris pied et fait plus de mal à nos adversaires que vous ne le croyez, en réduisant leurs bénéfices d'au moins huit à dix mille livres dans Athabasca et au Petit lac des Esclaves. Cette réduction résulte d'une augmentation de leur dépense, d'un manque d'effort de la part des indigènes qui ont deux maisons pour fournir à leurs besoins, enfin de notre propre récolte de fourrures. Une autre campagne conduite dans le même esprit les réduira davantage encore, alors que notre propre commerce peut augmenter, et ne peut guère diminuer sans un violent effort de leur part...

Robertson adopte le double plan d'invasion de la Nouvelle-Calédonie et du district du Mackenzie, qui devient *son* plan. Il écrit, à la fin d'août 1819 :

---

3. Son neveu Ambroise Lépine jouera un rôle important aux côtés de Louis Riel en 1869 et les années suivantes.

Nous avons complètement pris pied dans Athabasca, et à la suite des mesures que j'ai prises le même sort menace la dernière redoute de la puissance et de l'influence de la Compagnie du Nord-Ouest, à l'île à la Crosse. Ma prochaine tentative visera la Nouvelle-Calédonie et le fleuve Mackenzie. Ces pays sont neufs. Les indigènes sont indépendants, de disposition timide ; nous n'avons rien à craindre d'eux. Ils traiteront avec ceux qui auront quelque chose à leur donner en échange. Nous avons beaucoup à craindre du côté de la subsistance ; mais j'ai des hommes qui connaissent bien les ressources de ces pays, principalement au Mackenzie.

James Bird n'aime pas Williams, qui l'a supplanté. Ce sentiment peut contribuer à son pessimisme, à sa crainte de représailles pour l'affaire du Grand Rapide. Robertson lui reproche son attitude :

— Vous blâmez l'affaire du Grand Rapide ?

— C'est nous qui l'avons conçue.

— Oui, mais c'est Williams qui l'a exécutée.

— La Compagnie du Nord-Ouest se vengera.

— Je le sais, monsieur Bird, mais cela ne doit pas nous détourner de notre devoir. La Compagnie du Nord-Ouest se fatiguera de ce genre d'affaires et nous laissera tranquilles.

Robertson fait part de cette conversation à Moffat. Il répand autour de soi son esprit agressif. William McIntosh, l'évadé du coup de filet du Grand Rapide, est revenu dans le Nord-Ouest. William Brown, de la Compagnie de la Baie d'Hudson, le rencontrant dans un portage de la rivière aux Anglais, se jette sur lui, cherche à le ceinturer, mais, faute d'être secondé par ses amis, manque de justesse son opération.

Colin Robertson, fort de la lettre flatteuse du Comité de Londres que William Williams lui a remise lors de leur rencontre au Grand Rapide, organise son offensive, en s'arrogeant au besoin des pouvoirs et en froissant les vieux employés. À Cumberland House, à la fin d'août 1819, il se procure et transmet des renseignements sur les brigades de la Compagnie du Nord-Ouest. Il écrit à Williams :

Vous pouvez être sûr d'une chose. Leur Grande Brigade est en retard sur nous, et d'après la turbulence du temps et autres *accidents*, il est plus que probable qu'elle ne paraîtra pas de longtemps.

La rivière aux Anglais est haute, assez haute pour être presque dangereuse.

Accidents est souligné dans le texte. Le projet de complot est à peine voilé. Robertson termine sa lettre :

L'aimable Compagnie du Nord-Ouest prétend que le comte de Selkirk est dans un état de consomption si avancé que les médecins désespèrent de sa vie. Ces vagabonds sont-ils eux-mêmes en si rapide déclin, que seule la mort de notre noble patron peut les satisfaire et les sauver de la destruction ? Mais si un si triste événement se produit (Dieu nous en garde !), j'espère que le Comité continuera ses efforts pour faire juger devant un tribunal anglais les atrocités commises dans ce pays.

Colin Robertson lui-même hiverne au poste Sainte-Marie de la rivière La Paix. Il place Alexander McDonald au Fort Wedderburn, et John Clarke au point sensible de l'île à la Crosse. Sa tactique est toujours d'entraîner la Compagnie du Nord-Ouest à des dépenses que, pense-t-il, elle ne pourra supporter. John Clarke, en concurrence avec Angus Bethune, réussit assez bien. Robert McVicar se défend, en face d'Edward Smith, traiteur de la Compagnie du Nord-Ouest en qui Robertson reconnaît « un concurrent formidable, un traiteur de grande expérience, qui prend les Indiens, non par la force et la terreur, mais par les liens plus solides de l'affection ». Mais Aulay McAulay, chargé de Berrens House, sur le point de mourir de faim avec ses hommes, est secouru par John Stuart, de la Compagnie du Nord-Ouest. Il doit en échange évacuer son poste et livrer son stock de munitions et de tabac.

Robertson pousse Williams à pénétrer sérieusement en Nouvelle-Calédonie, tout en prévoyant les réactions de l'adversaire :

> La Nouvelle-Calédonie et le fleuve Mackenzie sont les districts qui exigent notre sérieuse attention, car plus de la moitié du rendement de la Compagnie du Nord-Ouest dans Athabasca provient de ces deux établissements. La Compagnie du Nord-Ouest a menacé de nous empêcher de traverser les montagnes, et ses hommes, pour compenser la louable mesure que les lois de notre pays nous ont obligés de prendre au Grand Rapide, ont fait savoir qu'ils vengeraient l'insulte (selon leur expression) dans le cours de mars. Je ne sais pas ce qu'ils ont fixé pour ce mois particulier, mais je présume qu'ils attendent un paquet de mandats de York dans ce temps-là. Je m'efforcerai de vous fournir les premiers renseignements sur cette aimable association...

Ignace Giasson et José Gaubin ont rapporté peu de fourrures de la Nouvelle-Calédonie. Giasson a pensé intercepter un convoi d'Indiens portant leurs fourrures à la Rocky Mountain House de la Compagnie du Nord-Ouest, mais les Indiens n'ont pas pris le chemin prévu, Giasson a manqué son coup, et Robertson s'en désole : « Vingt-quatre ballots de beau castor ! » Giasson et Gaubin ont cependant rapporté « une mine de renseignements » et pris un contact superficiel avec des Iroquois « libres », c'est-à-dire détachés de la tutelle de la Compagnie du Nord-Ouest, qui les a fait venir dans cette région. Robertson, pour compléter ce travail, renvoie Giasson, qui est un homme de son choix, avec des instructions minutieuses. Il lui renouvelle son contrat avec une hausse de salaire, « non seulement pour votre bonne conduite, mais pour la tâche ardue que vous avez entreprise, de traverser les montagnes Rocheuses aux sources de la rivière Smoky et de vous rendre en Nouvelle-Calédonie.

> Je n'ai pas besoin de répéter que l'objet de ce voyage est de préparer les indigènes à la réception des employés de la Compagnie de la Baie d'Hudson qui comptent s'établir dans ce pays à l'été suivant. Vous vous tiendrez prêt le 22 courant, avec John Harper, Charles Phillips et le guide Tête-Jaune...(décembre 1819).

Robertson détaille l'itinéraire à suivre et les mesures à prendre :

> Vers la mi-avril, dirigez-vous vers les montagnes Rocheuses avec John Harper et des Indiens... Vous arriverez vraisemblablement à la Nouvelle-Calédonie en juillet. Là, informez les indigènes de l'intention de la Compagnie de visiter ce pays au début de l'été prochain. Mais comme il est probable que les agents de la Compagnie du Nord-Ouest dresseront tous les obstacles pour empêcher vos relations avec les Indiens, je crois sage d'éviter les entrevues ou intimités avec les gens de cette Compagnie, et de ne pas approcher de leurs forts plus que la nature de votre mission ne l'exige absolument. Le saumon est le principal article de subsistance en Nouvelle-Calédonie. Renseignez-vous sur l'emplacement des pêcheries et les moyens employés pour se procurer le poisson.

> Soyez bon et attentif avec les indigènes, mais ne les gâtez point par d'extravagantes notions de notre générosité...

> Il vous faudra peut-être rester aux pêcheries jusqu'à l'arrivée des canots de notre Compagnie. En ce cas, envoyez deux hommes au portage des montagnes Rocheuses, avec un guide et tous les renseignements relatifs au pays et à ses ressources...

Robertson fait rassembler les marchandises et les provisions — au premier chef, le pemmican — nécessaires à cette expédition.

67

Mort tragique de Benjamin Frobisher

Plaintes à Londres contre la justice canadienne — Rapport du juge en chef Powell — Une offre d'Edward Ellice — Mort de Benjamin Frobisher.

Le Comité de la Compagnie de la Baie d'Hudson s'interroge, comme James Bird, sur l'action de William Williams au Grand Rapide. La firme de Bleasdale, Lowless and Crosse, conseillers juridiques de la Compagnie, étudie la légalité ou l'illégalité de cette initiative, bien hardie de la part d'une entreprise qui se plaint, en ce moment même, de déviations à la loi et au droit, commises à son détriment. John George McTavish et Angus Shaw sont libérés, faute d'accusation portée contre eux, dès leur arrivée en Angleterre.

On se rappelle la décision du juge en chef William Dummer Powell, au procès de Sandwich contre lord Selkirk et ses coaccusés de « conspiration pour ruiner le commerce de la Compagnie du Nord-Ouest », à propos de l'affaire de Fort William. Les jurés ne se mettant pas d'accord, le juge les a renvoyés, ce qui n'a satisfait personne.

Une loi votée par la législature du Haut-Canada en 1818, sous l'influence de la Compagnie du Nord-Ouest, a décidé la reprise de ce procès, et autorisé en même temps l'audition de cette cause, et de toutes les causes consécutives à des crimes commis dans les « territoires indiens », en n'importe quel district du Haut ou du Bas-Canada. Selkirk et ses principaux employés sont donc menacés d'un nouveau procès, qui pourrait se dérouler à Montréal où l'hostilité du jury leur est presque assurée d'avance. Ils ont essayé de faire abroger la loi de 1818 pendant la session suivante. Une motion, présentée successivement sous quatre formes différentes, a échoué.

Boulangerie, où l'on faisait la cuisson
des « biscuits de matelots »,
construite à Terrebonne, vers 1890, probablement
par Roderick McKenzie, allié à la famille Masson.

(Photo Armour Landry, tirée des « Vieux manoirs et vieilles maisons ».)

John Pritchard, forte tête qui fut l'un des coaccusés de Selkirk dans l'affaire de Fort William, envoie de la rivière Rouge une requête à Son Altesse royale le Prince régent, et la fait imprimer à Londres, sous le titre : *Narratives of John Pritchard, Pierre Chrisologue Pambrun and Frederick Damien Heurter respecting the agressions of the North West Company against the Earl of Selkirk's Settlement upon the Red River.* Il se plaint de la loi « injuste, oppressive et de plus interprétée par le juge en chef d'une manière inconstitutionnelle ». Fort William, soutient ce juriste improvisé, n'est situé dans aucun district du Canada, « de sorte qu'aucun tribunal canadien ne peut en juger ». Pritchard demande au gouvernement britannique de ne pas sanctionner cette loi sans lui donner l'occasion d'être entendu par le Conseil.

La Compagnie de la Baie d'Hudson se plaint à Londres de la justice canadienne. Lord Selkirk, s'adressant au premier ministre par-dessus la tête du secrétaire des Colonies, dont il désespère, a mis en cause le juge en chef et même le procureur général du Bas-Canada. Mais la Compagnie du Nord-Ouest se plaint, auprès du gouvernement britannique, des abus de pouvoir de lord Selkirk et de la Compagnie de la Baie d'Hudson, qui ne sont pas réprimés. Si la Couronne britannique ne peut nous protéger — ne peut pas faire observer au Canada les proclamations émises au nom du prince régent, les associés de la Compagnie du Nord-Ouest « ne pourront plus à l'avenir confier la protection de leurs personnes et de leurs biens à une autorité trop éloignée pour se faire obéir ». « Nous ne pouvons plus compter que sur nous-mêmes », disent et écrivent les frères McGillivray.

Le gouvernement britannique attend les explications du gouverneur général qui, à son tour, a demandé un rapport au juge Powell. Celui-ci envoie son mémoire, en octobre 1819[1].

William Dummer Powell rappelle que chacune des parties a exprimé la crainte que son adversaire ne cherchât à influencer la justice. Lui-même, loin de témoigner de l'hostilité à lord Selkirk, l'a reçu à sa table avec l'honorable juge Baby, membre du Conseil exécutif. Il a refusé aux associés de la Compagnie du Nord-Ouest une mise en accusation de lord Selkirk pour « felony », qu'il trouvait excessive, insuffisamment étayée de preuves. Les procès, d'ailleurs sténographiés, ont été les plus réguliers du monde. Une documentation formidable, en français et en anglais, a été produite. Les deux parties ont fait valoir leurs arguments. Les témoignages, dont le juge en

---

1. Archives publiques du Canada, 1897 : « Northwest Disputes ».

chef joint le texte, ont été d'une puissance irrésistible. Les jurés ont décidé en connaissance de cause et en toute liberté. À Sandwich, lord Selkirk a parlé en exalté, faisant la leçon à la Cour et refusant d'obéir à l'ordre de se taire et de s'asseoir...

Lord Selkirk s'en prend aussi au procureur général. Or, le procureur général Beverley Robinson est un homme instruit, distingué, loyaliste et tory de pied en cap. Il est champion, avec le pasteur John Strachan, de l'Église anglicane dans le Haut-Canada. Il existe dans cette province une fermentation au moins égale à celle dont Louis-Joseph Papineau prend la tête dans le Bas-Canada. Des immigrés, chassés par la misère qui sévit dans les îles britanniques et qui croyaient aborder en pays de cocagne, sont cantonnés dans les plus durs travaux : ils sont bûcherons ou manœuvres. Il ne manque point parmi eux de mécontents, aux opinions avancées. Des immigrants américains apportent des idées républicaines. Les nouveaux venus s'irritent aussi contre les privilèges de l'Église anglicane. Un Écossais au tempérament d'agitateur, Robert Gourlay venu en 1817, s'est aussitôt constitué le porte-parole des mécontents. Il les défend et les excite. Le procureur général Robinson, en liaison avec le lieutenant-gouverneur, traque Gourlay, une première fois acquitté par le jury de Kingston. Lord Selkirk, dans son amertume, s'en prend donc, et dans un mauvais moment, à ce qu'on appellera plus tard l'« establishment ». Le juge en chef Powell a beau jeu de défendre le procureur général, « respecté pour ses qualités de cœur autant que pour son talent ».

Le juge en chef accuse à son tour lord Selkirk de « perversion de la vérité ».

La poursuite de Selkirk contre un certain nombre d'associés de la Compagnie du Nord-Ouest pour divers « crimes et offenses » doit venir le 21 octobre 1819 devant la Cour d'Oyer et Terminer de Québec, autorisée par la loi récente à juger des causes ayant origine dans les « territoires indiens ».

Archibald Norman McLeod, Simon Fraser, James Leith, Alexander Macdonell, Angus McGillis, Archibald McLellan et John Siveright comparaissent. John Duncan Campbell est en route, prisonnier de la Compagnie de la Baie d'Hudson, mais n'est pas encore arrivé. Benjamin Frobisher, également prisonnier de la Compagnie de la Baie d'Hudson, s'est évadé et poursuit son calvaire, on ne sait où, avec les deux Voyageurs canadiens qui ont accepté de partager son sort. Les accusés demandent leur procès, mais la poursuite n'est pas prête : elle n'a pas rassemblé ses témoins. La cause est ajournée.

*   *   *

La coalition, voire la fusion des compagnies apparaît de divers côtés comme l'épilogue souhaitable et sans doute inévitable. John Strachan écrivait à Simon McGillivray à Londres, à la fin de juillet :

> Il faut espérer que lorsque William rentrera en Angleterre à l'automne prochain, il y aura une coalition avec la Compagnie de la Baie d'Hudson. Il faut qu'elle se produise tôt ou tard, et mieux vaut maintenant que plus tard.

Mais comment fusionner, ou même simplement coaliser des adversaires — des ennemis — qu'une guerre inexpiable, depuis si longtemps poursuivie, a conduits à une aversion réciproque et profonde qu'il faut bien appeler de la haine ?

William McGillivray est venu à Londres à l'automne de 1819. Il répète, dans une lettre à John George McTavish : « Nous sommes réduits à nous défendre seuls. » Edward Ellice est député de Coventry à la Chambre des communes depuis 1818, ce qui peut ajouter à sa force. Il offre d'acheter, au cours de la Bourse et pour son compte personnel, affirme-t-il, les actions de la Compagnie de la Baie d'Hudson détenues par lord Selkirk, visiblement à bout de forces. La situation financière de Selkirk est embarrassée. Le transfert éviterait aux actions de se ·trouver, en cas de décès, immobilisées dans un inextricable écheveau. Ellice garantirait la paix de la colonie.

Selkirk vendrait peut-être si la Compagnie du Nord-Ouest reconnaissait la charte de la Compagnie de la Baie d'Hudson, donc ses propres droits à la fondation de la rivière Rouge, ce qui protégerait l'existence de la colonie. Lady Selkirk est assez intransigeante. Elle veut « mettre les principes avant l'argent ». Mais Selkirk passe dans le midi de la France, vraisemblablement pour y finir ses jours. Colvile poursuit avec Ellice des conversations traînantes, jusque vers Noël.

À ce moment lady Selkirk reçoit une lettre de Samuel Gale, datée du 10 septembre 1819, annonçant que des associés hivernants de la Compagnie du Nord-Ouest ont approché « un monsieur de Montréal dont j'ai promis de ne pas dire le nom », et sont prêts à lâcher McTavish, McGillivrays and Company pour la Compagnie de la Baie d'Hudson. Les meilleurs hivernants seraient au bord de la rébellion.

Voilà qui change la face des choses reconnaît Selkirk. Colvile rompt les négociations.

* * *

C'est bien un calvaire que le fils de Joseph Frobisher poursuit, héroïquement. Turcotte et Lépine conseillent de se rendre au poste de Norway House, dont ils ne sont plus éloignés. Mais ce poste appartient à la Compagnie de la Baie d'Hudson. Benjamin Frobisher, mourant de faim, refuse. Cependant il ne peut plus marcher ; il se traîne, à la lettre. Il ne peut plus mettre un pied devant l'autre. Il finit par tomber, incapable de se relever. Un poste de la Compagnie du Nord-Ouest n'est plus qu'à deux journées de marche. Turcotte et Lépine vont y chercher du secours. Frobisher leur confie ce mot, tracé au crayon :

> Lépine et Turcotte vous informeront de l'état déplorable où ils me laissent ici, à la pointe du Lièvre, au lac Bourbon. Si mes hommes arrivent saufs, pour l'amour de Dieu ne perdez pas un moment pour envoyer des hommes, des chiens et des provisions pour me soulager de mon état de dernière extrémité.
> 20 novembre   Benj. Frobisher

Les deux hommes, épuisés eux-mêmes, s'égarent et n'arrivent au fort qu'au bout de quatre jours. Ils ne sont pas en état d'accompagner l'équipe de secours, qui part aussitôt en traîneaux à chiens.

Les sauveteurs trouvent le cadavre de Benjamin Frobisher à demi calciné par un feu qu'il avait allumé. Ses poches contiennent des bouts de papier sur lesquels il a griffonné le récit de son martyre, depuis sa mise en captivité.

Il se forme des dynasties de hauts serviteurs de la Compagnie du Nord-Ouest. Alexander Henry et Joseph Frobisher ont été les pionniers de la traite sous le régime anglais. Le neveu d'Alexander Henry est mort noyé en Colombie ; le fils de Joseph Frobisher meurt d'épuisement et de faim au lac Bourbon.

68

Mort de Selkirk

Les Blancs perdent la face — Mort de lord Selkirk — Nouvelle arrestation de Colin Robertson.

Quarante colons, en majorité d'origine allemande, arrivent à la baie d'Hudson, à destination de la rivière Rouge. « Cela ne fera qu'augmenter le nombre des victimes des vues sinistres d'un noble imposteur », écrit Wentzel à son correspondant et ami Roderick McKenzie, seigneur de Terrebonne.

Les sauterelles ont anéanti les récoltes — blé, orge, pommes de terre. Il ne reste plus de feuilles aux buissons, ni d'écorce aux arbres. Des milliers, des millions de cadavres de sauterelles ont empoisonné l'eau. Des incendies dans les plaines ont éloigné les bisons. Des colons accomplissent plusieurs centaines de milles en raquettes pour se rendre à la Prairie-du-Chien, établissement le plus rapproché, afin d'y acheter du blé pour ensemencer leurs terres. Leur voyage dure trois mois.

À Prairie-du-Chien, des Canadiens, venus dix, quinze ou vingt ans plus tôt pour la traite, ont développé de belles propriétés agricoles. Joseph Rolette joue un rôle considérable. Les peuplades sauvages le connaissent à des lieues à la ronde, et les Sioux l'ont surnommé « roi ». John Jacob Astor le désigne, à ce moment même, comme agent principal de sa Compagnie. Or, Rolette vient d'épouser en secondes noces la fille d'Henry Monroe Fisher, qui s'est établi à la Prairie-du-Chien, dans les débuts, pour y faire la traite et qui a quitté ce poste en 1815 pour entrer au service de la Compagnie de la Baie d'Hudson sur les bords de la rivière Rouge. Les colons de Selkirk tombent en pays de connaissance, et sont bien reçus. Ils reviennent avec 250 minots de blé sur des chalands.

Cette expédition coûte un bon millier de livres sterling — au compte de lord Selkirk. Les bateaux retournent en descendant la rivière Rouge, et l'affaire démontre la possibilité d'une communication par eau. Voilà qui pourrait amorcer la réalisation du dernier projet de lord Selkirk, pour l'établissement de relations commerciales entre sa colonie de la rivière Rouge et les États de la république américaine les plus voisins. Mais lord Selkirk se meurt, dans le midi de la France.

D'autres colons vont demander des semences au dépôt du lac La Pluie, de la Compagnie du Nord-Ouest. Ils y apportent, signale Wentzel,

> la rougeole si fatale aux indigènes qu'un cinquième de la population aurait été détruit, du dépôt du lac La Pluie à Athabasca. Tel est l'état d'un pays qui semble avoir autrefois suscité l'envie de souverains mêmes.

Le lieutenant Franklin fera les derniers préparatifs de son expédition, non pas dans un poste de la Compagnie de la Baie d'Hudson, mais au Fort Chippewean, de la Compagnie du Nord-Ouest. Il s'y rend au petit printemps de 1820, en s'arrêtant brièvement à la Pierre-au-Calumet, où commande John Stuart, « qui a deux fois traversé le continent et atteint la côte du Pacifique par la rivière Columbia, et qui est donc bien au courant des différents modes de voyage et des obstacles à prévoir dans ces pays vierges ». Les chasseurs cris, à la Pierre-au-Calumet, sont tombés malades, et le poste ne subsiste que par la prise de ses filets de pêche. Imagine-t-on l'angoisse d'un chef de poste qui doit noter le soir sur son journal : « Pas de poisson aujourd'hui encore, dans nos filets. » Le poste de la Compagnie de la Baie d'Hudson installé dans le voisinage, devant la même situation, a renoncé et plié bagage. John Stuart, si bien renseigné sur la Colombie, n'a pas dépassé le Grand lac des Esclaves, au nord, et ne connaît pas la région.

Franklin arrive au Fort Chippewean, commandé par George Keith, le 26 mars. Il est reçu, comme partout, « de la manière la plus hospitalière ». C'est le plus grand plaisir de ces voyages à travers le Nord-Ouest que le chaleureux accueil reçu dans chaque poste, « si pauvre soit-il ». Franklin rend visite au Fort Wedderburn, de la Compagnie de la Baie d'Hudson, mais c'est au Fort Chippewean qu'il prépare son expédition. La Compagnie du Nord-Ouest met Ferdinand Wentzel à sa disposition. Le Norvégien entré au service de la Compagnie du Nord-Ouest en 1799 a passé vingt ans parmi les tribus de l'Ouest et connaît plusieurs de leurs dialectes. Il n'a rien perdu, ni de son esprit caustique, ni de sa réputation d'intégrité. Il rassemble, pour l'entreprise qu'il juge hasardeuse, des guides et des chasseurs, choisis dans la tribu des Couteaux-Rouges. Franklin hésite dans le choix entre plusieurs routes proposées par les Indiens : l'une est riche en rennes ; l'autre plus praticable pour des canots modérément chargés.

Leurs violences ont fait perdre la face aux Blancs devant les Indiens qui, de plus en plus exigeants et parfois méprisants, affectent des allures d'arbitres. N'est-ce pas leur clientèle, en somme leur faveur, que les Blancs se disputent si âprement ? Ma lettre de l'année dernière a été saisie, écrit Wentzel, « par un groupe de desesperados à la solde de la Compagnie de la Baie d'Hudson » :

> J'espère que ce système d'actes illégaux sera bientôt rétribué à son mérite, quoique aucune crainte à ce sujet ne semble troubler les gentlemen de la Baie d'Hudson, car on dit et je crois qu'une *garde* est apostée au même endroit que l'année dernière, pour saisir les papiers, ce qui fera peut-être de nouveau couler le sang, car je crois que nos Messieurs sont décidés à résister à ces agressions injustifiables, si on projette de les répéter dans l'avenir.

> L'Acte du Parlement étendant la juridiction des Cours de justice du Canada aux délits commis dans les régions sauvages doit protéger les personnes résidant dans ce pays contre la violence et l'agression... Comment aurons-nous satisfaction si nos gens sont massacrés par les indigènes ? Nous n'avons pas de législature à laquelle nous pourrions recourir dans le pays.

> ...Les indigènes sont si désorganisés dans Athabasca que si la situation est la même dans les autres parties du Nord-Ouest, il ne sera pas exagéré de dire que le commerce des fourrures sera ruiné pour un certain nombre d'années à venir. Les Blancs ne possèdent plus que l'ombre de l'influence qu'ils ont autrefois utilisée à leur avantage et à l'avantage de leur pays.

> ...Nul ne sait combien de temps durera cette dispute, mais en fin de compte elle pourra ruiner les deux parties car, quel que soit le vainqueur, il devra rester longtemps en possession du pays avant de rétablir ses affaires pour qu'elles lui procurent un bénéfice, et il est même douteux qu'on puisse ramener les indigènes à leurs anciennes habitudes et à leur ancienne industrie. Il se pourrait bien que nombre des traiteurs les plus importants qui sont actuellement dans le pays soient obligés par l'âge, leur constitution brisée ou d'autres infirmités de se retirer avant la fin des troubles actuels ou de laisser leurs os dans le pays où leurs rêves dorés les ont attirés, en se faisant cette réflexion mélancolique qu'ils auront tout perdu parmi des nations sauvages et dans des régions sauvages. Triste consolation !

> Tel a été le destin de l'infortuné M. Benjamin Frobisher...

* * *

La perte est surtout pour la Compagnie du Nord-Ouest, que la capture de plusieurs Bourgeois, parmi les plus actifs et les plus influents, a désorganisée dans le district d'Athabasca. La Compagnie de la Baie d'Hudson augmente sa part de la traite au détriment de sa rivale, malgré la mésaventure d'Aulay McAulay, qui, jouant de malheur, a dû abandonner Berens House sur la rivière Athabasca. Robertson, hivernant au Fort St. Mary's sur la rivière La Paix, donne de bonnes nouvelles de son district à Moffat et à Williams, dès janvier et février 1820. John Clarke réussit à la rivière aux Anglais, « et Bethune, de la Compagnie du Nord-Ouest, devra partager le commerce avec lui ». Les affaires sont moins brillantes au Grand lac des Esclaves, où Edward Smith, le commis de la Compagnie du Nord-Ouest, est l'idole des Indiens. Mais cette situation est renversée à Fort Wedderburn, où William Todd, traiteur de la Compagnie de la Baie d'Hudson, qui est aussi médecin, a gagné la gratitude des Indiens par quelques guérisons « miraculeuses ». « Nous avons plus de 80 Indiens à Fort Wedderburn, 30 à Harrison's House et 20 à Fort Resolution, ce qui fait espérer un rendement respectable. » Robertson ne manque pas d'ajouter :

— Grâce au Grand Rapide.

À Cumberland House, William Connolly, associé hivernant de la Compagnie du Nord-Ouest (qui a épousé une Indienne « à la mode du pays ») et Thomas Swam, de la Compagnie de la Baie d'Hudson, se partagent en quelque sorte le commerce, chaque partie renonçant à traiter avec les Indiens qui sont clients-fournisseurs de sa concurrente.

Ignace Giasson, dans les montagnes Rocheuses, éprouve des déboires. Un homme est mort ; d'autres ont déserté. Les ours ont découvert et saccagé les caches à provisions. Les Iroquois exigent une hausse du salaire convenu. Tout de même, Giasson se rattrape de la déception subie l'automne précédent, où il a « perdu » vingt-quatre ballots de beau castor. Il traverse les Rocheuses avec ses Iroquois, tombe dans le district de la Nouvelle-Calédonie et prend la Compagnie du Nord-Ouest par surprise. Il échange du tabac contre des fourrures, et ramasse un butin fort raisonnable pour un simple voyage de reconnaissance. Encore un territoire de la Compagnie du Nord-Ouest envahi par sa concurrente !

Colin Robertson commente la situation d'ensemble dans une lettre plus personnelle à William Williams :

> Je crains énormément une jonction, qui ne devrait pas se produire si le Comité était au courant de l'influence que nous avons acquise

dans ce pays. Nous sommes en pleine possession de toutes les places fortes. Il suffit de visiter le fleuve Mackenzie et la Nouvelle-Calédonie pour s'y établir, les indigènes de ces pays lointains mais riches étant trop nombreux pour que la Compagnie du Nord-Ouest puisse subvenir à tous leurs besoins. Il me fait de la peine de penser que nos adversaires, implacables et insolents, puissent acquérir par voie de négociation ce qu'il n'ont pu obtenir par les actes de cruauté les plus atroces. . .

Il met en même temps le gouverneur en garde : la Compagnie du Nord-Ouest a dû solliciter à York un mandat d'arrestation contre vous. Et comme ce tribunal s'est rendu coupable de tant d'irrégularités, je crois qu'il ne refusera pas une faveur de cette importance à cette Compagnie. . .

Williams lui envoie une information de sens inverse. La Compagnie de la Baie d'Hudson a obtenu du colonel Coltman des mandats d'arrestation contre Samuel Black, Simon McGillivray junior et sept ou huit de leurs « complices » dans l'enlèvement de Robertson, l'année précédente. Le commissaire a, dès l'ouverture de la navigation, envoyé George Spence avec une petite escorte, de Montréal au Nord-Ouest pour exécution des mandats. Colin Robertson vient de passer du Fort St. Mary's, où il a hiverné, au Fort Wedderburn sur le lac Athabasca. Il y a trouvé la situation moins brillante que les succès médicaux de William Todd ne lui avaient fait augurer. Là aussi, les querelles des Blancs produisent un mauvais effet sur les Indiens — en l'espèce des Chippeouais, qui viennent pour demander du rhum plutôt que pour apporter du castor. Le ravitaillement est chiche. Les hommes, mal nourris, côtoient la mutinerie. Robertson prend la situation en main, fait du travail d'organisation et rassemble les canots de différents districts pour les envoyer à York Factory. Williams informe Robertson de l'arrivée prochaine de George Spence et l'engage, ce qui doit être superflu, à prêter main-forte au constable.

George Spence a en effet mis le grappin sur deux « complices », Joseph Soucisse et Jean Lajeunesse, qu'il interne au Fort Wedderburn. Il a manqué Samuel Black, qui a résisté, pistolet au poing. Il arrête encore Edward Mabbatt et Joseph-Félix Larocque. Le chirurgien-traiteur William Todd, transportant sa récolte de fourrures, prend dans son convoi le canot transportant George Spence et sa prise.

* * *

John George McTavish et Angus Shaw, remis en liberté, sont rentrés au Canada. Duncan Cameron, poursuivant Selkirk, obtient

3000 livres de dommages. William McGillivray obtient restitution des fourrures saisies par William Williams et envoyées en Angleterre. C'est un faible soulagement. L'idée fixe de William McGillivray est, depuis longtemps, d'acquérir pour la Compagnie du Nord-Ouest un droit d'accès à la baie d'Hudson. C'est ce qui lui fait obstinément refuser toute reconnaissance, directe ou implicite, de la charte de la Compagnie de la Baie d'Hudson. Il conteste la validité de cette charte. Il lance, à Londres, une tentative pour obtenir une charte qui concéderait à la Compagnie du Nord-Ouest le droit tant convoité. Les chances de succès sont minces. Edward Ellice, député de fraîche date, n'a pu constituer un groupe à la Chambre des communes.

Lord Selkirk ne recevra pas le compte du voyage à Prairie-du-Chien. Il reçoit celui de Miles Macdonell qui, retiré dans le Haut-Canada, lui réclame 4475 livres. Selkirk, prêt à faire un cadeau de deux ou trois cents livres, trouve la prétention de Macdonell injustifiée. Il consulte Samuel Gale, qui le confirme dans cette opinion.

L'une des dernières lettres écrites par lord Selkirk est envoyée de Pau, le 30 décembre 1819, à Mgr Plessis pour lui annoncer l'arrivée prochaine d'un missionnaire protestant à la rivière Rouge et pour souhaiter, en insistant, la coexistence pacifique, harmonieuse si possible, des pasteurs des deux religions « dans cette région où pareil exemple est si nécessaire ».

Lord Selkirk meurt à Pau, dans le midi de la France, le 8 avril 1820, à quarante-neuf ans. Il laisse ses affaires en grave désordre. Sans l'intervention de ce philanthrope, la situation de la Compagnie du Nord-Ouest serait aujourd'hui triomphale.

Sir Alexander Mackenzie est mort un mois plus tôt en Écosse, à cinquante-six ans.

* * *

William McGillivray rentre au Canada pour l'assemblée de 1820, qui peut être cruciale. Il faut songer au renouvellement de l'association et, dans la situation actuelle, les choses n'iront pas forcément toutes seules.

La Compagnie de la Baie d'Hudson est maintenant au courant de la démarche faite par Angus Bethune et John McLoughlin auprès de George Moffat et de Samuel Gale, l'été précédent. Bethune et McLoughlin ont simplement demandé si la Compagnie de la Baie d'Hudson fournirait, par York Factory, des marchandises aux associés hivernants rompant ou ne renouvelant pas leur contrat avec la Compagnie du Nord-Ouest. La proposition, telle quelle, ne sourit guère à Colvile et à ses associés, puisque la Compagnie de la Baie d'Hudson aiderait des concurrents plutôt que de les supprimer. Le Comité de la rue Fenchurch préférerait absorber les hivernants de la Compagnie rivale, en leur concédant une part de bénéfice et peut-être de contrôle. Les hivernants mécontents pourraient remplacer des employés de la Compagnie de la Baie d'Hudson acceptant de se transformer en colons à la rivière Rouge. Il conviendrait aussi de savoir dans quelle mesure Bethune et McLoughlin représentent un groupe valable. Un sondage serait opportun.

La Compagnie de la Baie d'Hudson a désigné un jeune Anglais de vingt-huit ans, à peine, mais énergique et distingué, George Simpson, pour prendre la direction du district d'Athabasca. Simpson a la confiance des grands chefs de la Compagnie à Londres. C'est un favori, auquel on prédit un bel avenir — en langage clair : la succession de William Williams — et qui justifiera ce préjugé. Il gagne, par New York, Montréal puis Fort William où il fait une visite secrète au Dr McLoughlin, chef du dépôt de la Compagnie du Nord-Ouest.

Quand William McGillivray arrive à Fort William, McTavish et Campbell, qui l'ont précédé, sont partis en hâte munis d'un mandat d'arrestation contre Colin Robertson. Les premiers hivernants arrivent. On chuchote, parmi eux, contre la direction des agents. McGillivray apprend les intrigues de Bethune et de McLoughlin. Peut-être apprend-il la visite de George Simpson, dont McLoughlin ne souffle mot mais qui n'a pas dû passer totalement inaperçue. Il décide de remplacer McLoughlin par John George McTavish au poste-clef de Fort William. Il envoie un canot léger au Grand Rapide, pour prier McTavish de revenir le plus tôt possible, prendre cette place.

George Keith a quitté Fort Chippewean, avec sa cargaison de fourrures, pour Fort William. Il se dépêche. Au Grand Rapide, il rencontre John George McTavish, libéré en Angleterre, et John Duncan Campbell, libéré au Canada, qui ont une revanche à prendre. James Leith et Henry McKenzie sont là aussi. Peter Warren Dease et d'autres, dont Cuthbert Grant, arrivent à leur tour. Il y a là huit Bourgeois, six commis, un « officier de paix des Affaires indiennes » et une cinquantaine d'engagés.

Ils attendent Colin Robertson.

Colin Robertson, parti de Fort Wedderburn peu après le convoi de William Todd, le rattrape à l'île à la Crosse. Une lettre de Williams l'avertit qu'on prête à la Compagnie du Nord-Ouest l'intention de s'emparer de sa personne et de quelques autres, au Grand Rapide.

Colin Robertson s'en doutait bien, puisqu'il a écrit à George Moffat, quelques jours avant de quitter Fort Wedderburn : « On nous signale que la Nord-Ouest doit rassembler une force importante, mais j'espère et je compte bien que le gouverneur Williams aura l'œil sur eux. » La lettre de Williams ne fait que confirmer ses informations précédentes. Robertson se rend à Moose Factory, pour y chercher un guide qui lui ferait découvrir un détour. Il n'en trouve pas, et reprend sa route. Mais s'il est pris, le canot portant Robert Miles, comptable de la Compagnie de la Baie d'Hudson pour le district d'Athabasca, qui le suit à quelque distance, fera demi-tour et dare-dare portera la nouvelle à York Factory.

À l'arrivée de Robertson, un groupe de Nor'Westers parmi lesquels il reconnaît George Keith, Henry McKenzie, Peter Warren Dease, Walter McVicar et l'un des hommes qu'il déteste le plus, Cuthbert Grant, se précipite et l'empoigne. Duncan Livingston, l'officier de paix des Affaires indiennes, l'arrête officiellement. Robertson, se débattant, lance une injure contre les Métis, qu'il appelle « les assassins de la rivière Rouge ». Cuthbert Grant bondit : « N'insultez pas les Métis, ou je vous tue. »

Robertson est conduit au camp où l'attendaient John George McTavish, James Leith et John Duncan Campbell, entourés de commis et d'engagés. Puis il est interné sur la petite île où des Bourgeois l'ont été l'année précédente.

Le camp levé, Colin Robertson est emmené en canot léger, entre John Duncan Campbell et Cuthbert Grant, la plus désagréable compagnie qu'il puisse rêver dans ses cauchemars. Cuthbert Grant, avec lequel il vient d'avoir une altercation, a déjà exprimé le désir « d'exposer sa chair pour servir de nourriture aux corbeaux ». Robertson fait des difficultés pour s'asseoir près de lui, mais il y est obligé. Duncan Livingston est assis derrière le prisonnier. Trois autres canots légers, portant chacun un Bourgeois — John George McTavish, Henry McKenzie et John McDonald le Borgne — et dix hommes, le serrent de près. Robertson est conduit au poste du Bas de la rivière Winnipeg, où il est gardé plusieurs jours. Il est conduit ensuite au dépôt du lac La Pluie, où il arrive le 19 juillet et reste trois jours. Départ pour Fort William. Mais Archibald Norman McLeod, croisé en route, fait rebrousser chemin au convoi. Robertson reste encore plusieurs jours au lac La Pluie. Il refuse l'invitation de dîner au mess des associés et commis de la Compagnie du Nord-Ouest. McLeod lui demande l'engagement écrit de ne pas servir la Compagnie de la Baie d'Hudson pendant un an. Robertson a déjà surnommé Archibald Norman McLeod « le juge en chef d'Athabasca » quand il a fait jurer à des employés de la Compagnie de la Baie d'Hudson de ne rien faire contre la Nord-Ouest pendant trois ans. Il refuse. McLeod, le touchant à l'épaule, l'invite à se rappeler, avant toute tentative d'évasion, « le sort du pauvre Benjamin Frobisher ».

Au lac La Pluie, pendant la captivité de Robertson, arrivent cinq canots portant un fort groupe de commis et d'engagés de la Compagnie du Nord-Ouest, de Métis — les mêmes, affirme Robertson, « qui ont accompli le massacre des Sept-Chênes » — et d'Indiens, avec le constable George Spence, qu'ils ont arrêté après avoir libéré ses quatre prisonniers. Mabbatt et Lajeunesse y gardent leur ex-gardien — les rôles sont vite renversés, dans ce film à épisodes ; Soucisse et Larocque retournent dans Athabasca.

En route enfin pour Fort William. La brigade rencontre Daniel Harmon, rentré de congé et qui suit le chemin inverse, à destination du district de Colombie. D'un canot à l'autre, on échange des nouvelles. C'est Harmon qui transmet les plus sensationnelles : « Lord Selkirk est mort ! Sir Alexander Mackenzie est mort ! » « Il était pénible », écrira Robertson, « de voir avec quel plaisir la désolante nouvelle de la mort de lord Selkirk m'était annoncée. »

À Fort William, le prisonnier Colin Robertson rédige une note pour demander des explications à William McGillivray. Il y met cette politesse affectée, traditionnelle dans les échanges de correspondance entre les chefs des deux compagnies ennemies, et qui confine si bien à l'insolence :

> M. Robertson présente ses compliments à M. McGillivray et serait heureux de savoir de quelle autorité il est détenu prisonnier à Fort William et, si c'est en vertu d'un mandat judiciaire, quand la Compagnie du Nord-Ouest a l'intention de le conduire au tribunal d'où le mandat a été émis.

McGillivray répond de la même encre :

> M. McGillivray présente ses compliments à M. Robertson ; il a reçu sa note d'hier. M. McGillivray sait que toute explication telle que M. Robertson la demande ne servirait qu'à fournir un document à produire en Cour. M. McGillivray ne croit donc pas opportun d'entrer actuellement dans ce sujet, d'autant plus que M. Robertson est actuellement en route pour Montréal.

Robertson réplique :

> M. Robertson présente ses compliments à M. McGillivray et accuse réception de sa note de ce matin. M. Robertson ne peut s'empêcher d'exprimer le regret que M. McGillivray décline une explication sur des points d'une telle importance, considérant la situation dans laquelle M. Robertson est placé. M. McGillivray doit savoir

que, tant que M. Robertson reste dans l'ignorance au sujet du prétendu mandat ou acte d'accusation, il est ainsi privé du privilège, appartenant à tout sujet britannique, de se procurer les témoignages nécessaires à sa défense. M. McGillivray connaissant parfaitement la difficulté de rassembler des témoins dans ces pays éloignés, M. Robertson espère encore que M. McGillivray verra l'opportunité de répondre à sa note d'hier.

McGillivray vient voir Robertson, le 1er août. Une conversation d'hommes d'affaires s'engage. McGillivray exprime l'opinion que, faute d'une réconciliation entre les deux compagnies, le pays sera ruiné[1].

> Colin Robertson. — Des négociations n'ont-elles pas été entamées en Angleterre ?

> William McGillivray. — Nous avons fait plusieurs ouvertures, mais feu lord Selkirk les a repoussées.

McGillivray exprime l'espoir d'une attitude plus conciliante de la part de la Compagnie de la Baie d'Hudson.

> Colin Robertson. — Mais ne croyez-vous pas que vos procédés récents contre les serviteurs de la Compagnie élargissent la brèche ?

> William McGillivray. — Peut-être ; mais n'oubliez pas la légitime défense. Vous avez donné l'exemple à la rivière Rouge et récemment au Grand Rapide.

La conversation se poursuit.

> McGillivray. — Croyez-vous réellement que la Compagnie de la Baie d'Hudson peut réaliser des bénéfices dans ce pays ?

> Robertson. — Très certainement. Et il en irait de même pour vous si vous n'engagiez pas plus d'hommes qu'il n'est nécessaire pour le commerce.

McGillivray s'abstient de répliquer en rappelant l'engagement des Meurons. Il s'abstient aussi de donner à Robertson les explications réclamées.

Robertson reste à Fort William, sous une étroite surveillance, une douzaine de jours. Il y ouvre tout grands ses yeux et ses oreilles, comme il a fait dans ses autres lieux de captivité. Il confie à un Indien une lettre pour George Moffat : la Compagnie du Nord-Ouest, d'après des bribes de conversation qu'il a surprises, est en plus mauvaise posture qu'on ne le croie ; « On me dit qu'ils ne pourraient pas compter sur plus d'une douzaine de leurs engagés pour prendre les

---

1. Cette conversation, d'après la lettre de Robertson à Moffat mentionnée un peu plus loin.

armes au Grand Rapide » ; l'union des compagnies est la dernière espérance des Bourgeois.

Robertson est ensuite embarqué dans un canot léger, accompagné — surveillé — par le Bourgeois qu'il appelle ironiquement « mon vieil ami Campbell ». Il renouvelle auprès de lui sa question, son exigence : « De quelle autorité agissez-vous de la manière extraordinaire qui marque votre conduite depuis que j'ai eu la mauvaise fortune de tomber sous votre garde ? » Campbell, avant d'arriver au Sault-Sainte-Marie, offre à Robertson de relâcher la surveillance s'il donne sa parole de ne pas s'évader.

C'est peut-être dans l'espoir que Robertson manquera de nouveau à sa parole. En fait, Campbell, qui doit avoir des instructions, laisse son prisonnier s'évader, à trois jours de Montréal, sûr qu'il ne pourra retourner dans le district d'Athabasca cette année-là.

69

Rébellion à Fort William

L'assemblée de Fort William en 1820 — Départ de Colin Robertson et aussi d'Angus Bethune et de John McLoughlin pour l'Angleterre — La concurrence dans Athabasca ; brève captivité de Simon McGillivray junior.

À Fort William, l'abbé Crevier constate des progrès. Des enfants chantent les hymnes par cœur. Des femmes qui ont épousé des protestants demandent la régularisation de leur mariage. Le missionnaire sollicite pour elles des « dispenses spéciales ».

Les agents de la Compagnie du Nord-Ouest n'auront pas la partie si facile. L'assemblée est hérissée, comme ils pouvaient le prévoir — et l'ont prévu.

William McGillivray expose la situation sans fard. Tous les hommes qui l'entourent vivent sous la menace. Plusieurs ont été attaqués, poursuivis en justice, emprisonnés même. Leur correspondance a été volée. Et les bénéfices de la Compagnie, d'année en année, s'amenuisent. Dans cette ambiance, il faut penser au renouvellement de l'accord, qui expire en 1822.

Des hivernants blâment l'arrestation de Robertson ; ils en laissent à Henry McKenzie l'entière responsabilité. Une réunion s'improvise, sur l'initiative d'Angus Bethune et du Dr McLoughlin, hors de la présence du grand chef. John McLoughlin n'est pas près de se réconcilier avec William McGillivray, qui lui substitue John George McTavish au poste envié de Fort William. Les révoltés parlent de changer d'agents, de remplacer la firme McTavish, McGillivrays par d'autres fournisseurs. McLoughlin ramasse dix-huit procurations.

Cela ne fait tout de même qu'un groupe minoritaire. William McGillivray traverse l'orage. Il charge John George McTavish, maintenant au poste clef, de se procurer le plus possible de procurations pour l'assemblée de 1821, où l'on discutera le renouvellement du contrat.

En attendant, la Compagnie du Nord-Ouest a besoin de fonds. Elle peut espérer obtenir en Cour des dommages que la succession de lord Selkirk devra lui payer. Mais quand ? William McGillivray écrit à son frère Simon, à Londres, pour demander si Edward Ellice ne pourrait procurer à la Compagnie le capital nécessaire.

* * *

Colin Robertson, qui s'est échappé près de Hull, évite cette fois Montréal. Il loue un petit bateau jusqu'à Argenteuil, où il possède une ferme dont le métayer l'abrite, et prend contact avec George Moffat, lui-même en contact avec George Garden et avec Samuel Gale. L'avocat de lord Selkirk et ses amis se gardent de révéler à Colin Robertson les approches, si conformes à ses prévisions, de deux associés hivernants de la Compagnie du Nord-Ouest. Colin Robertson a rendu d'éclatants services à la colonie de la rivière Rouge et à la Compagnie de la Baie d'Hudson. Mais le personnel de la Compagnie, abreuvé de ses sarcasmes, l'a pris en grippe. La Compagnie a désigné George Simpson pour prendre la direction de ses intérêts dans le district d'Athabasca. George Simpson n'a que vingt-huit ans, mais la traite dans le Nord-Ouest est métier de jeunes. Simpson aime la parade, mais il est de la trempe des chefs, alliant l'énergie à la séduction, ou la séduction à l'énergie. Il méprise Robertson, qu'il appelle un infatué, « un insignifiant qui mourrait de faim dans tout autre pays et qui est inutile ici » ; bref, une prétentieuse ganache. L'injustice est manifeste, mais personne n'est disposé à retenir l'évadé. Samuel Gale a déjà évalué Miles Macdonell et Colin Robertson comme les deux mauvais génies de lord Selkirk. Il pousse Robertson, par l'entremise de Moffat et de Garden, à passer en Angleterre par les États-Unis, plutôt qu'à réclamer son procès, comme il l'a fait en 1818. Un procès de plus coûterait cher et n'avancerait rien. George Garden fait parvenir à Robertson une traite sur une banque de Plattsburg et l'engage à partir en grande hâte. Tout le monde souhaite le voir le plus loin possible.

Robertson saute à cheval, puis, avec les complicités fournies par Garden, loue une calèche jusqu'à Lachine, ensuite un bateau pour traverser le fleuve jusqu'au village iroquois, où il saute de nouveau à cheval. Un constable de la Compagnie du Nord-Ouest, le poursuivant, arrive à la frontière, peut-être intentionnellement, une heure après lui.

Les agents de la Compagnie de la Baie d'Hudson à Montréal apprennent par-dessus le marché que Robertson, dans une conversation avec John Duncan Campbell, son gardien, se serait vanté de savoir que plusieurs associés de la Compagnie du Nord-Ouest rechercheraient une entente avec la Compagnie de la Baie d'Hudson. Moffat écrit à Robertson, en route vers New York, pour lui reprocher cette indiscrétion, susceptible de provoquer une réaction de la part de la Compagnie du Nord-Ouest. Samuel Gale écrit à son tour à Robertson, le 31 octobre 1820 :

> Vous avez agi sagement en évitant Montréal, où vous auriez été l'objet d'une demi-douzaine de poursuites, civiles et criminelles, qui auraient nécessité la venue de vingt à quarante témoins de l'Ouest, à grands frais pour la Compagnie de la Baie d'Hudson. J'ai donné cet avis à M. Garden et à M. Moffat, qui m'ont promis de vous le faire parvenir...

Cette missive se croise avec une lettre de Robertson à Moffat envoyée de Burlington. Il y étale ses résultats :

> Nous avons complètement pris pied dans Athabasca, et si mes successeurs agissent avec prudence, le pays est à nous... À la rivière aux Anglais, dans Athabasca, nous partageons les Indiens avec nos concurrents. Et dans beaucoup de postes de la Compagnie du Nord-Ouest, les commis ont perdu confiance dans leurs employeurs, malgré l'effort qu'ils ont récemment accompli au Grand Rapide... J'avoue cependant que nous avons beaucoup souffert de la faim...

Robertson écrit encore à Moffat, de New York, avant de s'embarquer (novembre 1820). Il critique déjà George Simpson, « parfaitement étranger au pays et à la façon dont on y traite les affaires ». Il critique William Williams et James Bird : la seule bonne chose qu'ils aient faite a été d'envoyer John Clarke à l'île à la Crosse. Il s'impatiente de la lenteur de Williams à envahir la Nouvelle-Calédonie. Et il termine par cette nouvelle :

> Qui pensez-vous fait avec moi le voyage en Angleterre ? MM. McLoughlin et Bethune ! J'ai rencontré Bethune sur le vapeur à Burlington. Il a voulu être très poli, mais je l'ai tenu à distance. J'ai rencontré le docteur ici.

À bord, une souscription est ouverte parmi les passagers pour l'équipage et le personnel du bateau. McLoughlin signe, et passe la plume à Robertson, qui le suit dans la file. Mais Robertson, voyant qu'il serait suivi par Bethune, passe la plume à un autre, en disant : « Je ne veux pas signer entre deux Nor'Westers. » À quoi un passager aurait répondu : « N'oubliez pas que Notre Seigneur Jésus-Christ a été crucifié entre deux larrons. »

* * *

L'expédition Franklin a quitté Fort Chippewean le 18 juillet 1820. Arrivée près de la rivière Coppermine, elle trouve, dispersés sur le sol, des crânes et des ossements que le récit et la description rédigés par Samuel Hearne permettent d'identifier. Ce sont les restes des Esquimaux massacrés par les Indiens accompagnant cet explorateur de la Compagnie de la Baie d'Hudson, dans son voyage de découverte en 1772.

Ferdinand Wentzel, qui accompagne l'expédition Franklin, ne néglige pas son ami Roderick McKenzie, toujours avide des nouvelles concernant la Compagnie du Nord-Ouest. La principale nouvelle, qui est l'entrée en campagne de George Simpson, successeur de Colin Robertson à la direction du district d'Athabasca pour le compte de la Compagnie de la Baie d'Hudson, n'effraie pas Ferdinand Wentzel outre mesure :

> M. Simpson, un monsieur d'Angleterre, est chargé de leurs affaires. Étant étranger et réputé gentilhomme, il ne créera pas beaucoup de trouble, et je ne prévois pas qu'il soit formidable pour le commerce avec les Indiens. M. Keith, qui dirige les affaires de la Compagnie du Nord-Ouest dans Athabasca, est si bien approvisionné en hommes et en marchandises qu'il serait extraordinaire que les concurrents puissent faire une bonne subsistance pendant l'hiver. À Fort Chippewean seulement, il y a soixante-dix hommes, assez pour écraser leurs rivaux.

> Les mandats affluent dans le pays contre le gouverneur Williams, M. John Clarke et un certain nombre de commis de la Compagnie de la Baie d'Hudson pour leur scandaleux abus de pouvoir dans l'affaire du Grand Rapide il y a deux ans. J'espère qu'ils recevront le châtiment qu'ils méritent.

Wentzel pèche, cette fois, par optimisme.

George Simpson a commencé par faire disparaître l'inscription placée par des employés de la Compagnie du Nord-Ouest à l'endroit où Benjamin Frobisher est mort « en s'échappant de York Factory où il avait été injustement détenu par les serviteurs de la Compagnie de la Baie d'Hudson ». George Simpson, comme Colin Robertson, critique ses prédécesseurs. Il prend en main, de manière méthodique, la pénétration dans le district d'Athabasca. Il compte bien réduire George Keith et Simon McGillivray — quel changement ! — à la défensive.

Le schéma de la traite ne s'est pas modifié depuis le temps de La Vérendrye, depuis surtout le temps où les premiers « pedlars » se heurtaient aux avant-postes de la Compagnie de la Baie d'Hudson, ou vice versa. George Simpson d'un côté, George Keith et Simon

McGillivray de l'autre, s'efforcent d'accaparer le commerce, en détournant les Indiens de traiter avec leurs rivaux. Simpson insiste sur la puissance de sa Compagnie virtuellement identifiée, dans ses récits, avec celle de l'Empire britannique. Mais les Nor'Westers possèdent, dans ce domaine, une vieille maîtrise. « Tenez », expliquent-ils aux Indiens ; et ils font ressortir la mauvaise qualité des pièges fournis par la Compagnie de la Baie d'Hudson.

Les Nor'Westers sont effectivement mieux organisés et mieux approvisionnés que leurs concurrents, dans le district d'Athabasca. Ils ont, à n'en pas douter, la faveur des Indiens, en dehors même de tout avantage commercial. George Simpson, qui passe son premier hiver en « pays indien », et qui observe, attribue en partie cette préférence à la fidélité des femmes indiennes, qui servent d'interprètes et d'agents de liaison entre les Nor'Westers et leurs tribus. Simon McGillivray, lui-même métis, a épousé une Métisse. George Simpson fait davantage ouvrir son poste aux Indiennes.

Les Nor'Westers ont aussi plus d'initiative. Ils ont échafaudé, tout à côté du Fort Wedderburn, ce qu'ils appellent un blockhaus, d'où ils peuvent épier ce qui se passe chez l'ennemi. Simpson en est assez naturellement exaspéré. Il fait dresser une palissade pour boucher la vue. Simon McGillivray fait rehausser le blockhaus. Les employés des deux compagnies se raillent, se défient, se battent. Ferdinand Wentzel s'est montré trop optimiste en prévoyant que George Simpson, « étranger et réputé gentilhomme », ne donnerait pas de fil à retordre à la Compagnie du Nord-Ouest. George Simpson et Simon McGillivray se trouvent un jour face à face, se défiant l'un l'autre. Un employé de la Compagnie de la Baie d'Hudson, Amable Grignon, ancien policier de Montréal, saisit McGillivray au collet : « Je vous arrête, au nom du Roi. » L'affaire était préparée. D'autres employés de la Compagnie de la Baie d'Hudson se précipitent et maîtrisent le fils de William McGillivray.

George Keith exige explications et libération. Simpson répond que le constable, agissant sous sa propre responsabilité, garantit la légalité de son geste. Il refuse la libération. Simon McGillivray offre caution. Simpson exige « la même garantie qu'Archibald Norman McLeod a exigée de M. Clarke : trente ballots de castor ». McGillivray refuse.

Simon McGillivray, au Fort Wedderburn, est mis au demi-secret. Sa femme métisse, venue le voir, est surveillée par des Indiennes, d'ordre du chef de poste. Simpson finit cependant par autoriser la femme et les enfants du prisonnier à partager sa captivité, contre promesse de ne pas tenter d'évasion. Il fait à son tour construire un blockhaus, d'où la vue plonge sur le Fort Chippewean.

Simon McGillivray réussit cependant à s'évader et à rentrer au Fort Chippewean, une nuit où le personnel de Fort Wedderburn danse, après libations.

Les Nor'Westers, toujours en mouvement — en raquettes où en traîneaux — font cet hiver-là une bonne récolte, nettement supérieure à celle de leurs adversaires. George Simpson augmente tout de même un peu la part de sa Compagnie dans la traite.

* * *

L'ambiance est la même partout où les deux compagnies se concurrencent. Des parents, des frères même, tels James et Francis Heron, au service des compagnies adversaires, sont mortellement brouillés. James Heron dirige le poste de la Compagnie du Nord-Ouest au lac Reindeer. Son adversaire est Hugh Leslie, qui a rétabli le poste attaqué et pillé par Benjamin Frobisher, au printemps de 1817. Leslie et Heron se querellent et se battent en duel ; Leslie est blessé.

C'est à la rivière Rouge que les relations entre les deux compagnies sont on n'oserait dire les meilleures, mais les moins mauvaises. Mais les colons se disputent entre eux et se dénoncent les uns les autres dans des lettres et des rapports envoyés en Angleterre. Et surtout, les Indiens y sont agités. Les Sioux et les Sauteux sont, une fois de plus, en guerre. Les Sioux ont massacré des Pilleurs, apparentés aux Sauteux. Ceux-ci veulent empêcher la remise des cadeaux promis par lord Selkirk lorsqu'il a, dans son voyage de retour au Canada, en quelque sorte acheté son droit de passage sur le territoire des Sioux. Il faut manquer de parole aux Sioux, ce qui serait grave, ou mécontenter les Sauteux, ce qui ne le serait pas moins[1]. Une quinzaine de Sioux, qui ont accompagné des traiteurs à la rivière Rouge, n'osent en repartir, car des Sauteux les guettent.

L'effervescence parmi les Indiens se propage habituellement d'une tribu à l'autre, d'une région à l'autre, à la manière des feux de forêt. John Stuart, désigné pour la direction du district de la Colombie à l'assemblée de Fort William, est parti avec des Voyageurs canadiens, dans trois canots. Des Cris l'ont attaqué en route. John Stuart a perdu deux tués, deux disparus et quatre déserteurs qui ont appor-

---

1. La situation à la rivière Rouge est décrite dans les lettres de l'abbé Dumoulin à Mgr Plessis.

té la nouvelle à l'île à la Crosse. John Stuart est allé prendre son poste avec le reste de son équipe.

Les Nor'Westers ne sont plus les seuls Blancs à l'ouest des Rocheuses. Ignace Giasson, rentré de la Nouvelle-Calédonie pour le compte de la Compagnie de la Baie d'Hudson, à la fin d'octobre 1820, y repart presque aussitôt. Il hiverne à proximité de Rocky Mountain House. John Stuart donne instructions à James McDougall « d'empêcher si possible l'opposition de venir dans cette région, et si ce n'est pas possible de mettre tous les obstacles pour les empêcher de prendre pied parmi les indigènes et de s'emparer d'une part du commerce » (25 février 1821). Il faut placer des guetteurs jour et nuit sur la rivière Parsnip, « pour qu'ils ne puissent venir sans que vous le sachiez ».

Il ne reste guère que la Colombie proprement dite, trop éloignée pour que la Compagnie de la Baie d'Hudson y pense déjà. Un bateau annuel entretient la liaison avec les Russes de l'Alaska et les Hawaiiens des îles Sandwich et le commerce avec la Chine. Le *Levant,* venu de Boston à Fort George, en est reparti le 25 mai 1820 pour Canton, avec 13 400 peaux de castor, 800 peaux de loutre, 6770 peaux de rat musqué, 259 peaux de vison, 104 peaux de renard, 97 peaux de phoque et quelques autres variétés dans sa cale. Mais la guerre contre Selkirk et la Compagnie de la Baie d'Hudson a trop accaparé l'attention et les ressources de la Compagnie du Nord-Ouest pour qu'elle puisse donner à cette entreprise l'ampleur d'abord entrevue.

C'est à Londres que la décision finale se prendra.

70

La fusion, décidée à Londres

Négociations à Londres — Intervention de Colin Robertson — Intervention d'Angus Bethune et John McLoughlin — Signature d'un projet d'union — Le contrat de 1821.

Colin Robertson, aussitôt débarqué à Londres, va voir Colvile, qu'il trouve trop enclin au compromis. Il lui expose les brillants résultats qu'il a obtenus : « Nous avons pris pied solidement dans Athabasca et à la rivière aux Anglais. Nos affaires dans ce pays n'ont qu'à être conduites avec prudence... » Il décrit les fissures dans le bloc apparent de la Compagnie du Nord-Ouest et prédit le non-renouvellement du contrat, entraînant la dissolution prochaine de cette Compagnie. Robertson a toujours combattu tout projet d'union avec la Compagnie du Nord-Ouest, qu'il se fait fort, non pas d'amadouer, mais de ruiner. Il répète à Colvile ce qu'il écrivait, de sa récente captivité, à Moffat : « L'union des compagnies est la dernière espérance des Bourgeois. »

Mais Samuel Gale n'a pas fait à Robertson la meilleure des publicités. Et il y a pis. William Williams, dans un rapport du 20 juillet 1820, a communiqué au Comité de Londres l'opinion, courante à la baie d'Hudson, que Colin Robertson s'est laissé prendre, a peut-être machiné son arrestation, avec promesse d'évasion facile, pour rentrer à Montréal et de là en Angleterre, à la fois pour régler ses affaires personnelles et pour intriguer auprès du Comité. De sorte que Robertson reçoit un accueil plus que frais. Il écrit à George Moffat, en décembre 1820 : « M. Colvile est la seule personne qui m'ait reçu de façon civile. » Les autres l'ont « presque reçu comme un traître à la cause pour laquelle j'ai tant souffert ». La mort de Selkirk prive Robertson de son protecteur. Les créanciers de son entreprise de Liverpool sont à ses trousses ; il doit changer d'adresse pour leur échapper.

* * *

Les chefs de la Compagnie du Nord-Ouest — Simon McTavish et William McGillivray aussi bien qu'Alexander Mackenzie, qui l'exposait au lieutenant-gouverneur Simcoe, en 1793, en rentrant de son grand voyage — ont toujours été convaincus de l'absolue nécessité d'un accès à la baie d'Hudson. C'est devenu pour eux un axiome que le commerce des fourrures de l'Amérique britannique doit passer par la baie d'Hudson. Ils ont multiplié les démarches et les manœuvres pour obtenir cet accès. Ils ont proposé un partage des zones, offert un contrat de location, essayé l'intimidation en envoyant un navire à la baie, tenté une prise de contrôle de la Compagnie de la Baie d'Hudson. Ils ont fini par s'adresser au gouvernement impérial, qui s'est retranché derrière le Parlement. Or, le Parlement britannique a refusé, pendant la session de 1820 à 1821, toute atteinte à la charte de la Compagnie de la Baie d'Hudson.

Louis Jolliet écrivait, au retour de son voyage à la baie d'Hudson en 1679 : « Il n'y a pas de doute que si on laisse les Anglais dans la baie d'Hudson, ils ne se rendent maîtres de tout le commerce d'ici six ans. » La Compagnie du Nord-Ouest a tenu beaucoup plus de six ans. Elle tient encore ; mais, tous recours épuisés, pour combien de temps ? Edward Ellice n'a pas trouvé les fonds désirés — les fonds nécessaires. Simon McGillivray, qui a des traites à payer, s'estime acculé à l'entente ou à la ruine. Le journaliste Samuel H. Wilcoke, auteur de livres sur des sujets variés et qui met sa plume au service — rémunéré — de la Compagnie du Nord-Ouest, a publié *Narrative of the Circumstances attending the death of Mr. Benjamin Frobisher*. S'estimant mal payé, il se brouille avec les Bourgeois, qui ont de leur côté des griefs contre lui. Des procès s'ensuivent, et Wilcoke passe plusieurs mois en prison.

La Compagnie de la Baie d'Hudson n'est pas mieux lotie. Elle est lourdement endettée envers la Banque d'Angleterre, qui ne veut plus lui prêter. Le gouvernement britannique engage le député Ellice à utiliser son influence pour amener la paix entre les deux compagnies.

Chacune des deux parties est au courant, dans les grandes lignes, des embarras de trésorerie de son adversaire. Edward Ellice et Simon McGillivray, d'une part, Andrew Colvile d'autre part, se rapprochent, se tâtent. « MM. Ellice et McGillivray », écrit Robertson en janvier 1821, « parlent comme s'ils avaient la Banque d'Angleterre à leur disposition et font ressortir tous leurs avantages dans la description de la situation à l'intérieur. » Robertson réfuterait bien ces descriptions si le Comité l'écoutait et si ses créanciers lui laissaient la paix. Au lieu de quoi, poussé par Colvile et un peu par tout le monde, il fuit ses créanciers en passant en France.

La Compagnie de la Baie d'Hudson, apparemment plus impressionnée par les récits d'Ellice et de McGillivray que par ceux d'un Robertson discrédité, est prête à des concessions. Colvile écrit à sa sœur lady Selkirk : « Je crains que ces coquins ne soient trop forts et trop riches pour nous » (11 janvier 1821)[1].

Mais Angus Bethune et John McLoughlin interviennent à leur tour. Bethune et McLoughlin sont des « Bourgeois », des associés de la Compagnie du Nord-Ouest. Bethune est allé en Chine pour la Compagnie. McLoughlin est un des deux Bourgeois qui ont accompagné William McGillivray auprès de lord Selkirk, à Fort William, et vainement offert leur caution. Bethune et McLoughlin détiennent dix-huit procurations. Leur intervention a le poids que celle de Robertson n'a pas eu. Ils ne représentent toutefois qu'une minorité de factieux. Une entente ne sera valable que si elle inclut les agents de la Compagnie du Nord-Ouest. Colvile et ses associés ne veulent pas traiter avec les seuls associés hivernants, que les dirigeants montréalais de la Compagnie du Nord-Ouest pourraient remplacer par d'autres — par de simples promotions de commis. Colin Robertson, cherchant à torpiller la mission Bethune-McLoughlin, a rappelé qu'Alexander Mackenzie, au faîte de son prestige, possédait, quand il a quitté la Compagnie du Nord-Ouest, la procuration de plusieurs associés qui ne l'ont pas suivi dans la Compagnie X.Y. Le Comité de la rue Fenchurch, éconduisant Robertson, a tout de même retenu cet avertissement.

La Compagnie de la Baie d'Hudson ne rompt pas tous les ponts avec les associés rebelles de sa rivale. Elle poursuit deux négociations parallèles, mais indépendantes : l'une avec les agents londoniens de la Compagnie du Nord-Ouest ; l'autre avec Angus Bethune et le Dr John McLoughlin, représentant un fort noyau de leurs collègues. La Compagnie de la Baie d'Hudson, hier prête à céder, se sent la plus forte et se raidit. John Caldwell, receveur général du Bas-Canada, ami de William McGillivray son collègue au Conseil législatif, a voyagé sur le même bateau que Robertson, Bethune et McLoughlin. Il s'emploie à provoquer un compromis. Simon McGillivray soigne sa situation personnelle. Colin Robertson écrit de Boulogne à George Moffat (20 janvier 1821) : Simon McGillivray ne cache pas son désir, en cas d'union, d'obtenir un siège au Comité directeur, « non par courtoisie, mais en raison de sa parfaite connaissance des affaires du pays ».

---

1. Correspondance de Selkirk.

Les pourparlers avançant, chacun des négociateurs pense, comme Simon McGillivray, à son intérêt personnel. Colin Robertson, maintenant à Paris, écrit à Colvile (12 février 1821) :

> J'apprends avec plaisir qu'un arrangement est presque conclu avec la Compagnie du Nord-Ouest. C'est une mesure que j'ai toujours souhaitée, et qui procurera la prospérité aux deux associations et rétablira l'harmonie dans ce pays, si longtemps déchiré par les dissensions de ces deux grandes compagnies...

La « mesure que j'ai toujours souhaitée » est bien, de sa part, le comble de l'effronterie. Robertson continue en souhaitant de ne pas être oublié dans la distribution des « parts », ainsi que ses efforts, ses services et ses souffrances lui en donnent le droit. Il recommande de transférer l'axe du commerce, de la vallée du Saint-Laurent à la baie d'Hudson.

*   *   *

De tout cela — des embarras de la Compagnie du Nord-Ouest et des projets d'union avec la Compagnie de la Baie d'Hudson —, quelque chose transpire, inévitablement. L'abbé Provencher, venu « au Canada » pendant l'automne de 1820, y trouve les bulles le nommant évêque, coadjuteur de l'évêque de Québec pour le Nord-Ouest. Il hésite longtemps avant d'accepter. Il n'est pas encore consacré quand il écrit à Mgr Plessis, le 1er mars 1821, une lettre respirant la méfiance à l'égard de la Compagnie du Nord-Ouest, empêtrée dans mille tracas, financiers et autres. La mission de Fort William a été fondée, selon l'abbé Provencher, « aux dépens de celle de la rivière Rouge ». Cependant Mgr Plessis, souhaitant que l'abbé Dumoulin, qui est allé à la baie d'Hudson, visite aussi l'Athabasca, lui conseille, puisque les deux compagnies sont trop ennemies pour lui fournir un canot à frais communs, de s'adresser plutôt à la Compagnie du Nord-Ouest. Il lui suggère d'écrire à M. de Rocheblave, auquel il en a déjà parlé. Sans illusions, car il ajoute : « La mort de lord Selkirk a causé du dérangement dans la Compagnie d'Hudson, qui n'est pas très favorable à la religion catholique, et (entre nous) celle du Nord-Ouest l'est encore moins... » (10 avril 1821). L'arrivée prochaine d'un pasteur protestant à la rivière Rouge ennuie Mgr Plessis, qui l'écrit à l'abbé Dumoulin : « Vous ferez bien de vous tenir en garde contre un zèle fanatique dont ces sortes de gens sont quelquefois saisis, et qui pourrait se développer au préjudice de votre troupeau... »

Entre la lettre de l'abbé Provencher à Mgr Plessis et la lettre de Mgr Plessis à l'abbé Dumoulin, un fait capital s'est produit — à Londres.

Edward Ellice et Simon McGillivray, d'une part, Andrew Colvile, de l'autre, ont signé un projet d'union, le 26 mars 1821. Le courrier en apporte la nouvelle, à la fois attendue et stupéfiante, à William McGillivray.

Attendue au point que tout Montréal, et même tout Québec finissent par en parler. Mgr Plessis écrit à lady Selkirk, le 2 mai 1821 : « Le bruit court ici qu'il y a un traité de paix et d'union qui se négocie entre les deux compagnies... » Stupéfiante tout de même, après les années de lutte implacable, de haine apparemment indéracinable. Henry McKenzie, l'administrateur, l'homme de chiffres qui devrait être le plus raisonnable, n'arrive pas à se résigner. William McGillivray lui-même reçoit un choc, et ne le cache pas à Ellice : « Je sais que les circonstances rendaient des sacrifices inévitables, et je suis prêt à reconnaître et apprécier la compétence avec laquelle vous et mon frère avez conduit ces importantes négociations... » Il approuve l'accord et consent à le signer. « Mais des concessions ont été faites qui, je le crains, nous entraîneront dans bien des difficultés... »

« Attendu que certaines disputes se sont élevées entre ces compagnies, faisant du tort aux deux parties, et pour éviter les occasions de telles disputes et promouvoir leurs intérêts mutuels... » la Compagnie de la Baie d'Hudson et la Compagnie du Nord-Ouest se fusionnent sous le nom de la compagnie anglaise.

L'entente, valable pour vingt et un ans, est conclue entre le gouverneur de la Compagnie de la Baie d'Hudson et « certains associés de la Compagnie du Nord-Ouest ». Ces associés ne sont que trois : William McGillivray, de Montréal, représenté par Charles Kaye, son procureur ; Simon McGillivray, de Londres ; Edward Ellice, de Spring Gardens dans le comté de Middlesex. Mais ils concentrent une forte proportion du capital de la Compagnie.

Le nom de la compagnie anglaise subsiste seul. Les affaires en Angleterre seront transigées aux bureaux de la Compagnie de la Baie d'Hudson à Londres. Le dépôt général de la Compagnie sera celui de York Factory. Tous les postes, forts et dépôts de la Compagnie du Nord-Ouest, y compris les Postes du Roi dans le Bas-Canada, passent à la Compagnie de la Baie d'Hudson, qui peut les raser si elle le juge bon[2].

---

2. Le texte de l'accord *(Agreement for carrying on the Fur Trade by the Hudson's Bay Company exclusively under the terms within mentioned)* a été publié par les soins de la Champlain Society, avec les lettres de Robertson.

Dans toutes les fusions auxquelles elle a participé jusqu'ici, la Compagnie du Nord-Ouest absorbait ses concurrentes. Elle est, cette fois-ci, absorbée.

Les premiers membres du bureau de direction, en attendant l'élection annuelle, sont le gouverneur de la Compagnie de la Baie d'Hudson ; deux autres représentants de cette Compagnie : Andrew Colvile et Nicholas Garry ; et deux représentants de la Compagnie du Nord-Ouest : William McGillivray et Edward Ellice. Ces deux derniers ont donc, le plus possible, sauvegardé leur situation personnelle. La majorité devra toujours comprendre au moins un représentant de chacune des parties. La structure de la Compagnie de la Baie d'Hudson subsiste, avec ses deux gouverneurs (Nord et Sud), ses facteurs en chef et ses traiteurs en chef, participant aux bénéfices. Mais les engagements pris par la Compagnie du Nord-Ouest envers son personnel — commis, guides, interprètes, Voyageurs — seront respectés.

Les bénéfices seront répartis entre cent actions, dont vingt à la Compagnie de la Baie d'Hudson, vingt à la Compagnie du Nord-Ouest, quarante aux premiers désignés comme facteurs en chef et traiteurs en chef, cinq à Edward Ellice et cinq à Simon McGillivray à titre d'émoluments — ils ne se sont décidément pas oubliés — et dix restant à partager entre les deux compagnies.

Les quarante actions, participant aux profits et aux pertes, destinées aux facteurs en chef et aux traiteurs en chef sont divisées en quatre-vingt-cinq fractions : chaque facteur en chef en recevra deux et chaque traiteur en chef, une. Les fractions sont attachées à la fonction plutôt qu'à la personne, et passent, en cas de départ ou de décès, au successeur du facteur en chef ou du traiteur en chef.

Les facteurs en chef constituent deux conseils, un pour le Nord et l'autre pour le Sud, émettant des règlements sous réserve de ratification par la direction. Les conseils soumettront des propositions à la direction, en cas de vacance parmi les facteurs en chef ou les traiteurs en chef. Un poste vacant de facteur en chef sera rempli par promotion d'un traiteur en chef. Un poste vacant de traiteur en chef sera rempli par promotion d'un commis.

Les nominations de vingt-cinq facteurs en chef comprennent James Bird, Colin Robertson, James Leith, Alexander Stewart, James Sutherland, John George McTavish, John Clarke, George Keith, John Dugald Cameron, Alexander Kennedy, John McLoughlin, James Keith, Angus Bethune et Donald McKenzie.

Les nominations de vingt-huit traiteurs en chef comprennent Daniel William Harmon, Angus Cameron, Simon et Joseph McGillivray — les deux fils métis de William McGillivray, qui ont maintenant trente ans, Robert McVicar, Joseph-Félix Larocque.

La part des Canadiens français, qui allait s'amenuisant depuis les origines de la Compagnie du Nord-Ouest, est tombée à presque rien. Un népotisme, instinctif ou conscient, peut l'expliquer en partie. Ferdinand Wentzel, le Norvégien qui sert la Compagnie du Nord-Ouest depuis vingt ans, avec compétence et dévouement, attribue, non sans quelque apparence de raison, sa stagnation dans la hiérarchie à son défaut d'attaches de famille. Les Écossais qui ont fondé la Compagnie ont assez naturellement fait la courte échelle à leurs frères — voyez la tribu des McKenzie — à leurs cousins, à leurs compatriotes. Leur dynamisme a fait le reste. Mais il ne faut pas négliger, parmi les composantes de cette situation, la préférence des Canadiens français instruits pour l'état ecclésiastique et les carrières libérales, auxquels l'éducation classique et les concours oratoires des collèges-séminaires les préparaient. Louis-Joseph Papineau, dans un de ses discours, écrase de son mépris les vils commerçants « qui ont commencé par balayer des comptoirs pour plus tard siéger au Conseil législatif » — ce qui peut englober William McGillivray aussi bien que John Richardson et Roderick McKenzie.

La part insignifiante accordée aux Canadiens français ne correspond tout de même pas aux services qu'ils ont rendus.

Reste sept fractions, réservées, dans la proportion de quatre à trois, aux vieux employés de la Compagnie de la Baie d'Hudson et à d'anciens employés de la Compagnie du Nord-Ouest.

La Compagnie de la Baie d'Hudson a mis le veto à la nomination de Cuthbert Grant, qu'elle tient pour responsable de l'affaire des Sept-Chênes, de Samuel Black, qui a procédé à l'arrestation de Colin Robertson, et de quelques autres de ses bêtes noires. Edward Ellice et Simon McGillivray ont vainement bataillé pour faire exclure, de la même encre, John Clarke et Colin Robertson.

71

La fusion, ratifiée

Ratification de l'accord, à Fort William – Répercussions à Montréal.

La Compagnie de la Baie d'Hudson délègue un de ses plus hauts représentants, Nicholas Garry, à Montréal pour régler les détails. Angus Bethune et John McLoughlin prennent le même bateau que lui. À Montréal, William McGillivray donne, le 28 mai 1821, un dîner en l'honneur de Nicholas Garry, qui sera son collègue au comité directeur de la Compagnie fusionnée. Puis il l'emmène à Fort William, dans son canot de maître qui porte une tente et des couchettes. Le voyage dure dix-huit jours.

William McGillivray est accueilli à Fort William par le feu de joie et les acclamations habituelles. John George McTavish, Archibald Norman McLeod et Pierre de Rocheblave sont déjà là. Archibald Norman McLeod blâme le projet d'union, à la préparation duquel il n'a pris aucune part. William McGillivray remet les présents de rigueur aux chefs indiens, en grande solennité. Il leur offre même des costumes plus brodés, plus dorés, plus rutilants que d'habitude.

Les hivernants arrivent, par brigades. James Bird est descendu de la baie d'Hudson. Colin Robertson vient aussi. Colin Robertson ambitionnait sans doute un des deux postes de gouverneur, ou quelque très haute fonction dans l'administration à Londres. Il n'a qu'en maugréant accepté l'offre d'un poste de facteur en chef : « J'ai quitté mes amis de la rue Fenchurch pas dans les meilleurs termes... Je ne vois pas pour moi d'autre perspective que de finir mes jours en pays indien. » À Fort William, où il arpente le grand hall, les hivernants de la Compagnie du Nord-Ouest s'écartent de lui comme d'un pestiféré. L'anxiété crispe les visages.

Dans ce grand hall, William McGillivray donne lecture du document rédigé et signé à Londres.

Une clameur d'indignation salue cette lecture. La Compagnie du Nord-Ouest se saborde ! Plus d'un tiers de siècle d'efforts et de sacrifices est effacé, classé pour l'histoire. Les hivernants auxquels on ouvre, non plus des prérogatives d'associés, mais des fonctions de facteurs en chef ou de traiteurs en chef, s'estiment frustrés. Nous avons souffert et nous nous sommes battus pendant dix ans pour être placés sous l'autorité de nos ennemis ! La fusion entraînera, comme jadis la fusion avec la Compagnie X.Y., la suppression de postes faisant double emploi. Lesquels des hivernants actuels seront sacrifiés, dans une compagnie à laquelle leurs ennemis n'imposeront pas seulement leur nom, mais leur direction ?

La distribution des postes de facteurs en chef a cependant été calculée pour sauvegarder les intérêts particuliers et calmer les plus rétifs, Angus Bethune et John McLoughlin compris. Mais le personnel de la Compagnie de la Baie d'Hudson n'est pas moins fâché de partager avec ses ennemis. Les hivernants de la Compagnie du Nord-Ouest trouvent que les meilleurs postes sont attribués aux employés de la Compagnie de la Baie d'Hudson. Mais les employés de la Compagnie de la Baie d'Hudson trouvent que les meilleurs postes sont attribués à leurs ennemis de la Compagnie du Nord-Ouest. John George McTavish ne reçoit-il pas la plus belle et la plus convoitée des surintendances : celle de York Factory ! Colin Robertson écrit de Fort William à George Moffat : « Il semblerait que la Compagnie du Nord-Ouest ait remporté une complète victoire et nous ait dicté les termes de la capitulation ! » George Moffat est lui-même déçu de voir William McGillivray conserver, à Montréal, l'agence qu'il souhaitait obtenir en récompense.

William McGillivray, son frère Simon venu de Londres et Nicholas Garry s'appliquent au raccommodage, à l'apaisement. William McGillivray défend, comme s'il l'approuvait intégralement, l'accord qu'il juge imparfait, mais inévitable. Simon McGillivray a bataillé pour faire passer par Montréal les fourrures en provenance du Témiscamingue et de la zone sud du « Nord-Ouest » : le nord du lac Supérieur et une partie du district du Nipigon. Et surtout, une clause prévoit le respect des engagements contractés par la Compagnie du Nord-Ouest envers son personnel, jusqu'au bas de l'échelle. Personne ne perdra. . .

Les McGillivray décrivent la solution adoptée comme la seule possible : cela ou la ruine. Ils sont habiles et heureux. Angus Bethune et John McLoughlin, savourant leur succès, sont cette fois dans le camp des satisfaits. Angus Bethune reçoit la direction de Moose Factory ; John McLoughlin recevra, un peu plus tard, celle du district de Colombie. Archibald Norman McLeod s'en tient à un blâme tacite. L'ébauche de rébellion, sans chef, avorte. Simon McGillivray, écrit Colin Robertson, fait tout accepter « sans une ombre d'opposition », en distribuant quelques cadeaux — une bague, une dague, un pistolet — et beaucoup de promesses. « Ils ont été le groupe le plus conformiste et le plus accommodant que j'aie jamais rencontré... En trois jours, tout était paix et harmonie. » Les McGillivray calment Colin Robertson lui-même en érigeant en chef-lieu de district le poste de Norway House, dont le commandement lui est attribué.

L'assemblée terminée, William McGillivray, avant de quitter Fort William, écrit à son ami le pasteur Strachan :

> Le commerce des fourrures est perdu pour le Canada, pour toujours. Mais c'eût été la pire folie que de continuer la lutte. Nous ne nous sommes pas soumis. Nous avons négocié sur pied d'égalité.

Simon McGillivray et Nicholas Garry partent pour York Factory par le lac Winnipeg, mais non pas dans le même canot, car les deux hommes ne sympathisent guère. Simon McGillivray préfère prendre Colin Robertson avec lui. Au lac La Pluie, les Voyageurs font observer à James Leith, à ce moment à la tête du dépôt, qu'ils se sont engagés pour servir la Compagnie du Nord-Ouest, non la Compagnie de la Baie d'Hudson. Joseph Cadotte et quelques autres Nor'Westers échangent des horions avec des « Anglais » des îles Orcades.

C'est aussi le moment où l'expédition Franklin atteint la mer Glaciale (21 juillet 1821). Franklin envoie Ferdinand Wentzel, avec quatre Voyageurs canadiens, porter la nouvelle. Wentzel est très critique à l'égard des chefs de l'expédition qui négligent, malgré ses conseils, de garnir des caches pour le voyage de retour et dont il vaut mieux, écrit-il à Roderick McKenzie, « que la conduite ne soit pas connue »[1].

* * *

À York Factory, un banquet fête, si l'on ose dire, la fusion. Les « Anglais » ne cachent pas leur admiration pour ces Nor'Westers qui ont été de si formidables adversaires. Les Canadiens sont vaincus, mais après quelle lutte ! Les Nor'Westers participant au banquet se

---

1.   La lettre de Wentzel à Roderick McKenzie du 10 avril 1823 doit intéresser tout historien de l'expédition Franklin.

tiennent d'abord groupés, formant bloc — un bloc de glace. Ils restent collés à l'entrée de la salle, comme hésitant à y pénétrer. George Simpson, secondé par Simon McGillivray, fait placer les convives en s'efforçant de mêler les deux clans[2]. L'entrain est lugubrement factice. Des visages balafrés portent les traces des conflits récents. On arrive tout de même à voir les Nor'Westers échanger des poignées de main — molles — avec des employés de la Compagnie de la Baie d'Hudson. Simpson commet cependant quelques fautes. Deux ennemis comme John Clarke et William McIntosh, qui ont échangé des coups de feu, sont face à face. Des résidus de haine fermentent dans leur cœur. « Je n'oublierai jamais », écrit John Todd, « le regard de mépris et de méfiance qu'ils se jettent mutuellement. » Un Nor'Wester crache pour exprimer son dégoût. Un autre est assis comme sur une fourmilière. « Il est heureux », constate John Tood, « qu'ils n'aient pas eu d'armes. »

* * *

Alexander Mackenzie, rentrant de son grand voyage de découverte, en 1793, a exposé ses idées au lieutenant-gouverneur Simcoe, du Haut-Canada, qui les a communiquées à Londres :

> Celle de ses observations qui m'a le plus frappé est que la route la plus praticable passe par le territoire de la Compagnie de la Baie d'Hudson. Par cette route maritime, on éviterait l'interminable chaîne de lacs et de portages, de Montréal à l'intérieur. Mais les Canadiens étant beaucoup plus capables que les Européens d'endurer les misères de la vie indienne et les vicissitudes et les risques inhérents à ce commerce, c'est parmi eux qu'il faut prélever les hommes.

Alexander Mackenzie exposait un vaste plan d'union de la Compagnie de la Baie d'Hudson avec la Compagnie du Nord-Ouest et même avec la East India Company, pour doter l'Empire britannique d'une formidable organisation commerciale.

Le découvreur était prophète, et la fusion de 1821 réalise en partie son vœu. Elle combine, comme on l'a si souvent souhaité, les avantages de la route et ceux du personnel. Mais elle ressemble fort à une absorption. Elle substitue, comme Colin Robertson l'a souhaité, l'axe de la baie d'Hudson à celui du Saint-Laurent. William McGillivray écrit, dans sa lettre au pasteur Strachan :

> La perte du commerce pour Montréal et son district sera durement sentie parmi certaines catégories de la population. L'argent versé par le bureau de Montréal à ses employés de divers ordres ou dé-

---

2.   John Todd en a laissé le récit.

pensé en achat de provisions n'était pas inférieur à 40 000 livres par an, ce qui est une forte somme à retirer de la circulation. . .

Les journaux de Montréal annoncent la fusion sous le nom de la Compagnie de la Baie d'Hudson, le 21 novembre 1821. William McGillivray part pour l'Angleterre.

La fusion établit un monopole de fait du commerce des fourrures au Canada. Le gouvernement impérial accorde à la Compagnie de la Baie d'Hudson un monopole officiel de vingt et un ans dans toute l'Amérique britannique du Nord, « à l'exception de l'actuelle province du Canada » (décembre 1821). Le principe du monopole est contraire aux doctrines régnantes en Angleterre, mais on le juge indispensable en ce cas pour écarter, surtout auprès des Indiens, les excès auxquels la concurrence des compagnies de fourrures a donné lieu.

George Simpson est nommé surintendant général de la Compagnie de la Baie d'Hudson au Canada, avec bureau à Lachine. Sa tâche est d'amalgamer les deux compagnies, c'est-à-dire, dans une large mesure, de fondre les cadres de la Compagnie du Nord-Ouest dans le moule de la Compagnie de la Baie d'Hudson. L'un des avantages de la fusion doit être la suppression, le plus possible, du double emploi. Dans le district d'Athabasca, ce sont les postes de la Compagnie de la Baie d'Hudson qui disparaissent. Mais sur la Saskatchewan, c'est le contraire. Sur l'Assiniboine, également. Fort Gibraltar est abandonné. Les érudits, un siècle plus tard, rechercheront son emplacement exact. Fort William disparaît comme rendez-vous des Bourgeois − mais y a-t-il encore des Bourgeois ? − des traiteurs, des commis, des guides, des interprètes et des Voyageurs. Mais Montréal aussi, comme William McGillivray l'a prévu dans sa lettre au pasteur Strachan, est frappée.

George Simpson est ambitieux, mais il a les moyens de réaliser son ambition. Il veut devenir un grand gouverneur, y applique une énergie veloutée, et réussit. Il est l'Empereur du commerce des fourrures. À vingt-neuf ans, il y a de quoi griser un peu. George Simpson est Écossais, comme la plupart des dirigeants de la Compagnie de la Baie d'Hudson et de la Compagnie du Nord-Ouest. Il concilie les goûts fastueux et la propension aristocratique de feu Simon McTavish avec le don de séduire ses subordonnés et ses rivaux. Court de taille, il se laisse comparer à Napoléon, dont il collectionne les portraits, au risque de chiffonner John Richardson et autres loyalistes, dans ses bureaux impressionnants et sa résidence somptueuse de Lachine. Ses départs pour les tournées d'inspection, comme jadis ceux de Simon McTavish, sont solennels. Et plus encore ses arrivées dans l'Ouest, les pavillons des canots battant au vent ; un Écossais en costume national joue de la cornemuse à l'avant du canot directorial, et les Voyageurs doivent arborer une plume propre à leur chapeau.

George Simpson est évidemment influencé par le précédent des Bourgeois. Mais peut-on renouveler, ou simplement perpétuer leur étonnante aventure ? William McGillivray n'exagérait pas en évaluant à 40 000 livres la somme dépensée tous les ans par sa Compagnie à Montréal. Ce qui faisait deux livres par tête d'habitant, une livre si l'on englobe toute l'île de Montréal. Par combien faudrait-il multiplier pour avoir l'équivalent de nos jours ?

C'est du passé. Montréal ne sera pas, comme le voulait l'esprit civique des Bourgeois, qui ont tant rusé avec John Jacob Astor, le grand centre du commerce des fourrures en Amérique. D'ailleurs, George Simpson ne peut empêcher que la soie, depuis quelques années, remplace le castor dans le goût européen. Ce changement nuit au commerce du pays. La fourrure compte encore dans les exportations canadiennes, mais non plus au premier rang. Les Canadiens se désintéressent du « Nord-Ouest ». Des luttes politiques vont absorber leur énergie.

Les épopées s'éteignent, parfois lentement et parfois, comme celle-ci, brusquement. Les chansons des Voyageurs se retrouveront plus tard dans les recueils et dans les analyses des folkloristes décelant, dans leurs couplets, des reflets de l'âme populaire.

D'autres temps vont s'ouvrir. Le rail éventrera les forêts où nos gars, ahanant, transportaient leur canot sur le dos. Le nom du Grand Portage, dans les livres d'histoire, ne fera plus rêver les cœurs aventureux. Nous n'irons plus saluer le départ des brigades ; la chapelle, à Sainte-Anne, entre dans l'abandon avec ses ex-voto comme autant de reliques ; et sur les lacs frileux du grand Nord canadien les chants des Voyageurs ne résonneront plus.

72

Épilogue

Évolution de l'économie montréalaise — Carrière ultérieure de quelques-uns de nos personnages — Influence d'Edward Ellice sur une page d'histoire du Canada.

Ferdinand Wentzel arrive au Fort Chippewean le 25 octobre 1821. Au cours de l'hiver, il apprend le sort de l'expédition Franklin, dont onze hommes sur vingt sont morts de faim. Franklin, le lieutenant George Back, le médecin, l'interprète Richardson, cinq hommes et un interprète esquimau sont les seuls survivants.

Wentzel écrira plus tard — le 1er mars 1824 — à Roderick McKenzie :

> ...Les fourrures ont perdu beaucoup de leur valeur en Europe, et bien des facteurs-chefs et des traiteurs céderaient volontiers leurs actions pour 1500 livres, pour s'en aller d'un pays devenu désagréable à tous. Le rendement n'est pas cependant sans laisser un bénéfice, mais les dettes, la déception et l'âge semblent éprouver tout le monde. Le salaire des engagés est réduit à 25 livres par an pour un bout et 20 pour les milieux, sans équipement gratuit... Le Comité insiste pour que les familles résidant aux postes paient leur pension, au taux de deux shillings pour chaque femme ou enfant de plus de quatorze ans, et un shilling pour tout enfant au-dessous de cet âge. Tous s'en plaignent ; c'est un grief majeur, surtout pour les hommes chargés d'une famille nombreuse. En résumé, le Nord-Ouest est maintenant gouverné avec une main de fer.

Le castor, et les animaux à fourrure en général, décimés d'année en année, reculent ou disparaissent devant la double invasion des chasseurs et des colons.

La Compagnie de la Baie d'Hudson et le groupe de William McGillivray, Simon McGillivray et Edward Ellice dissolvent leur association, le 14 septembre 1824, pour lui substituer un nouvel accord. Le capital de la Compagnie est de 400 000 livres, dont 175 000 à partager également entre Edward Ellice et les deux frères McGillivray, qui cèdent aussitôt leur part à Nicholas Garry et deux autres associés.

Le pamphlétaire Samuel H. Wilcoke qui a mis sa plume au service de la Compagnie du Nord-Ouest dans ses disputes avec la Compagnie de la Baie d'Hudson, passe aux États-Unis, publie sous le pseudonyme de Lewis Luke Macculloch un périodique, *The Scribbler,* imprimé à Burlington, puis à Rouse's Point et enfin à Plattsburg, mais édité à Montréal. Il y est aussi agressif à l'égard de ses anciens employeurs qu'il l'a été à l'égard de leurs adversaires. Ce sont libelles de pamphlétaire, que ni la logique ni la délicatesse n'étouffent. Les historiens canadiens-français, peu nombreux il est vrai, ont négligé l'histoire, pourtant si passionnante, de la Compagnie du Nord-Ouest. Aucun n'a été tenté de reprendre et de compléter l'ouvrage de Rodrigue Masson dont nous allons parler. Les historiens anglais ont multiplié les monographies sur des personnages ou des aspects particuliers de cette extraordinaire entreprise. Gens de l'Ontario ou de l'Ouest, ils sont en général indûment sévères pour la Compagnie montréalaise. Ils lui imputent, dans ses démêlés tragiques avec la Compagnie de la Baie d'Hudson, des torts qu'il nous paraît équitable de partager.

Ce sont les vainqueurs qui écrivent l'histoire. Ils dépeignent leurs adversaires comme les agresseurs, coupables — et seuls coupables — d'atrocités et punis, en fin de compte, par l'immanente justice. William McGillivray a fait observer, dans un de ses mémoires, que la Compagnie du Nord-Ouest n'a jamais tiré le premier coup de feu. Les historiens ont-ils été influencés, dans leur subconscient, par le désir de plaire à la Compagnie de la Baie d'Hudson, détentrice de l'essentiel des archives, y compris celles de la Compagnie du Nord-Ouest, dont elle n'accorde l'accès qu'avec précaution ?

M. Arthur Morton, de l'Université de la Saskatchewan, auteur d'une importante *History of the Canadian West,* exprime en préface sa gratitude toute particulière pour les « privilèges » que la Compagnie de la Baie d'Hudson lui a « généreusement accordés ». Cet historien résume ainsi :

> La lutte entre la Compagnie du Nord-Ouest et la Compagnie X.Y. avait habitué les hommes de ces deux partis aux actes de violence. Après l'union de ces deux compagnies en 1804, les gens de Montréal ont recouru aux mêmes méthodes rudes et même sanglantes contre la Compagnie de la Baie d'Hudson et contre la colonie de lord Selkirk sur la rivière Rouge. La Compagnie de la Baie d'Hud-

son a dû finalement recourir à la force brutale pour défendre ses biens.

Les simplifications, dans ce genre de questions, sont rarement justes, et celle-ci, à notre avis, n'échappe pas à la règle.

Il doit être superflu de souligner l'étroitesse des rapports entre l'entreprise de Selkirk et la Compagnie de la Baie d'Hudson. Miles Macdonell, choisi par lord Selkirk, tient de la Compagnie de la Baie d'Hudson son rang de gouverneur. Le capitaine d'Orsonnens, engagé par Selkirk, envoyant sa sommation à Peter Warren Dease, au lac La Pluie, signe : « Protais d'Orsonnens, commandant l'avant-garde des Voyageurs de la Compagnie de la Baie d'Hudson ». Après la capture du poste, il invite le personnel de la Compagnie du Nord-Ouest à passer au service de la Compagnie de la Baie d'Hudson.

Il est vrai que Simon McGillivray, dès la première heure, conseillait d'obliger lord Selkirk à l'abandon de son projet « qui menacerait l'existence même de notre commerce ». Mais son pressentiment tombait-il si mal ? Le pasteur Strachan a maintes fois exprimé la même conviction. Dès l'arrivée des premiers émigrants, Selkirk, fort des consultations juridiques qui affirment les droits absolus de la Compagnie de la Baie d'Hudson et de ses concessionnaires, a donné à Miles Macdonell, tout disposé à les suivre, des instructions draconniennes : faire évacuer la terre, confisquer le bois, interdire la pêche, saisir les bâtiments. Miles Macdonell de son côté annonçait à lord Selkirk, son chef, auquel il avait grand souci de plaire, l'intention de « s'opposer décidément à la Compagnie du Nord-Ouest », qu'il entendait « dégoûter de poursuivre son commerce ici ». Sa correspondance ultérieure avec Selkirk exprime la résolution de chasser la Compagnie du Nord-Ouest. Selkirk est entièrement d'accord. Il écrit à Macdonell, en 1814, de faire évacuer les postes de la Compagnie du Nord-Ouest dans le district d'Assiniboia. Nous avons pu constater que Selkirk, actionnaire et concessionnaire de la Compagnie de la Baie d'Hudson, n'agirait pas autrement si son plan de colonisation n'était aussi un plan d'éviction de la Compagnie du Nord-Ouest.

Colin Robertson, l'autre homme de confiance de Selkirk, est obsédé par sa haine de la Compagnie du Nord-Ouest. Arrivant d'Angleterre à Montréal, il tient un journal. Il commence par y écrire : « Le plan que je suis en train d'exécuter avec l'aide de cet établissement (la colonie de lord Selkirk) vise à la chute du système de commerce le plus tyrannique qui ait jamais existé » — ce qui, sous sa plume, désigne la Compagnie du Nord-Ouest. Robertson abreuve la Compagnie de la Baie d'Hudson de suggestions telles que : « Si l'on peut empêcher leurs postes avancés de recevoir des marchandises pendant un an, ce sera leur ruine. » Que de fois a-t-il conseillé l'envoi d'une nombreuse expédition dans l'Athabasca « pour enlever à la Compagnie du Nord-Ouest la prépondérance dont elle jouit dans ce district ».

Les mauvaises intentions sont donc, au moins, réciproques. Les pressentiments de Simon McGillivray ne paraissent pas si mal fondés. Le soupçon porté sur lord Selkirk, de doubler son entreprise de colonisation d'une gigantesque spéculation immobilière, reste un soupçon, mais plausible.

Les historiens anglo-canadiens ont fidèlement suivi les versions des agents de la Compagnie de la Baie d'Hudson, dans le récit des divers épisodes. Arthur Morton, historien de marque, relate l'affaire des Sept-Chênes : « Les Métis commencent à tirer. » Les documents, et particulièrement les procès qui, répétons-le, sont une source précieuse parce que les deux parties se font entendre et sont mises sur le gril, n'autorisent pas cette assurance.

Il n'est pas juste de dépeindre la compagnie montréalaise comme le perpétuel, l'unique agresseur. Il me paraîtrait puéril de prendre parti dans cette querelle. Mais il faut chercher la vérité qui est, ici, nuancée. Les Nor'Westers ont défendu l'entreprise qu'ils avaient créée — au prix de quels risques et de quels sacrifices ! — dont ils vivaient et qu'ils aimaient au point de s'identifier à elle. Ils ont agi brutalement. Leurs adversaires aussi. Ce genre de bataille ne se livre pas avec des fleurs. Les surhommes, car les Bourgeois comme les Voyageurs de la Compagnie du Nord-Ouest en étaient, sont comme les hommes ordinaires pétris de bien et de mal — avec un cœfficient plus élevé. La proportion de ceux qui ont laissé leurs os dans cette aventure inspire le respect.

* * *

Le rôle de Montréal dans le commerce des fourrures est désormais réduit à peu de chose. L'effervescence politique nuit aussi aux affaires. La Chambre d'assemblée, présidée par Louis-Joseph Papineau, et le Conseil législatif, entraîné par John Richardson, se disputent le contrôle du budget, avec acharnement. Cependant les Écossais qui ont déjà tant contribué au développement de Montréal ne se contenteront pas d'efforts isolés ou intermittents. Ils s'adaptent aux circonstances et forment pour leur ville, de naissance ou d'adoption, des projets grandioses. John Richardson, fondateur de la Banque de Montréal, préside la réunion d'où sort la création d'un Committee of Trade, qui sera l'origine du Board of Trade, dans l'espoir d'influencer la législation. Le Haut-Canada se développe vite. L'avenir de Montréal paraît attaché au commerce extérieur — les importations dépassant de beaucoup les exportations — qui emprunte la voie du Saint-Laurent. Le Committee of Trade obtient l'indispensable intervention de l'État pour le creusage du canal de Lachine. Les Bourgeois auxquels le commerce des fourrures échappe en partie se rattrapent sur ce grand projet : faire de Montréal un véritable port fluvial, tête de ligne de la navigation océanique. Le port par où s'écoulera, dans les deux sens, le commerce du Haut-Canada et de l'Ouest même. En même temps ils s'attellent, John Richardson en tête, à l'utilisation du legs de James McGill pour la création d'une université.

* * *

John Richardson bataille aussi et bataillera longtemps encore contre les députés réformistes, partisans de Papineau, qu'il appelle des révolutionnaires et compare aux « sans-culottes » de France. Il mourra cependant trop tôt — en 1832 — pour voir l'explosion que son ennemi Papineau, sans le vouloir expressément, déclenchera.

William McGillivray s'est retiré dans son domaine du comté d'Argyll, en Écosse, mais il n'en jouira pas longtemps : il y mourra le 16 octobre 1825. Son frère Simon, ses affaires périclitant, deviendra commissaire de la United Mexican Silver Mining Company, puis, rentré à Londres, propriétaire du *Morning Chronicle.*

Roderick McKenzie, seigneur de Terrebonne, consacre l'essentiel de sa retraite à recueillir les éléments d'une histoire de la Compagnie du Nord-Ouest. Qu'il n'écrive pas lui-même cette histoire nous paraît une énigme, puisqu'il en aurait les aptitudes et le temps : il ne mourra qu'en 1844. La vente de la seigneurie de Terrebonne, qui lui a été faite par la succession McTavish, est contestée devant les tribunaux et annulée, après les longs délais d'usage, comme illégale. La seigneurie est aux enchères. Joseph Masson, voisin et ami de Roderick McKenzie, et qui passe pour le Canadien français le plus riche de son temps, s'en porte acquéreur. Le fils de Joseph Masson, portant le prénom de Rodrigue, épousera la petite-fille de McKenzie, héritera ainsi des documents et, tout en poursuivant une belle carrière politique — il deviendra lieutenant-gouverneur de la province de Québec — écrira la première Histoire de la Compagnie du Nord-Ouest.

Daniel McKenzie, discrédité, se retire à Prescott, mais un autre de leurs frères, Donald, commis principal à York Factory sous les ordres de John George McTavish au lendemain de la fusion, reçoit une mission correspondant à sa réputation d'énergie : l'établissement d'un poste parmi les Gros-Ventres, qui menacent d'abord de le massacrer. Il réussira dans cette tâche presque impossible, et terminera une carrière erratique comme gouverneur d'Assiniboia (rivière Rouge).

John Stuart, l'ancien compagnon de Simon Fraser, est facteur en chef de la Compagnie de la Baie d'Hudson dans le district de la Nouvelle-Calédonie dont il a été l'un des pionniers, où une rivière et un lac portent son nom. Jamais nomination n'a été mieux méritée. Mais la Nouvelle-Calédonie n'enverra plus ses fourrures à Fort William ; elle les enverra, en partie par canot, en partie par bât de cheval, à Fort George, à l'embouchure de la Columbia, d'où des bateaux la transporteront en Angleterre par le cap Horn. Un neveu de John Stuart, Donald Smith, à peine né à la date à laquelle nous arrêtons ce récit, entrera au service de la Compagnie de la Baie d'Hudson, deviendra, par la création du Pacifique-Canadien, l'un des géants de l'histoire du Canada et accumulera, sous le nom de lord Strathcona, une fortune et des honneurs bien gagnés.

Pierre-Chrisologue Pambrun est envoyé à Cumberland House, où il épouse une fille de Thomas Umfreville. On lui confiera plus tard un fort dans une circonscription éloignée et dangereuse de la Nouvelle-Calédonie, au sud de la colonie russe, entre les montagnes Rocheuses et l'océan Pacifique.

La résignation est à peu près générale, du haut au bas de l'échelle. D'anciens employés de la Compagnie du Nord-Ouest sont admis dans la colonie de la rivière Rouge. Pierre Falcon, le barde métis qui a exalté la victoire des Sept-Chênes, passe au service de la Compagnie de la Baie d'Hudson, sans rancune de part ni d'autre.

John McLoughlin deviendra, l'heure de la retraite venue, « le père de l'Oregon », mais ce personnage controversé n'a pas fini de soulever des discussions d'historiens.

Miles Macdonell finira ses jours au domicile de son frère et ancien adversaire John, retraité de la Nord-Ouest, à Pointe-Fortune sur la rivière Ottawa.

John Johnston visite son Irlande natale, avec sa femme et sa fille métisse, dont la beauté fait sensation. Il repousse toutes les invitations à rester, et rentre au lac Supérieur, où sa fille épouse un Américain, agent des Indiens au Sault-Sainte-Marie.

Simon Fraser se retire à la fusion, et vit dans le Haut-Canada où il mourra en 1862, à quatre-vingt-six ans. David Thompson, après quelques années de travaux d'arpentage à la frontière américaine, mourra pauvre et oublié à Longueuil en 1857, à quatre-vingt-sept ans. Il n'a pas réussi à faire publier la carte qu'il avait dressée pour la Compagnie du Nord-Ouest[1].

La fréquence des cas de longévité parmi des gens qui ont affronté tant de périls est frappante. Jean-Baptiste Perrault commence la rédaction de ses souvenirs en 1830, à soixante-dix ans, et ne se laissera mourir, au Sault-Sainte-Marie, qu'à l'âge de quatre-vingt-quatre ans. Marie-Anne Gaboury, épouse de Jean-Baptiste Lagimodière et première Canadienne venue au Nord-Ouest, finira ses jours à Saint-Boniface, à quatre-vingt-seize ans.

Protais d'Orsonnens, resté et marié au Canada, fera souche d'une belle famille canadienne-française, dont plusieurs membres, ayant de qui tenir, se distingueront en divers genres de combat. Son fils, le Dr Thomas-Edouard d'Odet d'Orsonnens, sera l'un des professeurs — et des chefs — de la célèbre École de Médecine de Montréal, et donc l'un des auxiliaires de Mgr Bourget dans ses luttes contre, entre autres, l'Université Laval. Gustave d'Odet d'Orsonnens, fils de ce médecin combatif, et très entiché de milice, sera l'un des inspirateurs du mouvement des zouaves pontificaux au Canada. L'un des premiers résidants et des premiers conseillers municipaux d'Outremont, parmi une majorité d'Écossais, il quittera ce village pour devenir le premier commandant de l'École d'infanterie de Saint-Jean.

Plusieurs des hommes qui ont fait leur marque au service de la Compagnie du Nord-Ouest accomplissent une carrière politique. Ils traversent la tourmente de 1837-1838 sans qu'aucun d'eux milite dans les camps des révolutionnaires conduits par Louis-Joseph Papineau dans le Bas-Canada et par William Lyon Mackenzie dans le Haut-Canada.

Duncan Cameron s'est retiré à Williamstown, dans le comté de Glengarry (Haut-Canada), où plusieurs anciens de la Compagnie du Nord-Ouest l'ont précédé. Il représente le comté à l'Assemblée du Haut-Canada, de 1820 à 1824. Pierre de Rocheblave, élu député de Montréal-Ouest en 1824, sera conseiller législatif en 1832, membre du Conseil exécutif de 1838 à sa mort, survenue en 1840. Laurent Leroux est élu député du comté de Leinster (L'Assomption) en 1827.

---

1. Cette carte a disparu. Les Archives publiques de la province d'Ontario en possèdent une autre, apparemment semblable et dressée de sa main. Fanée et craquelée, cette carte défie aujourd'hui la photographie. La Champlain Society en a publié une reconstitution. Réduite aux dimensions voulues pour publication dans un livre comme celui-ci, elle ne serait plus lisible.

Jean-Baptiste Toussaint Pothier, conseiller législatif en 1824, fera partie du Conseil spécial en 1838, et sera même son deuxième président. Jules Quesnel, le compagnon de voyage de Simon Fraser dont une bourgade et un lac à l'ouest des Rocheuses portent le nom, fera aussi partie du Conseil spécial en 1838 et deviendra conseiller législatif en 1841, l'année précédant sa mort.

Toussaint Pothier est seigneur de Lanaudière. D'autres traiteurs retraités, comme Peter Pangman, possèdent aussi des seigneuries (en ce cas, celle de Lachenaie), qu'ils transmettront à leurs fils.

*   *   *

Edward Ellice est celui de nos personnages qui exercera le plus d'influence sur l'histoire du Canada. Edward Ellice a hérité de son père la seigneurie de Beauharnois. Sa fortune, son mariage avec une fille de lord Grey et son mandat à la Chambre des communes lui ouvrent les antichambres des ministres. Il fait, à Londres, figure de spécialiste des questions canadiennes, et on le surnomme « The Bear » par allusion au pays et au commerce des fourrures. C'est Ellice qui lance, ou tout au moins qui réveille le projet de sortir de l'impasse où les conflits politiques conduisent le Canada en unissant le Haut et le Bas-Canada en une seule province, sous une seule législature. Il se heurte à l'opposition des Canadiens français, clergé en tête, dans le Bas-Canada, et du procureur général John Beverley Robinson dans le Haut-Canada. George Moffat, qui n'est pas précisément francophile, favorise le projet d'Union. Le pasteur Strachan, partisan d'une immigration protestante massive au Canada, favorise l'Union, tout en proposant des modifications de détail. La bataille autour de ce projet fait rage. Papineau passe en Angleterre pour le combattre, et rencontre Ellice, qui l'invite à dîner. Le projet, malgré les protestations d'Ellice, est enterré dans les cartons de Downing Street.

Passe la tornade de 1837, que Mgr Lartigue, évêque de Montréal et cousin de Papineau, appelle « notre petite révolution française », dans les deux Canadas. Louis-Hippolyte La Fontaine, disciple de Papineau qui s'alarme et blâme son chef en dernière heure, prend contact avec Edward Ellice, dans l'intérêt de la paix. Lord Durham, nommé gouverneur général, chargé de faire enquête et rapport, ayant épousé une autre fille de lord Grey, est le beau-frère d'Edward Ellice, dont il reçoit les conseils avant son départ. Ellice s'en tient, sur le fond, au projet d'Union. Il donne son fils, portant le même prénom d'Edward, à lord Durham comme secrétaire particulier. Papineau, exilé volontaire à Paris, écrit à sa femme : « Lord

Durham est le compère d'Ellice, l'égoïste qui a établi sa fortune dans la vie privée comme dans la vie publique sur le vol. »

Edward Ellice vient passer l'été de 1838 avec sa famille dans sa seigneurie canadienne. Mal lui en prend. Une nouvelle flambée s'allume dans les deux Canadas. Les « patriotes » du comté de Beauharnois assiègent le seigneur dans son manoir. On échange des coups de feu sans résultats sérieux. Ellice négocie une reddition, en posant cette condition que les dames seront respectées. Il est emmené prisonnier avec ses compagnons. Mais l'insurrection est écrasée, plus vite dans le Bas-Canada que dans le Haut-Canada. Les gardiens d'Ellice le libèrent, en implorant son intercession en leur faveur.

Les dames de la famille Ellice témoignent en effet en faveur d'un des condamnés, François-Joseph Prieur, qui, les tenant à sa merci, ne les a pas molestées.

Edward Ellice, rentré du Canada où son expérience s'est enrichie d'une manière inattendue, rencontre son beau-frère Durham à Londres dans les premiers jours de 1839, et son influence doit être prépondérante dans le rapport que Durham soumet au ministre. Edward Ellice est, selon toute vraisemblance, le principal inspirateur du changement de régime, suite la plus immédiate des insurrections de 1837 et 1838.

Le gouverneur, à Québec, convoque le simulacre de Parlement qu'est le Conseil spécial, pour lui faire approuver ou rejeter le projet d'Union. Le Conseil spécial comprend vingt-deux membres, dont onze « Anglais » et onze « Canadiens ». Les Anglais surtout, comme naguère au Conseil législatif, sont d'habitude peu assidus. Cette fois, par exception, les absences « canadiennes » sont les plus nombreuses. Les conseillers craignent-ils de froisser par leur vote, soit le gouverneur, soit leurs compatriotes ? Pierre de Rocheblave vote pour, avec George Moffat et Samuel Gerrard. Il faut un certain courage, en ce moment, pour voter contre. Jules Quesnel est, avec deux « Anglais », l'un des trois conseillers qui montrent ce courage.

* * *

Dans l'Ouest, le problème créé par la dépossession des Métis n'est pas réglé. Il donnera lieu à des explosions secouant tout le pays, entraînant l'une des crises les plus graves de son histoire. L'affaire des Sept-Chênes, sur les bords de la rivière Rouge, aura sa réplique sur les bords de la Saskatchewan. Un petit-fils de Lagimodière, chef et héros des Métis, mourra sur l'échafaud. (Mais son effigie paraîtra, trois quarts de siècle plus tard, sur un timbre-poste.) Il serait intéressant, mais il nous entraînerait trop loin, de suivre l'enchaînement des causes, depuis la tentative de Selkirk jusqu'à l'exécution de Riel et ses violentes répercussions.

* * *

Les compagnies américaines de fourrures recrutent la majeure partie de leur personnel au Canada, parmi les anciens commis et Voyageurs de la Compagnie du Nord-Ouest. Joseph Rolette, devenu membre et agent principal de la compagnie fondée par Astor, fait construire à Prairie-du-Chien de vastes hangars en pierre, où les Sauvages viennent vendre leurs fourrures. Il fait aussi construire un moulin et s'occupe d'élevage du mouton. Joseph Rolette, personnage important, emploie un personnel dont il se fait bien obéir et contribue aux progrès de la Prairie-du-Chien. Son concitoyen Jean-Baptiste Faribault passe à l'île de Pike, où le commandant américain l'attire pour son influence auprès des Sioux. Faribault y commence une exploitation agricole. Il est le premier défricheur à l'ouest du Mississipi et au nord de la rivière des Moines. Dans un traité signé en 1820 entre les Américains et les Sioux, ceux-ci cèdent l'île de Pike à Faribault, plus exactement à sa femme et à ses descendants. Quel destin pittoresque pour un petit gars de Berthier ! Des inondations conduisent cependant Faribault à transférer sa résidence à Mendola. Il mourra en 1860 — à quatre-vingt-sept ans, lui aussi. Un de ses fils, Alexandre, sera le fondateur d'une ville qui porte encore son nom (dans le Minnesota).

Joseph Rainville est l'animateur de la Columbia Fur Company, fondée avec quelques traiteurs écossais.

John Jacob Astor n'est pas intervenu dans les tractations entre la Compagnie du Nord-Ouest et la Compagnie de la Baie d'Hudson. Il passe les dernières années de son existence dans la retraite et la philanthropie. Il est le bienfaiteur insigne de la bibliothèque de la ville de New York. À sa mort, on estimera sa fortune à vingt millions de dollars. Vingt millions de 1848 !

La poussée de la colonisation vers l'Ouest transforme les États-Unis, chasse les animaux à fourrure, et le commerce des pelleteries perd de son importance. L'American Fur Company, acquise par Ramsey Crooks and Associates en 1834, cessera ses opérations en 1847, peu avant la mort de son fondateur. Mais les équipes d'exploration recherchent aussi les anciens de la Compagnie du Nord-Ouest, comme guides et comme interprètes.

Laurent-Salomon Juneau, originaire de L'Assomption, s'est fixé, avec sa femme Josephte Viau, sur les bords de la rivière Milwaukee.

Il se taille une cabane avec des troncs d'arbres, au centre d'un domaine où s'élèvera plus tard la ville de Milwaukee. Il est encore le seul Blanc habitant cette région en 1825, et sa maison forme un centre d'attraction pour les Sauvages. Pierre Ménard, né à Saint-Antoine-de-Richelieu, a été l'un des premiers représentants élus à la législature de l'Indiana, puis a présidé le Conseil législatif de cette État. Ses deux frères cadets, François et Hippolyte, l'ont rejoint à Kaskakia. François se consacre à la navigation entre Kaskakia et la Nouvelle-Orléans. Pierre Ménard est le premier gouverneur de l'Illinois, de 1818 à 1822.

Gabriel Franchère, qui se croyait rassasié d'aventures quand il est rentré de la Colombie, s'établira au Sault-Sainte-Marie, puis fera partie de la firme P. Chouteau fils et Compagnie à Saint-Louis, ouvrira enfin la G. Franchère and Company à New York. Il s'efforcera de rallier les Canadiens français de New York dans une Société Saint-Jean-Baptiste, qu'il présidera.

Des Canadiens établissent un peu plus tard sur le Mississipi la ville de Saint Paul (Minnesota), destinée à devenir l'un des principaux centres commerciaux et industriels du Middle West américain. Gabriel Franchère y viendra mourir chez son gendre, maire de la ville, en 1863.

Le territoire de l'Ouest américain est encore aujourd'hui constellé de noms français, malgré bien des altérations et des traductions. Le mérite en revient, pour une bonne part, à l'élan donné ou maintenu par la Compagnie du Nord-Ouest.

INDEX

– D –

– E –

– F –

– G –

– H –

– M –

– N –

– O –

– S –

– T –

TABLE DES MATIÈRES

TOME II